CW00422339

Auf der Wolzmüller-Alm, oberhalb des idyllischen alpenländischen Kurorts, findet der Almwirt Ganshagel eine Frauenleiche. Hauptkommissar Jennerwein ermittelt, aber keiner kennt die »Tote ohne Gesicht«. Im Ort will auch niemand etwas über geheime Treffen auf der Alm gewusst haben, und der Bürgermeister fürchtet in der Angelegenheit um seine Bollywood-Kontakte. Endlich gibt das Bestatterehepaar a.D. Grasegger dem Kommissar einen Tipp: bei der Toten handelt es sich um die »Äbtissin«, eine branchenberühmte und gefürchtete Auftragskillerin. Aber wer hat es geschafft, sie umzubringen? Da geschieht ein weiterer Almenmord, im Kurort geht die Angst um, und ein mysteriöser Maler gerät ins Fadenkreuz. Jennerwein muss mit seiner Truppe mitten durchs Unterholz pirschen …

»Auf höchstem Alpen-Niveau. Ein Glück für die deutsche Unterhaltungsliteratur.« *Deutschlandfunk*

»Zu Recht mit Kultstatus behaftet. Kommissar Jennerwein auf dem Bestsellergipfel.« *Westdeutsche Allgemeine*

Jörg Maurer stammt aus Garmisch-Partenkirchen. Er studierte Germanistik, Anglistik, Theaterwissenschaften und Philosophie und ist nun nicht nur Krimiautor, sondern auch Musikkabarettist. Er wurde für seine Arbeit mehrfach ausgezeichnet, u.a. mit dem Kabarettpreis der Stadt München (2005), dem Agatha-Christie-Krimi-Preis (2006 und 2007), dem Ernst-Hoferichter-Preis (2012) und dem Publikumskrimipreis MIMI (2012). Sein Krimi-Kabarettprogramm ist Kult.

Weitere Bücher von Jörg Maurer: ›Föhnlage‹, ›Hochsaison‹, ›Niedertracht‹, ›Oberwasser‹

Die Webseite des Autors: www.joergmaurer.de

Jörg Maurer

Unterholz

Alpenkrimi

FISCHER Taschenbuch

Erschienen bei FISCHER Taschenbuch
Frankfurt am Main, April 2014

Satz: Dörlemann Satz, Lemförde
Druck und Bindung: CPI books GmbH, Leck
Printed in Germany
ISBN 978-3-596-19535-0

1

Als Unterholz bezeichnet man in der Forstwirtschaft den Bewuchs unterhalb der Baumkronen, der aus Sträuchern oder kleinen Bäumen besteht.

Der dünne Stahldraht um seinen Hals zog sich ruckartig zusammen. Jennerwein schrie auf vor Schmerzen. Er hatte versucht, den Kopf zu heben, dabei war der empfindliche Ruhezustand der straff gespannten Drähte, mit denen er fixiert war, aus dem Gleichgewicht geraten. Der Druck auf seine Kehle nahm zu. Jennerwein würgte und hustete. Nur mit großer Mühe konnte er Luft holen, denn jede noch so kleine Bewegung steigerte seine Schmerzen ins Unerträgliche. Er lag auf dem Bauch. Direkt vor seinen Augen konnte er moosigen Waldboden erkennen, der mit Wurzelwerk durchsetzt war. Der Boden war leicht abschüssig. Die Erde roch scharf und unverschämt wohltuend nach Bergwald und Pilzen. Die Erinnerung kam langsam zurück. Er war angegriffen worden. Für einen Sekundenbruchteil war er nicht bei der Sache gewesen. Und alles um ihn herum war schwarz geworden.

Kommissar Jennerwein konzentrierte sich. Er versuchte sich ein Bild von seiner momentanen Lage zu machen. Eine Drahtschlinge riss an seinem Hals, eine weitere Schlinge schnitt in seine Handgelenke, die hinter dem Rücken gefesselt waren. Zwei weitere solche Befestigungen spürte er an den Fußgelenken. Seine Beine und sein Kopf wurden nach oben gezogen, vermutlich lag er unter einem Baum, und alle vier Drähte waren hoch über seinem Rücken an einem

Ast zusammengebunden. Wenn er ein Körperteil bewegte, um sich etwas Linderung zu verschaffen, spürte er die Einschnitte an den anderen Stellen umso schmerzhafter. Vermutlich liefen die Drähte dort oben durch eine Rolle, die leise knarzend im Wind schaukelte. Es klang so, und es fühlte sich so an. Wie war er bloß in diese Situation geraten? Schon wieder hatte er eine unbedachte Bewegung gemacht. Die Schmerzen fraßen sich fest wie wütende Hunde. Er begriff langsam, dass ein Entkommen unmöglich war. Diese Konstruktion war unter dem Namen *Die Schweinefessel* bekannt. Mitglieder der Fremdenlegion verwendeten sie, um Gefangene ruhigzustellen oder zu foltern.

Jennerwein versuchte, wenigstens den Kopf etwas zur Seite zu drehen, um sich zu orientieren, doch auch bei dieser winzigen Drehung fuhr ihm ein solch scharfer Schmerz durch den Körper, dass er es aufgab. Regungslos hing er im Netz. Auf die berüchtigte Schweinefessel deutete auch der Klavierdraht hin, der ihn gefangen hielt. Ein Stückchen davon hing in sein Gesichtsfeld, vielleicht war das Absicht, wie um ihm zu zeigen, dass er es nicht mit Dilettanten zu tun hatte. Kupferumwickelte Klaviersaiten waren rutsch- und reißfest. Sie hatten an beiden Enden vorgefertigte kleine Schlaufen, mit denen man die Drähte gut und schnell verbinden konnte, ohne komplizierte Knoten knüpfen zu müssen. Eine solche Klaviersaite war zudem leicht zu beschaffen, auf jedem Schrottplatz stand ein alter Klimperkasten, den man ausweiden konnte. Am geeignetsten waren die mittleren Klaviersaiten aus Gussstahldraht, sie waren hauchdünn, trotzdem stabil. Wo oben auf den Elfenbeintasten die Läufe und Arpeggios von Mozart und Beethoven endeten, begannen unter dem Holz die besten Saitenstärken für eine Fesselung. Der Hustenreiz wurde langsam unerträglich. Jennerwein versuchte zu husten, ohne sich zu bewegen. Es war nicht möglich. Wer hatte ihn in diese Lage gebracht? Und wo waren die anderen Mitglieder seines Polizeiteams?

Seine Gedanken gingen ein paar Tage zurück. Wie hatte er sich gefreut, seine Kollegen nach einem halben Jahr Pause wiederzusehen! Er hatte in dieser Zeit nur unspektakuläre Schreibtischfälle zu bearbeiten gehabt. Dann aber hatte er einen überraschenden Anruf aus dem idyllisch gelegenen alpenländischen Kurort erhalten. Polizeiobermeister Ostler war dran.

»Entschuldigen Sie die frühe Störung, Chef.«

»Guten Morgen. Was gibts?«

»Eine weibliche Leiche. Todesursache ungeklärt. *Nicht* natürlich. Ich hole Sie mit dem Jeep ab.«

»Kann ich nicht selbst –«

»Der Tatort ist unzugänglich gelegen, auf sechzehnhundert Meter Höhe.«

Jennerwein hatte gewusst, dass er sie alle bald wieder um sich haben würde, die beiden ortskundigen Polizeiobermeister Johann Ostler und Franz Hölleisen, den knorzigen Allgäuer Ludwig Stengele, die kriminalistisch hochbegabte Nicole Schwattke und vor allem – die Psychologin Maria Schmalfuß. Was für ein angenehm warmes Gefühl war in ihm aufgestiegen, als er gehört hatte, dass sie auch mit dabei war!

Jetzt lag er bewegungsunfähig auf dem Bauch. Sechzehnhundert Meter Höhe? Er überlegte. Natürlich! Er befand sich irgendwo in der Nähe dieser verdammten Wolzmüller-Alm, hoch am Berg, über dem Talkessel. Er drehte die Augen nach rechts, ohne den Kopf zu bewegen. Er blinzelte ungläubig. Einen halben Meter vor ihm bewegte sich etwas. Ein dunkler Schatten, der sich auf der Erde vorwärtsschob. Was war das? Eine Maus? Ein Ast im Wind? Ein Schuh? Schließlich sah er die klumpige Masse aus den Augenwinkeln. Es war eine Ansammlung von zwei, drei Dutzend Käfern. Sie bildeten eine breite Front, und von hinten drängten weitere heran. Beim näheren Hinsehen konnte Jennerwein die schwarze Panzerung und das dunkelrote Halsschild erkennen. Ein paar Zentimeter vor seinem Gesicht hielt die seltsame Prozession an. Die Insekten bewegten sich nicht weiter. Ihre kolbenartigen Fühler drehten sich ruckartig in alle Richtungen, ihre sechs plumpen Beinchen zitterten, und die schwarzen klebrigen Deckflügel wölbten sich über der starren Brustpanzerung. Jennerwein konnte sogar die feinen goldenen Haare erkennen, die den roten Halsschild der Käfer bedeckten. Entsetzen packte ihn. Es waren Aaskäfer. Und sie schienen auf etwas zu warten.

2

Als Unterholz wird beim Klavierbau der Teil des hölzernen Stimmstocks bezeichnet, in den die Wirbel eingeschlagen werden, die die Klaviersaiten halten. Jazzpianisten bevorzugen weiches Unterholz aus Pappel und Linde, klassische Pianisten hartes aus Buche und Eiche. Elton John verwendet Kirsch- oder Walnussholz.

Um die Wolzmüller-Alm rankten sich viele Spekulationen und Gerüchte. Sie war nicht leicht zugänglich, lag vom Kurort drei bis vier Fußstunden entfernt, und besonders das letzte Stück des Weges war ein mühevoller Schlauch, der sich den Berg hinaufwand. Das alles verstärkte das Geheimnis um die Alm nur. Zum Mythos wird immer nur das nicht ganz Zugängliche. Nur das Verschattete und Halbseidene, das Verfluchte und Abschüssige ist auf Dauer von Interesse. Und gerade diese Wolzmüller-Alm hatte in der Tat eine wechselvolle Geschichte. In den achtziger Jahren des letzten Jahrhunderts lief sie noch einigermaßen gut. Regelmäßig rückten Tiroler Landarbeiter an, die das Gras in mühevoller Handarbeit mit der Sense mähten, die Butter stampften, die Bäume für die Holzwirtschaft fällten und die gereiften Käselaibe mit Kraxen ins Tal hinuntertrugen. Auch eine Leitung hatten sie gebaut, mit der die frisch gemolkene Ziegenmilch sprudelnd in den Kurort rauschte. Damals, vor dreißig Jahren, gab es noch einen leibhaftigen Almbauern, den Wolzmüller Andreas. Natürlich kamen auch Kurgäste.
Die schwer zugängliche Alm war ein Geheimtipp.

»Ja, was treibst denn dann du den ganzen Tag?«, fragte der Wolzmüller Andreas einen dieser Kurgäste, nachdem der sich in seinem kleinen Gästezimmer häuslich eingerichtet hatte.

»Das siehst du doch. Ich bin Maler.«

»Gibts das heute auch noch? Es kommt doch alles im Fernsehen.«

»Es werden schon noch richtige Bilder gemalt.«

»Richtige Bilder? Das habe ich nicht gewusst.«

Der Wolzmüller-Bauer war ein grobschlächtiges Mannsbild, ein herumfliegender Dreschflegel hatte ihm ein Auge herausgehauen, fast zwei Meter groß war er, und einen Sohn hatte er, der nichts taugte. So viel wusste der Maler, der sich mit Frank Möbius vorgestellt hatte.

»Wie viel Bilder malt man dann so?«, fasste der alte Wolzmüller nach.

»Eines in der Woche schon.«

»Und da verdienst du so viel, dass du dir bei mir heroben auf der Alm eine Stube leisten kannst?«

Vorsicht!, dachte Möbius, nicht sagen, dass es sehr billig ist hier auf der Alm. Und dass er sein Zimmer in der Stadt gut vermietet hatte. An einen Malerkollegen, der ebenfalls eine Schulbibel illustrierte, eine evangelische allerdings. Er erhöht womöglich den Preis. Laut sagte Möbius:

»Ja, mal sehen, wie lange ich mir das leisten kann.«

»Weißt du was, Maler: Du kriegst das Zimmer umsonst, wenn du meinem Buben das Handwerk lernst.«

»Welches Handwerk?«

»Deines. Er will nix arbeiten. In der Landwirtschaft ist er unbrauchbar. Zwei linke Hände hat er. Mit lauter Daumen dran. Ich habe ihn hinunter ins Dorf geschickt, aber dort will er auch nichts lernen. Da ist doch die Malerei grade recht.«

Wie erklärt man das jetzt einem hinterwäldlerischen Almbauern, dachte Möbius, ohne ihn zu beleidigen?

»Das geht nicht so leicht«, begann er vorsichtig.

»Aha, so ist das! Fürchtest du die Konkurrenz?«

»Ist er überhaupt interessiert, dein Michl?«

»Interessiert? Am Nichtstun ist der schon interessiert. Der Handel ist der: Du lernst ihm jeden Tag was, dann hast du freie Kost und Logis.«

Der Wolzmüller hielt seine Riesenpratzen hin. Frank Möbius war eigentlich Buchillustrator. Er hatte einen Auftrag an Land gezogen, der war in drei Wochen abzuliefern. Er sollte eine katholische Schulbibel bebildern, möglichst plastisch, möglichst eingängig, mit einem kleinen Schuss Humor, wie der Verleger gesagt hatte. Bisher hatte er erst eine einzige Illustration fertiggestellt: Adam wartete draußen vor dem Garten Eden, Eva packte drinnen noch ihre Sachen zusammen. Der Abgabetermin drohte. In drei Wochen musste er die dreißig Zeichnungen fertig haben, das ganze Alte Testament rauf und runter.

Der Sohn des Almbauern, der Wolzmüller Michl, war ein maulfauler Geselle, der mit seinen zwanzig Jahren keinen Bock zu gar nichts hatte. Seine Augen glotzten blöde und trübe, als er Möbius vorgestellt wurde. Widerwillig gab er ihm die Hand.

»Wann hast du denn Zeit?«, fragte Möbius.

Keine Antwort. Schulterzucken.

»Hast du schon einmal etwas gemalt?«

Wieder keine Antwort. Ein schwieriges Stück Fleisch, dieser Wolzmüller Michl, dachte Möbius.

»Schaust du gern Bilder an?«

Dann, nach furchtbar langer Zeit:

»Wenn es gute sind, schon.«

»Willst du einmal ein Bild von mir sehen?«

Schulterzucken. Möbius zeigte ihm seinen Entwurf zum Buch Jona eins bis vier.

»Was soll das sein?«, murmelte der Michl.

»Jonas und der Wal.«

»Ich sehe nichts.«

Möbius deutete mit dem Bleistift auf die Figuren.

»Das ist Jonas, und das ist der Wal.«

Michl Wolzmüller schüttelte den Kopf.

»So schaut keiner aus, der gerade ins Meer geworfen worden ist und der Angst hat. So schaut auch kein Wal aus.«

»Ich habe es natürlich etwas überspitzt –«

Und dann nahm der Michl ein Stück Papier und einen stumpfen dicken Zimmermannsbleistift und malte auf dem unebenen Holztisch, der in der Almhüttenstube stand, *seine* Interpretation des Buches Jona eins bis vier. Er kritzelte ein paar Striche und Kurven. Und es war Jonas. Und es war der Wal. Und es waren auf einem fernen Schiff im Hintergrund die Männer, die Jonas ins Meer geworfen hatten. Und es war die Angst von Jonas vor dem Wal, und der skeptische Blick des Wals angesichts dieses unverdaulichen Brockens.

»Ninive könnte man auch noch hinzeichnen«, nuschelte der Wolzmüller Michl. »Im Hintergrund.«

Möbius wusste, dass er diesem Schüler nichts beibringen konnte. Der beherrschte es bereits. Ganz intuitiv. Der war nicht dumm, der war bloß faul. Und in Möbius' Kopf reifte ein Plan.

Schon nach zwei Wochen schickte er dreißig Zeichnungen in die Stadt. Eine besser als die andere: Erschaffung der Tiere, Sintflut, Heuschreckenplage, das übliche fundamentalistische AT-Programm. Der Bibelverlag war begeistert.

»Und, wie läuft es mit dem Michl?«, fragte der alte Wolzmüller.

»Das ist ein harter Brocken«, sagte Frank Möbius. »Er hat ein kleines bisschen Talent, einen Hauch davon, aber man müsste viel arbeiten mit ihm. Es fehlt an der Technik und überhaupt an allen Ecken und Enden. Er müsste schon noch sehr viel lernen.«

Wenn er es geschickt anstellte, hatte er in nächster Zeit eine todsichere Einkunftsquelle.

Und mit diesem ungleichen Trio begann damals, vor dreißig Jahren, der Aufstieg, aber auch der Niedergang der Wolzmüller-Alm.

3

Die alten Griechen bezeichneten die Gedärme als *pankreas* (wörtlich: »alles Untere«), also das Unterholz des Leibes. Der Heilige Pankratius ist folgerichtig Schutzheiliger der Bauchspeicheldrüse. Man ruft ihn bei allen pankreatischen Beschwerden an, bei Bauchgrimmen, Seitenstechen, Gallenkoliken, Nierenentzündungen, Leibdrücken und ähnlichen unbehaglichen Zuständen.

Jetzt aber schmorte das Loisachtal unter der stechenden Sommersonne. In den Vorgärten stiegen Hunderte von kleinen Grillfeuerrauchwölkchen auf. Die beiden Wanderer waren nach viereinhalb Stunden auf dem Gipfel der Kramerspitze angekommen, und von Ferne sah der Kurort aus wie ein rauchender Trümmerhaufen. Sie stießen kleine Schreie des Entzückens aus und warfen ihre Rucksäcke auf den Boden. Der Kramer, ein knapper Zweitausender, ein freistehender Klotz von einem Berg, war technisch nicht allzu schwer zu erklimmen, aber durchaus schweißtreibend. Sie ließen sich, etwas abseits vom Gipfelkreuz, an einer windgeschützten Stelle nieder, die durch einige Moose und farnige Bodendecker ein gewisses Mehr an Bequemlichkeit bot.

»Acrodermatitis, sagst du?«

»Ja, sogar chronica.«

»Atrophicans?«

»Herxheimer. Ohne jede Therapiemöglichkeit.«

»Das hast du ihm so ins Gesicht gesagt?«

»Schwere Lyme-Arthritis mit Neuroborreliose, das war meine Diagnose.«

»Und das alles durch einen Zeckenbiss! Zieh deine Wadlstrümpfe hoch. Hier am Kramergebirge soll es wimmeln von den Viechern. Und wie hat dein Patient darauf reagiert?«

»Ziemlich gefasst. Als ich ihm allerdings die durchschnittliche Lebenserwartung in solchen Fällen geschildert habe –«

Unten im Tal schwoll das Zwölfuhrläuten der St.-Martins-Kirche an, das war der perfekte Zeitpunkt zum Obenankommen und Herrjessas-wie-schön-Rufen. Die beiden Bergsteiger unterbrachen ihren medizinischen Diskurs. Obwohl sie schon ein paarmal auf der Ausblicksbank unter dem prächtigen Gipfelkreuz gesessen hatten, starrten sie abermals gebannt auf das pompöse Panorama. Gegenüber, auf der anderen Seite des Talkessels, lag das Karwendelgebirge, und aus der Wettersteinwand richteten sich die drei würdigen kulissenartigen Wahrzeichen auf: die Alpspitze, die Waxensteine, das Zugspitzmassiv. Unten im Kessel glitzerte und brodelte der Kurort, und ganz hinten, wie ein schräg in den Sand gesteckter Schuhlöffel, protzte die sündhaft teure Skischanze. Die beiden Mediziner legten sich auf den Rücken und blickten entspannt ins föhnige Azur, umschmeichelt von Gustl, Hias, Blasi und Naaz – so nannte der Volksmund die vier rastlosen Lokalwinde. Einer Sage nach waren dies einst Loisachtaler Holzknechte gewesen, die sich bei einem Maitanz zu gotteslästerlichen Flüchen verstiegen hatten. Es ging damals um die schöne, reiche, kluge und kugelrunde Theresia *(de kuglerte Resl)*, die den hässlichen, armen, dummen und ausgemergelten Burschen einen Stampfwalzer verwehrt hatte. Die Burschen gaben nun so gotteslästerliche Verwünschungen von sich, dass sie diese bis in alle Ewigkeit zu büßen hatten. Man kann sich allerdings Schlimmeres vorstellen, als in einen Lokalwind mit überschaubarem Einsatzgebiet reinkarniert zu werden.

»Normalerweise führt eine Borreliose doch nicht zum Tod, oder?«

»In diesem Fall aber ist sie zu spät entdeckt worden. Die Borrelien haben sich in der äußeren Hirnrinde eingenistet.«

»Hast du ihm gesagt, was das bedeutet?«

»Natürlich. Die seltene Art der *borrelia metschnikowi* führt dazu, dass das Gehirn innerhalb weniger Monate nur noch ein nutzloser Zellhaufen ist. Und dass er damit noch Jahrzehnte leben kann. Das weiß er jetzt.«

Das Bergsteigerpärchen, ein stämmiger Mann und eine drahtige Frau, deren Wadeln die knallroten Bergsteigerstrümpfe fast sprengten, waren keine Einheimischen, sondern Zugereiste. Der Mann konnte auch nach zwanzig Jahren das Sächseln nicht ganz unterdrücken, die Frau hatte einen leicht küstennahen Akzent behalten, damit pries sie jetzt die klare Luft, die Ruhe, den sensationell weit reichenden Blick Richtung Norden.

»Wenn die Erdkrümmung nicht wäre, dann könnte man von hier aus sogar den Hamburger Fischmarkt erkennen.«

Er hingegen blickte in die entgegengesetzte Richtung. Er bewunderte die rostroten Wolken im Süden, die dicken marokkanischen Saharastaub-Ansammlungen, die sich schlierig und mit mediterraner Grandezza übereinanderschoben.

»Manche Frühlingsschwalben sollen diese Scirocco-Wolken als Gefährt benutzen, um sich so ein paar tausend Kilometer Flug zu ersparen.«

Die beiden öffneten die Rucksäcke, redeten noch eine Weile über frische Nordseekrabben, flügellahme Schwalben und die Spätfolgen von unbehandelter Borreliose.

»Was ist denn das?«

»Ein echtes Fernglas aus den Beständen der DDR.«

»Eigentum der Nationalen Volksarmee?«

»Ja, das berühmte Einheitsdoppelfernrohr EDF 7×40 mit radioaktiver Strichplattenbeleuchtung, hergestellt von Carl Zeiss Jena.«

»Darf ich mal? – Toller Blick. Wo hast du das her?«

»Vom Flohmarkt.«

Von wegen Flohmarkt! Sammler zahlen ein paar Tausender für das historische Siebenmalvierziger. Leichte Gebrauchsspuren machen es noch wertvoller. Da muss man schon einen DDR-Grenzer in der Familie gehabt haben.

»Das musst du dir einmal anschauen«, sagte der, dessen Wurzeln an den Ufern der Saale lagen. »Da, nimm das Glas. Zwischen der Ziegspitz-Scharte und der oberen Stepberg-Wiese.«

»Ah, jetzt sehe ich sie auch: Eine Alm! Da arbeitet einer mit einer richtigen Sense. Aber so hoch droben?«

»Wenn ich mich nicht täusche, ist das die Wolzmüller-Alm. Liegt auf sechzehnhundert Meter Höhe.«

»Dass man auf solch einer steilen Wiese überhaupt noch mähen kann, unglaublich!«

Erneuter Wechsel des Einheitsdoppelfernrohrs, dazwischen Einheitsdoppelfernrohrlinsenputzen.

»Almwirtschaft, klingt romantisch.«

»Klingt so, ist es aber nicht. Ist eher anstrengend.«

»Das glaube ich auch. Aber: Wolzmüller-Alm? Den Namen habe ich schon öfter gehört.«

»Das wundert mich nicht, um die Alm gibt es jede Menge Gerüchte. Der alte Wolzmüller soll in den Achtzigern plötzlich stinkreich geworden sein, kein Mensch hat gewusst, wo er das viele Geld auf einmal herhatte. Später hat er die Alm allerdings verkommen lassen. Es sollen wilde Partys stattgefunden haben, bei einer davon soll er angeblich umgekommen sein.«

»Unsaubere Geschäfte?«

»Wahrscheinlich. Der neue Pächter, ein gewisser Ganshagel, bemüht sich sehr. Er bewirtschaftet sie aber nicht mehr klassisch. Da finden jetzt Manager-Seminare und so Schmarrn statt. Es liegt irgendwie ein Schatten auf der Alm.«

»Vielleicht ist der Sensenmann da drüben dieser Ganshagel.«

»Möglich. Der arme Mensch muss alles alleine machen.«

Alle Wolkentypen dieser Welt durchquerten gerade den Himmel, der dunstige Zirkus dort oben hätte mehr als einen Blick verdient. Ein Steinadlerpärchen kreiste, ein Murmeltier pfiff, die Berggeister schnatterten in den würzig duftenden Latschen. Nach einem Stündchen Geplauder trugen sich die beiden Mediziner mit knappen Worten ins Gipfelbuch ein: *Schön hier oben!* Sie blätterten die Seiten zurück. Andere hatten sich mehr Mühe gegeben. *Feindselig, wildzerrissen steigt die Felswand. Das Auge schrickt zurück, bang sucht es, wo es hafte. Meyer.* Dann packten die beiden Mediziner ihre Rucksäcke wieder zusammen und machten sich an den Abstieg.

»Was wurde eigentlich aus dieser Theresia? Wurde die auch in irgendetwas reinkarniert?«

»Natürlich, schau mal da rüber, zwischen dem Kreuzeck und dem Schwarzenkopf, der kleine, kompakte Berg, das ist die Kuglerte Resl.«

»Sie ist zu Stein geworden?«

»Ja, so sagt man. Auch Stolz wird bestraft.«

»Weißt du was: Da könnten wir doch nächste Woche raufgehen!«

»Gute Idee. Von der Kuglerten Resl müsste man eine bessere Sicht auf die Wolzmüller-Alm haben als hier von der Kramerspitze.«

»Vielleicht sehen wir mal richtige Almarbeit. Mit Buttern, Käsen und Kühe melken.«

»Ja, klar, mit Heidi, dem Geißenpeter und dem Alpöhi, oder?«

Lachend machten sie sich an den Abstieg. Sie sollten auch in der kommenden Woche keine richtige Almarbeit sehen. Vom Geißenpeter ganz zu schweigen.

4

Im Finnischen gibt es den Begriff *kesken puu*, das ist der Platz *unter* dem tiefsten Holzbrett in der Sauna, also ganz tief unten, nicht mehr unterbietbar, unter aller Kanone, das absolute No-Go, der letzte Wagen der Geisterbahn.

Wie sieht jemand aus, der einen Auftragskiller sucht? Hat er dicht beieinanderliegende Augen? Ist sein Blick gehetzt, verschlagen, lauernd? Schleicht er in den Industrievierteln der Vorstädte herum und umklammert mit schweißnassen Händen das Blutgeld, das aus einem prallen Bündel schmutziger Scheine besteht? Geht sein Atem unruhig und rasselnd, zieht er die Mundwinkel menschenverachtend nach unten? *Entstellt, verwahrlost, so lahm und ungeziemend, dass Hunde bellen, hinkt er wo vorbei ...*? Nein, er sieht eher so aus wie Marlene Schultheiss. Die sitzt gerade in der kleinen Wohnküche am Esstisch und schiebt den leeren Teller langsam von sich weg. Ihr Mann hockt ihr geistesabwesend gegenüber, sie wirft ihm einen kleinen, böse blitzenden Blick zu. Peter Schultheiss ist mit dem Essen noch nicht fertig, er scharrt und kratzt mit der Gabel auf dem Porzellan herum, sie schließt die Augen und formuliert einen lautlosen, obszönen Fluch. Sie wünscht ihn zur Hölle. Er hat die Zeitung neben den Teller gelegt und blättert darin herum. Er tut so, als ob er liest. Denn auch ihm scheint ihr Anblick unerträglich zu sein. Sie fragt ihn erst gar nicht, ob es ihm geschmeckt hat. Sie haben schon seit Wochen nicht mehr als das Nötigste miteinander geredet. Wozu auch. Es gibt schon lange kein gemeinsames Thema mehr. Es gibt nur noch Dutzende von Gründen, den anderen inbrünstig zu verachten. Sie leben völlig isoliert, sie sind auf sich allein gestellt, sie sind ganz auf ihren Hass konzentriert. Er hat beim Zeitunglesen die lästige Angewohnheit, die Lippen langsam zu spitzen und sie mit einem kleinen, widerlichen Schmatzgeräusch zu öffnen. Alle paar Sekunden. Und das ist nur eine von vielen ekelhaften Angewohnheiten. Er scheint inzwischen nur noch aus solchen kleinen Scheußlichkeiten zu bestehen, er lässt sich immer mehr treiben, er wird von Woche zu Woche unerträglicher. Wieder dieses Schmatzgeräusch. Eine Welle ohnmächtiger Wut brandet in ihr auf. Aber sofort ein bitterer Gegenstrom: Sie schämt sich dafür, in dieser Routine gefangen zu sein. Sie steht auf und trägt ihren Teller schweigend zum Spülbecken. Dort liegt ein großes, schweres Fleischmesser, an dem noch Bratenreste kleben. Eine Fliege hat sich darauf niedergelassen. Angewidert öffnet sie den Wasserhahn und spült das Messer langsam und sorgfältig ab. Sie lässt das Wasser über die Klinge laufen. Sie dreht das Messer hin und her. Dann hört sie ein Geräusch hinter sich. Ihr Mann ist ins Wohnzimmer gegangen und hat den Fernsehapparat angestellt. Sie spült den Rest des Geschirrs ab, geht dann in die Diele und streift den Mantel über. Die ganze Situation ist so festgefahren, dass sich wohl nur mit einem radikalen Akt etwas ändern lässt.

»Du gehst noch weg?«, fragt er, und es klingt alles andere als interessiert. Es klingt nicht einmal vorwurfsvoll oder beleidigt. Es klingt mechanisch dahingesagt. Das ist das Schlimmste an dieser siechen Ehe: diese mechanische, desinteressierte Höflichkeit, die jeder noch mühsam aufrechterhält. Sie öffnet die Tür.

»Ich gehe noch ein bisschen frische Luft schnappen«, sagt sie leise. Sie sagt es so leise, dass er es wahrscheinlich gar nicht hört.

Solche Ehepaare gibt es. Sie leben unter uns. Wir kennen sie, und wir laden sie zu Grillpartys und Bergtouren ein. Man hört keinen Streit und keine gewalttätigen Auseinandersetzungen, man weiß nicht, warum der Hass so groß und die Situation so aussichtslos ist. Es steckt auch kein dunkles Geheimnis dahinter, keine große Lebenslüge, kein gemeiner Betrug, keine brutale Behandlung, es ist die Ehe selbst, die zu der verzweifelten Lage geführt hat. In den anonymen Betonhöhlen der Städte gibt es mehr solche Ehepaare, als man vermutet. Sie denken nicht an Trennung. Sie denken nicht an Therapie. Sie denken nicht daran, sich von Freunden Rat zu holen. Wenn sie nachts wach liegen, wenn sie tagsüber aus dem Fenster starren, wenn sie ein Kapitel eines Buches immer und immer wieder von vorne beginnen, dann träumen sie von einer endgültigeren Lösung.

»Herr Richter, ich wollte gar nicht töten«, sagen sie später, »ich wollte nur, dass endlich Ruhe einkehrt.«

Marlene Schultheiss trat ins Freie. Es hatte gerade aufgehört, zu regnen, der Asphalt der Stadt glitzerte ölig. Der Geruch von altem Frittenfett lag in der Luft, in einem Hauseingang prügelten ein paar Jugendliche auf einen Einzelnen ein, der am Boden lag. Als sie Marlene näher kommen sahen, hielten sie kurz inne und sahen sie herausfordernd an. Sie zog die Mütze ins Gesicht und ging weiter. Keiner der Jugendlichen rannte ihr nach. Wer sich wie Marlene Schultheiss endgültig zu etwas Wichtigem entschlossen hat, strahlt oft eine furchtbare Kraft und Ruhe aus, die schier unangreifbar macht. Marlene Schultheiss hatte die Entscheidung gefällt, ihren Mann auf professionelle Weise aus dem Leben nehmen zu lassen. Professionell – das war sie ihm schuldig. Sie war keine Mörderin, die selbst Hand anlegte, sie hatte vor, Fachleute zu engagieren. Es sollte schnell gehen, Peter durfte nichts spüren. Das wollte sie sich auch etwas kosten lassen. Vermutlich gingen ihre halben Ersparnisse dabei drauf. Sie hatte gehört, dass so eine Sache zwanzigtausend kostete. Aber das war eine Investition in eine freie Zukunft.

»Wohin gehst du?«, hatte er aus dem Wohnzimmer gerufen. Das machte er doch sonst nie. Ahnte er etwas? Marlene gelangte bald ins Bahnhofsviertel der Stadt. Ampeln blinkten grell, auf den Kanaldeckeln tanzten die Nebelgeister der städtischen Wasserwerke, aus der Bingo-Bar torkelten Betrunkene. Es wimmelte hier von zwielichtigen Gestalten und wackligen Existenzen: offensichtliche Junkies, die dringend Nachschub brauchten. Bettler, Tagediebe, finstere Figuren, die für Geld vermutlich alles machten. Sie waren alle da, und einer von ihnen würde es machen, da war sich Marlene sicher.

Sie ging zum Bahnhof. Sie betrat die lärmende Riesenhalle und stieg die Treppe zur Bahnhofstoilette hinunter. Sie schloss die Kabinentür hinter sich, nahm ihre Nagelschere aus dem Etui und ritzte ihr Anliegen, das sie schon lange mit sich herumtrug, zwischen die üblichen Klosprüche. Als sie wieder im Toilettenvorraum stand, wurde ihr leicht schwindlig. Sie musste sich mit einer Hand an der Wand abstützen. Sie blickte in den Spiegel. Sah so eine Gattenmörderin aus? Oder noch schlimmer: eine, die einen anderen mit einer solchen Tat beauftragte? Sie befeuchtete das Gesicht mit kaltem Wasser. Als sie wieder aufblickte, erschrak sie. Neben ihr war eine zwergenhafte Figur aufgetaucht, deren Gesicht fast vollständig von einem schmutzigen Schal verhüllt war. Der Zwerg streckte ihr im Schein der flackernden Neonbeleuchtung wortlos drei Plastiktütchen mit verschiedenfarbigen Inhalten entgegen. Eines war klebrig braun, eines gekräuselt schwarz, eines schneeweiß.

»Kein Interesse«, sagte Marlene.

Ihre Stimme hörte sich kratzig und rau an. Der Zwerg nickte

und verschwand. Marlene war in der richtigen Szene, aber sie wusste nicht so recht, wie es jetzt weitergehen sollte. Sie verließ das Bahnhofsgelände wieder. Hätte sie dem Zwerg eine Andeutung machen sollen, was sie wirklich wollte? Und wenn es ein verdeckt arbeitender Polizist war? Sie hatte allerdings gehört, dass Scheinverkäufer und Lockspitzel in Deutschland nicht erlaubt waren. Marlene ging eine Nebenstraße entlang. Sie war sich nun doch nicht mehr so sicher, ob sie hier an der richtigen Stelle suchte.

Im Film war alles ganz einfach. Sie hatte mal eine Schwarzweißpistole mit Jean Gabin gesehen. Der war ins Bahnhofsviertel von Marseille gegangen, hatte einen Tausend-Franc-Schein zu Boden flattern lassen und einen Fuß so darauf gestellt, dass noch ein winziges Stückchen des Lappens zu sehen war. Das bedeutete im Marseille der vierziger Jahre: Auftragskiller gesucht. Innerhalb einer Minute war Jean-Paul Belmondo dagestanden und hatte seine Dienste angeboten. So einfach ging es hier nicht, aber Marlene war nicht naiv. Sie schritt nun zielstrebig die Klävemannstraße entlang. Sie wusste, dass es hier ein Elektronikgeschäft gab, in dessen Auslage auch Anscheinwaffen ausgestellt waren. Sie betrat den Laden und deutete auf ein Ausstellungsstück.

»Dazu brauchen Sie einen Waffenschein«, sagte der junge türkische Verkäufer, ohne aufzublicken. Sie trat näher.

»Hören Sie –«

»Ja?«

»Ich brauche eigentlich keine Waffe.«

»Sondern?«

»Eher jemand, der eine Waffe bedient.«

»Habe ich Sie eben richtig verstanden?«

»Ich denke schon.«

»Verlassen Sie bitte sofort meinen Laden«, sagte der Türke langsam und drohend.

Noch ein Fehlschlag. Sie wusste, dass sie Spuren hinterließ, viel zu viele Spuren. Heftige Angstschauer durchjagten sie. Marlene fuhr die Rolltreppe zur U-Bahn hinunter. Man stand eng. In der Mitte der Rolltreppe schlug ihr jemand von hinten leicht auf die Schulter. Sie zuckte zusammen. Ob es Absicht war oder ein versehentlicher Rempler, konnte sie nicht mit absoluter Bestimmtheit sagen. Sie drehte sich um, der Mann murmelte eine Entschuldigung. Wahrscheinlich war der Rempler reiner Zufall. Trotzdem. Sie konnte die Angst nicht mehr abschütteln. Vielleicht war das alles ein paar Nummern zu groß für sie. Marlene sah sich gelegentlich um. Unauffällig, wie sie meinte. Folgte ihr jemand? Es hatte wieder zu regnen begonnen. Sie steckte ihre Hände in die Manteltaschen, dabei stieß sie mit den Fingern auf ein Stück Papier. Es war der Prospekt einer Spelunke in der Kaiserstraße. *Philomena-Bar – täglich wechselndes Programm!* Irgendjemand musste ihr den Zettel in die Tasche gesteckt haben. Der Zwerg? Der Rempler? Der Waffenhändler? Marlene betrachtete den Prospekt. Jetzt war schon alles egal. Es war eine echte Kaschemme, in der es penetrant nach Desinfektionsmittel und verschüttetem Bier stank. Sie setzte sich an einen Tisch. Niemand sprach sie an. Sie wartete eine Stunde, und sie wusste nicht, auf wen oder was eigentlich. Alles an diesem Raum war schäbig und abgetakelt. Sie dachte darüber nach, ob es nicht vielleicht doch der falsche Ort war, an dem sie wartete.

»Sie brauchen also jemanden, der eine Waffe bedient«, sagte ein Mann, der plötzlich aus dem gegenüberliegenden Polster gewachsen war. Marlene blickte ihn erschrocken an. Sie hatte diesen Mann noch nie gesehen. Die Beleuchtung war diffus, aber so viel konnte sie erkennen, dass ihr Gegenüber gut gekleidet war. Die Turnschuhe des Mannes waren jedoch schmutzig und abgelatscht. Oben und unten passte überhaupt nicht zusammen. Ein paar Minuten lang starrten sie sich wortlos an und atmeten den Geruch von Desinfektionsmittel und verschüttetem Bier ein, der eine kühl und beobachtend, die andere unsicher und die Angst nur mühsam im Zaum haltend. Beide bestellten Mineralwasser, ließen jedoch die Gläser unberührt vor sich stehen. Der gutgekleidete Mann mit den schmutzigen Schuhen nickte schließlich.

»Ich bräuchte schon ein paar Details«, sagte er. »Wer? Wie? Wo? Beginnen wir mit dem Wer.«

Na also. So einfach war das. Marlene griff in die Innentasche ihres Mantels und holte eine postkartengroße Fotografie heraus. Sie schob sie über den Tisch, ihre Hände zitterten. Der Saubere mit den schmutzigen Schuhen sah sich im Raum um. Niemand achtete auf die beiden. Dann erst betrachtete er das Foto.

»Ihr Ehemann?«

Marlene nickte unmerklich. Der Mann nahm das Foto und steckte es ein.

»Sie wollen es also machen?«, fragte sie mit einem Kloß im Hals.

Der Mann fixierte sie regungslos. Wieder stieg ein Angstschauer in ihr auf. Trotzdem wagte sie sich vor.

»Wie kann ich sicher sein, dass Sie nicht von der Polizei sind?« Keine Antwort. »Und wie darf ich Sie nennen?«, setzte sie hinzu.

Der Mann zog die Augenbrauen hoch und machte ein mitleidiges Gesicht, als wären das zwei sehr, sehr dumme Fragen gewesen. Eine dümmer als die andere. Dann zischte er fast unhörbar:

»Eines sollten Sie wissen: Wenn Sie irgendein krummes Ding mit mir vorhaben, dann sind Sie tot.«

Marlene Schultheiss schluckte. Ihr wurde wieder schwindlig. Sie spürte, dass es kein Zurück gab.

»Ich werde sehen, was ich für Sie tun kann«, sagte der Mann plötzlich. »Kommen Sie in drei Stunden wieder hierher. Betreten Sie das Lokal nicht. Bleiben Sie draußen auf der Straße stehen, bis Sie angesprochen werden. Wenn niemand kommt, gehen Sie wieder.«

»Kommen Sie selbst?«

»Nein. Und jetzt keine Fragen mehr.«

Ein Kloß im Hals, ein Angstschauer. Marlene zahlte und verließ die Philomena-Bar. Die Nacht schlich sich ins Bahnhofsviertel der Stadt wie ein böser Gedanke in eine harmlose Plauderei. Zwei geleckte Konzertbesucher winkten einem Taxi. Als sie die Türen öffneten, kam ein Schwall Marschmusik der untersten Kategorie heraus.

»Stellen Sie bitte diese Musik aus«, sagte die Frau in einem Kleid mit Zebramuster, das trotzdem sicher sehr teuer gewesen sein musste.

»Nehmen Sie halt das nächste Taxi«, schrie der Fahrer und brauste davon.

»Canaille!«, schrie die Frau.

Marlene machte sich auf den Heimweg.

Der Mann mit den schmutzigen Schuhen zückte das Mobiltelefon und wählte eine Nummer. Er musste nicht lange warten.

»Ich bin es«, sagte er leise ins Telefon. »Ich weiß nicht, ob du Interesse hast. Eine Frau will ihren Mann loswerden. Es ist niemand aus der Szene.«

»Was hast du für einen Eindruck von ihr?«

»Es ist eine, die sich vor Angst in die Hose macht.«

»Habt ihr schon über Geld geredet?«

»Überhaupt nicht. Ich habe sie nochmals herbestellt. Um elf

kommt sie vor die Philomena-Bar. Da kannst du sie dir ansehen.«

»Ich bin da.«

Er legte auf. Er löschte die Nummer, die er gewählt hatte, aus der Liste der Anrufe. Dann nahm er die Karte aus dem Mobiltelefon. Er ging auf die Toilette und spülte sie hinunter.

»Hallo«, rief Marlene tonlos, als sie das Zimmer betrat, in dem Peter vor dem Fernseher saß und irgendeine Reality-Show guckte.

»Wo warst du?«, fragte er, ohne aufzusehen. Er fragte es genauso tonlos. Er fragte, weil das nun einmal der übliche Satz war, der immer dann fiel, wenn jemand zur Tür hereingekommen war.

»Spazieren«, antwortete Marlene.

Erst als dieses Wort im Raum verklungen war, wurde ihr so richtig bewusst, was sie eigentlich vorhatte. Sie setzte sich. Sie sah auf die Uhr. In zwei Stunden war es so weit. Aber sollte sie wirklich nochmals hingehen? Sollte sie den Auftrag geben? Oder war das Ganze nicht sowieso schon längst ins Rollen gebracht? Sie starrte auf den Bildschirm. Sie bekam nicht so richtig mit, um was es in dieser Reality-Show ging. Was würde geschehen, wenn sie vor der Philomena-Bar in der Kaiserstraße erschien? Sie bereute jetzt, dass sie das Foto von Peter so schnell aus der Hand gegeben hatte. Marlene zitterte vor Angst und Müdigkeit. Im Fernsehen lief jetzt Werbung. Sie versuchte, sich auf die Produkte zu konzentrieren, die angepriesen wurden. Sie schaffte es nicht. Eine Welle von heißer Wut durchlief sie. Ihre eigene Unentschlossenheit machte sie rasend.

So sieht jemand aus, der einen Auftragskiller sucht.

5

Manchmal stellt dich das Leben vor eine Kreuzung. Ein Wegweiser zeigt hinüber ins liebliche Tal, der andere ins Unterholz. Nimm nicht den erstbesten Weg.
Indisches Sprichwort

In ganz Westindien blühte der Senf, auch in Mumbai, das früher Bombay hieß. Auf der Straße schepperten Eselskarren, die mit Heu und Stoffballen vollgestopft waren. Fauchende Trockennasen-Affen verfolgten harmlose Bananenkäufer, während die Sonne hinter der Stadt unterging. Irgendwo meditierte ein weißbärtiger Yogi. Mächtige Elefanten liefen durchs Bild, sie waren die untrüglichen Vorboten einer indischen Hochzeit: Frauen in kostbar aussehenden Saris sangen Lieder von Glück und reiner Liebe, selig lächelnde Männer umtanzten einen Schimmel, auf dem der bärtige Bräutigam saß. Aus einem der bunten Häuser schlingerten Laute, als ob jemand Sitar übte: ♫ Tschoingtaschatschoinasiriiischauauau! Wie gesagt: In ganz Westindien blühte der Senf. Trotzdem gab es etwas durch und durch Werdenfelserisches dort in Mumbai, denn in einem der bunten Häuschen lag eine Karte des Loisachtals im Maßstab 1 : 10 000 ausgebreitet auf dem billigen Plastiktisch. Sie war über und über mit Notizen und Zeichen vollgeschmiert. Viele kleine Nebenwege waren markiert – und der Wolzmüller-Hof war sogar mehrmals eingekringelt. Drei Männer beugten sich darüber, sie fuhren Seitenstraßen und Trampelpfade mit den Fingern ab: den Stangensteig, den Schrottelkopfweg und die Bölserhöhe. Milchkaffeehäutig waren die Männer, sie hießen Pratap Prakash, Dilip Advani und Raj Narajan, und alle drei waren hochgradig reisefiebrig. Die Koffer waren gepackt, morgen früh ging der Flieger, ihr erstes Ziel war die bayrische Landeshauptstadt, dann sollte es weitergehen nach Süden, ins Werdenfelser Land. Noch aber saßen sie in dem kleinen Häuschen in einem der vielen Vororte von Mumbai, bissen in ihre dreieckigen Samosas und tranken Mango-Lassi dazu. Andere hätten vor solch einem Trip Champagner getrunken, aber man weiß vielleicht, dass indischer Champagner im Ländervergleich nicht ganz oben steht.

»Weiterbildung!«, hatte ihr Chef gesagt. »Weiterbildung ist heutzutage wichtiger als alles andere.«

Der Chef war ein mächtiger Mann. Wenn der Chef eine solche Einladung aussprach, dann befolgte man sie. Sofort. Seine Wahl war auf Europa gefallen. Ziemlich in der geographischen Mitte von Europa gab es einen Alpen-Kurort mit unaussprechbarem Namen, dort fand ein Seminar mit international bedeutenden Referenten statt. Und da sie dann schon mal in Europa und in Deutschland wären, sollten sie auch gleich einen bestimmten Auftrag dort erledigen.

»Da seht her, Kat – zen – kopf – höl – zl«, buchstabierte Pratap Prakash, und Dilip Advani versuchte ebenfalls, einige fremde Namen zu entziffern.

»Freunde«, sagte Pratap Prakash feierlich, »der Flug morgen führt uns in ein unbekanntes Land. Ich freue mich auf die vielen neuen Eindrücke, aber wir dürfen nicht vergessen, dass wir auch ein Projekt durchzuführen haben. Ein ehrenvolles Projekt. Und ein wichtiges Projekt. Wir dürfen nicht versagen. Wir dürfen unseren Chef nicht so enttäuschen wie Mohit Bannerjee, der leider nicht mehr unter uns weilt.«

»Da hast du etwas ganz und gar Richtiges in gute Worte gefasst«, sagte Dilip Advani. »Wir haben einen Auftrag. Aber die vielen fremden Gebräuche, die es dort gibt! Ich habe im Reiseführer etwas gelesen vom Jodeln, vom Schuhplatteln, von Weißwürsten, die über die geraniengeschmückten Balkone geworfen werden, um die bösen Geister zu vertreiben.«

Unglaublich, was in indischen Reiseführern über Europa im Allgemeinen und das Werdenfelser Land im Besonderen so alles steht. Raj Narajan, der bisher geschwiegen hatte, schwieg auch weiterhin. Er wurde Der Stumme genannt, kein Mensch wusste mehr, ob er aus religiöser Inbrunst schwieg, wegen eines geleisteten Schwures oder gar wegen eines körperlichen Mangels, zum Beispiel einer fehlenden Zunge. Raj Narajan, der Stumme, nahm einen Zettel und kritzelte etwas darauf.

»Madhva sagt«, so schrieb er, »dass man bei jeder guten Reise folgende neun Dinge erleben sollte: Liebe, Heldentum, Ekel, Komik, Schrecken, Wundersames, Wut, Pathos und Friedvolles.«

Raj Narajan zeigte seinen Freunden den Zettel.

»Er wieder mit seinem Madhva«, sagte Pratap Prakash augenrollend.

»Habt ihr die Pässe?«, fragte Dilip Advani.

Alle nickten und befingerten ihre nagelneuen Reisepapiere. Gute Arbeit. Mit einem tadellosen Pass und mit einem freundlichen Gesicht kam man überall auf der Welt durch.

»Hat sich jeder sämtliche Daten eingeprägt?«

Wieder nickten alle, warfen noch einen letzten Blick auf den Plan. Sie hatten alles besprochen. Sie hatten alles im Kopf.

»Dann auf eine gute Reise!«

Pratap Prakash nahm die Wanderkarte, hielt sie bedeutungsvoll hoch, zerriss sie und warf sie in das offene Feuer des rauchenden alten Ofens, der neben dem Tisch stand. Nachdenklich betrachteten die drei Männer aus Mumbai den Untergang des Werdenfelser Landes im Maßstab 1 : 10 000.

6

In der n'koga-Sprache gibt es etwa sechzig verschiedene Bedeutungen für das Wort Unterholz. T't'k'har kann Gehölz bedeuten, aber auch Erde, Zunge, Mann, Frau, Zweitgeborener, Hölle, Löffel, das Unbekannte, Vorfreude, Erschöpfung, Föhn, Beilage, Stipendium, Entfleischung, Kiste, Windröschen – um nur die wichtigsten zu nennen.

»Ich glaube, wir sollten jetzt langsam über das Finanzielle reden.«

»Ja, das denke ich auch.«

»Also, was stellen Sie sich vor?

»Ich habe mal was von zwanzigtausend gehört.«

»Zwanzigtausend, das klingt spannend.«

»Was ist denn Ihr Vorschlag?«

»Sag ich doch: Zwanzigtausend klingt spannend.«

»Eines muss aber klar sein: Mehr als zwanzigtausend kann ich nicht zahlen.«

Marlene Schultheiss war gestern weisungsgemäß Punkt elf Uhr nachts nochmals vor der Philomena-Bar in der Kaiserstraße erschienen, dort war ihr wieder ein Zettel in die Tasche gesteckt worden, ohne dass sie es bemerkt hatte. Es war ein Computerausdruck. Sie war für den nächsten Tag in die Massageabteilung eines Fitnesscenters bestellt worden, sie sollte eine Reisetasche mit dem Nötigsten mitbringen, denn vielleicht wäre es erforderlich, eine Nacht wegzubleiben.

Kein Wort zu Dritten, sonst würde alles *sehr ungünstig für sie* ausgehen. Wenn sie sich alles eingeprägt hätte, sollte sie das Blatt zerknüllen und es in einen bestimmten Papierkorb in der Kaiserstraße werfen.

Jetzt, einen Tag später, lag Marlene Schultheiss bäuchlings auf der Massagebank, über ihren Kopf war ein großes weißes Handtuch ausgebreitet. Am Anfang hatten sie knochige, beherzt zupackende Hände massiert, dann auf einmal waren es andere Hände gewesen. Und es war eine andere Stimme gewesen. Eine geflüsterte Stimme. Marlene wusste nicht, ob sie zu einer Frau oder einem Mann gehörte, ob die Stimme alt oder jung war, nicht einmal die Nationalität konnte sie bei dem Flüstern ausmachen. Bei dem letzten Satz hatte sie unwillkürlich den Kopf gehoben.

»Scht!«, fauchte die Flüsterstimme, und sie spürte einen Zangengriff im Genick. »Bloß, dass wir uns richtig verstehen. Machen Sie keinen Unsinn. Bleiben Sie so liegen, wie Sie sind. Lassen Sie das Tuch, wo es ist, versuchen Sie keine Tricks. Wenn unser Gespräch – mit welchem Ergebnis auch immer – beendet ist, wird Xu-Zhimo wieder übernehmen. Sie werden liegen bleiben, solange Sie der Chinese massiert. Dann werden Sie noch weiter liegen bleiben, Sie werden bis tausend zählen, dann erst werden Sie aufstehen und den Raum verlassen. Wenn Sie irgendwelche Dummheiten machen, sind Sie tot.«

Die Hand, die zu der Stimme gehörte, umkreiste ihren Hals, sie griff ihr von vorne an die Kehle, nicht unsanft, nein, das nicht, aber jetzt kam die andere Hand und drückte an eine bestimmte Stelle am Hals.

»Das ist die berühmte Carotis«, wisperte die Stimme, jetzt ganz nahe an ihrem Ohr. »Und Ihre Carotis finde ich überall, ob Sie nun auf der Straße gehen oder ob Sie auf die S-Bahn warten. Ich bin immer hinter Ihnen, merken Sie sich das.«

»Ja, ist schon gut. Sie machen es also? Für zwanzigtausend?«

»Sie wollen es kurz und schmerzlos haben?«

In Marlenes Ekel vor ihrem Mann mischte sich plötzlich eine unangenehm warme Strömung Mitleid.

»Ja, kurz und schmerzlos. Peter soll nicht leiden. Ich will ihn nur nicht mehr sehen.«

Die Flüsterstimme lachte auf. Das lautlose Lachen war gruselig anzuhören. Es folgten einige Massagegriffe. Einige Klopfer auf die Schulterblätter. Einige Walker und Kneter den Rücken hinunter, alles durchaus professionell – der Chinese war allerdings besser gewesen.

»So lobe ich mir die brave Ehefrau. Denkt bis zum Schluss an ihren armen Peter. Peter heißt er also. Kurz und schmerzlos, das macht dreitausend, nebenbei gesagt.«

»Nur dreitausend?«

»So ist es.«

»Und er soll natürlich spurlos verschwinden. Man darf ihn nicht finden.«

»Das macht dann wieder zwanzigtausend. Töten ist einfach. Leichenverschwindenlassen, das ist immer das Problem.«

»Ist das ein Ja?«

»Noch ein paar Fragen. Ihr Name, Ihre Adresse. Wie Sie leben, was Sie so treiben. Da bräuchte ich ein paar Informationen.«

Marlene antwortete auf jede der Fragen so ausführlich wie möglich. Manchmal zögerte sie. Aber jetzt steckte sie schon so tief in der Sache drin, ein Rückzug war vermutlich gar nicht mehr möglich.

»Warum haben Sie sich dazu entschlossen?«, sagte die Stimme langsam und eindringlich.

Das war eine seltsame Frage. Eine Frage, die sie gar nicht so richtig beantworten konnte.

»Ich muss das wissen«, beharrte die eindringliche Stimme. »Ich muss wissen, ob es Ihnen ernst mit Ihrem Auftrag ist.«

»Manchmal schaut er mich so an. Da habe ich mir schon oft gedacht: Wenn er nicht zu feige dazu wäre, dann würde er mich jetzt umbringen.«

»Hm. Haben Sie die Kohle dabei?«

»Sehen Sie in meiner Tasche nach.«

Die Stimme kam wieder ganz nah an ihr Ohr.

»Noch was: In den Zwanzigtausend inbegriffen ist Ihr Alibi. Ich konstruiere Ihnen ein absolut wasserdichtes Alibi. Und eine falsche Spur, die von Ihnen wegführt. Das gehört sozusagen zum Service. Sie übernachten heute in einem Hotel, Sie bleiben in Ihrem Zimmer, gehen keinesfalls raus. Wenn Sie rausgehen, sind Sie tot. Wenn Sie versuchen, irgendwo anzurufen, sind Sie tot. Und zwar nicht kurz und schmerzlos. Sie werden morgen um Punkt halb sechs Uhr geweckt. Ich organisiere für Sie einen kleinen Ausflug, bei dem Sie von vielen Leuten gesehen werden.«

»Ein Ausflug? Warum kann ich mir das Alibi nicht selbst verschaffen?«

»Wie stellen Sie sich das vor? Bei einer Freundin? In der Stammkneipe? Viel zu riskant. Ich verschaffe Ihnen ein zweihundertprozentiges Alibi.«

»Ich werde meinen Mann nie wiedersehen?«

»So ist es. Nur zu Ihrer Information: Ich habe dieses Gespräch aufgezeichnet.«

»Was haben Sie gemacht?«, keuchte Marlene, und sie hätte sich fast wieder umgedreht.

»Regen Sie sich ab. Nur, damit Sie auf keine dummen Gedanken kommen.«

Marlene Schultheiss hörte ihre eigene Stimme:

»Sie machen es also? Für zwanzigtausend?«

»Sie wollen es kurz und schmerzlos haben?«

»Ja, kurz und schmerzlos. Peter soll nicht leiden. Ich will ihn nur nicht mehr sehen.«

Dann hatte Marlene Schultheiss wieder die anderen Hände gespürt, die Hände von diesem Chinesen, die Hände von Xu-Zhimo. Sie konnte sich aber nicht entspannen. Auch im Hotelzimmer lag sie die ganze Nacht wach. Mehrmals war sie kurz davor, die ganze Sache wieder abzublasen. Aber ging das überhaupt? Eine Welle von Angst und Scham durchflutete sie. Einmal hatte sie schon den Telefonhörer in der Hand, dann legte sie wieder auf. Das hatte wohl keinen Sinn. Sie schaltete den Fernsehapparat ein und starrte auf die bunten Bilder. Sie bekam nichts davon mit. Sie hatte einen Auftragskiller angeheuert. Und es war alles so furchtbar leicht gegangen.

7

Nist' im Unterholz der Star
wer'n die Sommernächte klar.
Brüt' im Unterholz die Eule,
frierst im Sommer du dir Beule.
Alte Bauernweisheit

»Ja, siehst du, ich hab dirs gesagt: Die Kuglerte Resl ist der einzige Berg, von dem aus man die Wolzmüller-Alm einigermaßen gut einsehen kann.«

»Zumindest mit einem Zeiss'schen Einheitsdoppelfernrohr.«

Wie vor einer Woche vereinbart, hatten die beiden Bergsteiger eine Tour auf die Kuglerte Resl unternommen. Sie blickten jetzt schon ein halbe Stunde lang aufmerksam hinüber zur Wolzmüller-Alm. Der größte Teil des Anwesens entzog sich neugierigen Blicken, denn die verstreute Ansammlung von Hütten, Schobern und Quellen lag in einer Talfalte – aber das war ja gerade das Besondere an dieser Lage. Der Neurologe mit den sächsischen Grenzschützerwurzeln stellte seinen Almgucker scharf.

»Ein paar Wiesenstücke kann ich erkennen. Und eine riesige Lärche. Und eine schöne Zirbelkiefer.«

»Siehst du jemanden?«, fragte die Internistin.

»Ja, aber ich glaube nicht, dass das richtige Bauern sind.«

»Was dann?«

»Ich weiß nicht so recht. Sie sind viel zu entspannt. Es scheinen Touristen zu sein. Aber jetzt geschieht was! Eben sind zwei aufgestanden und greifen sich die Sensen.«

Es hatte sie schon gegeben, die ländlichen Malocher. Vor einigen Jahren waren Tiroler Wander-

arbeiter über die Grenze gekommen, die das bisschen Heu geerntet hatten, das zu ernten war. Sie hatten die Sensen hart, ruhig und besonnen geschwungen, sie waren wetterkundig, sie lasen aus den Bewegungen der Spinnen im Gras die Tiefdruckumschwünge der nächsten zwei Tage ab, und ihre Voraussagen trafen immer zuverlässig ein. Das jedoch war lange her. In dieser Woche hatte sich stattdessen ein gutes Dutzend Seminarteilnehmer aus allen möglichen Ländern auf dem abschüssigen Gelände breitgemacht. In welcher Branche die Freizeit-Alpler hauptberuflich arbeiteten, das konnte man auch mit dem superscharfen EDF 7 × 40 nicht erkennen.

»Sie haben sich zerstreut«, sagte der Neurologe. »Jeder sitzt für sich allein im Gras.«

Der Neurologe schwenkte von Teilnehmer zu Teilnehmer. Ein dunkelhäutiger, schlanker Nordafrikaner knetete einen Tennisball, er tat das abwechselnd mit der linken und der rechten Hand, und er betrachtete das Muskel- und Sehnenspiel seiner kakaobraunen Unterarme aufmerksam. Fünfzig Meter weiter tippte ein Mann mit erkennbar fernöstlichen Wurzeln auf einem Notebook herum, ohne auch nur einmal aufzusehen. Noch weiter entfernt, an der Biegung eines kleinen Almbachs, lümmelte eine bullige Gestalt, ein Rockertyp mit Lederjacke und einem Sonnenbrand auf der Glatze, er hockte auf dem Boden und nuckelte an einer Flasche Limonade. Alle hatten sich ein einsames Plätzchen gesucht, lediglich zwei ausgesprochen südeuropäisch aussehende Männer (schwarzblauer Bartschatten, maßgeschneiderte Schuhe, Zahnstocher im Mundwinkel) saßen auf einer Bank nebeneinander. Sie starrten ins Gras. Ab und zu sagte einer etwas, es schien sich um etwas Bedeutungsvolles zu handeln.

»Schade, dass ich nicht Lippen lesen kann«, sagte der Neurologe.

Es war in der Tat eine sehr gemischte und internationale Truppe, die sich da versammelt hatte. Der Nordafrikaner, der den Tennisball knetete, kam aus Tunesien und nannte sich Chokri, den Namen des Asiaten mit dem Notebook wusste niemand. Der Altrocker mit Sonnenbrand auf der Glatze war Deutscher. Die beiden Italiener kamen aus Sizilien und Kalabrien, sie wollten mit Lucio und Fabio angeredet werden. Vielleicht hießen sie ja wirklich so.

»Starker Vortrag«, sagte Fabio und deutete mit dem Daumen nach hinten, in Richtung Almhütte.

»Ja, es ist immer sehr interessant, zu solchen Seminaren zu kommen«, erwiderte Lucio. »Man erfährt viel Nützliches. Wusstest du das mit dieser Optographie?«

»Nein, keine Ahnung. Habe noch nie davon gehört. Da denkt man, dass man sich auskennt in seinem Beruf. Und dann erfährt man sowas. Optographie! Kann ja ziemlich unangenehm für uns werden.«

Lucio antwortete nicht und pfiff stattdessen ein sizilianisches Liedchen. So ein sizilianisches Liedchen kommt manchmal einer Antwort sehr nahe. Fabio pflückte ein Almblümchen und betrachtete es.

»Sieht giftig aus.«

»Man müsste sich viel mehr mit Kräutern und Pflanzen beschäftigen.«

Lucio wiederholte das sizilianische Liedchen. Fabio kaute vorsichtig auf dem Almblümchen herum.

»Was ist eigentlich mit diesen drei Indern, von denen alle geredet haben?«

»Ich habe sie noch nicht gesehen.«

»Wie hießen sie noch mal? Hast du dir ihre Namen gemerkt?«

»So ähnlich wie – warte, ich habe es mir aufgeschrieben.«

Lucio zückte einen altmodischen Notizblock, der über und über vollgekritzelt war.

»Hier habe ichs: Pratap Prakash, Dilip Advani und Raj Narajan. Die müssten eigentlich schon längst da sein.«

»Vielleicht kommen sie ja heute noch.«

Der Tunesier, der Asiate, der Deutsche, die beiden Italiener – das waren beileibe nicht alle Kursteilnehmer auf der Wolzmüller-Alm. Unter der angeblich sechshundert Jahre alten Lärche saß beispielsweise ein eleganter junger Mann, der wohl als Einziger vergessen hatte, Outdoor-Kleidung einzupacken. Der feine Zwirn war über und über verstaubt und beschmutzt, aber er trug ihn mit Würde. Er las in einem Buch. Es war ein Buch mit einem französischen Titel. Und es war Pierre, der Franzose. Kaum hatte er ein paar Seiten gelesen, bekam er Besuch. Ein igelköpfiger GI-Typ, auf tausend Meter Entfernung als US-Amerikaner erkennbar, näherte sich dem gallischen Bücherfreund.

»Hi, Pierre«, sagte der Amerikaner. »Lust auf ein bisschen Feldarbeit?«

Pierre schlug das Buch zu.

»Gerne. Aber sollen wir das 'eu mit der 'and ausrupfen?«

»Da drüben in dem Schuppen gibt es Sensen und Rechen.«

Und tatsächlich, der amerikanische GI und Pierre, der feine Pinkel aus Aix-en-Provence, waren kurz darauf auf einem Steilhang zu sehen, wie sie Sensen schärften und Gras mähten. Allzu geschickt stellten sie sich nicht an, kein Vergleich zu den erwähnten Tiroler Wanderarbeitern, aber es ging leidlich voran.

»Das sieht ja gefährlich aus«, sagte die Internistin und reichte das Einheitsdoppelrohr wieder zurück.

»Hast du schon mal Gras mit der Sense gemäht?«, fragte der GI.

»Ja, schon oft. Meine Familie 'atte ein Landgut in Aix-en-Provence.«

Ein dritter Erntearbeiter gesellte sich zu den beiden. Es war Wassili Wassiljewitsch, der Russe mit den Schweinsäugelchen und der piepsigen Stimme. Er zog sein T-Shirt aus, auf dem Rücken konnte man ein prächtig ausgestaltetes Tattoo in kyrillischen Schriftzeichen erkennen.

»Was steht denn da?«, fragte der Amerikaner.

Wassili Wassiljewitsch lachte.

»Übersetzt heißt das in etwa: *Bei den Oblonskijs herrschte Riesenverwirrung ...*«

»Versteh ich nicht.«

»Das ist von Leo Tolstoi«, sagte Pierre. »Der Anfang seines Romans *Anna Karenina.*«

»Was du nicht alles weißt«, sagte der Amerikaner.

»Kulturnation«, sagte Pierre, der Franzose.

»Brotzeit!«, rief eine klare, durchdringende Männerstimme, und jetzt hatte er seinen Auftritt, vom Hauptgebäude der Alm her, der umtriebige und zuvorkommende Herbergsvater, Rainer Ganshagel, der für den gastronomischen Teil hier oben auf der Alm verantwortlich war. Er war gleichzeitig Hausmeister, Hotelier und technischer Direktor, er hielt den großen Multimediaraum in Schuss, überprüfte Wasser- und Stromversorgung und kümmerte sich schließlich um das leibliche Wohl der Teilnehmer. In dieser Eigenschaft zog er nun einen Leiterwagen mit klappernden Tiegeln und Töpfen hinter sich her. In einem hölzernen Bottich steckten Limonadeflaschen in Eiswürfeln. Die Kursteilnehmer diese Woche hatten darauf bestanden, dass es keinen Alkohol gab und keine Drogen. Ganshagel hatte sich daran gehalten.

»Eine typische almerische Brotzeit!«, sagte er diensteifrig und teilte die Teller nach allen Seiten aus. »Schweinebratensülze mit Sauren Knödeln –«

»English please«, unterbrach ihn eine sonnengebräunte asketische Frau mit Meckifrisur und Armreif. Kein Problem für Rainer Ganshagel. Internationale Gäste war er gewohnt. So schwenkte er auf ein bavarizistisches, schleppendes Amerikanisch um, das man wahrscheinlich auch in Colorado so sprach, Föhn ist Föhn.

»Für die Vegetarier unter Ihnen habe ich mehr Saure Knödel – *sour dumplings* – gemacht. Greifen Sie zu, Herrschaften.«

»Sind Sie von hier aus der Gegend?«, fragte der kleine Mann mit den fernöstlichen Wurzeln, der sein Notebook zugeklappt hatte und es nun als Brotzeitbrettl verwendete – das Vertrauen der Asiaten in ihre eigene Technik ist groß.

»Schauen Sie da hinunter ins Tal!«, sagte Ganshagel mit einer weit ausholenden Armbewegung. Lokalpatriotischer Stolz schwang in seiner Stimme. »Da bin ich geboren. Im Loisachtal.« Fast hätte er die Worte gejodelt.

»Und diese *sour dumplings*, die haben Sie selbst fabriziert? Hier oben auf der Alm?«

»Natürlich, aber Sie werden jetzt nicht erwarten, dass ich Ihnen das Rezept verrate!«

Internationales Gelächter. Nur Chokri, der Tennisballkneter, lachte nicht mit. Er knetete weiter.

»Sie verraten mir die Geheimnisse *Ihres* Berufes ja auch nicht«, sagte Ganshagel verschmitzt.

Nun kam auch dem Tunesier ein kleines Lächeln aus.

»Was wird das Ge'eimnis dieser *boulettes* sein, Monsieur Gans'agel?«, fragte Pierre.

»Gewürze und Kräuter, von denen Sie noch nichts gehört haben«, raunte der Hüttenwirt verschwörerisch.

Man aß. Man trank. Man schwieg. Was mag das für eine Branche sein, dachte Ganshagel. Normalerweise gab es bei Businessveranstaltungen ein munteres Geschnatter, das hier war eher ein Treffen der einsamen Cowboys. Ein einziges medizinisches Referat hatte er am Rande mitverfolgt – vielleicht arbeiteten diese Leute in einer Firma, die kompliziertes Gerät herstellte, wie es ein Augenarzt braucht.

»In meiner Familie –«, platzte er in das Schweigen hinein, weil er meinte, die Gäste unterhalten zu müssen. »In meiner Familie, da hat jeder gute Dumplings machen können. Aber unübertroffen war der Großonkel Benedikt. Einen Mord hätte ich dafür begangen, wenn ich das Knödelrezept vom Onkel Benedikt bekommen hätte!«

Gelächter.

»Einen Mord, oh là là!«, rief Pierre. Sein Jackett aus feinem hellen Stoff hatte er nun wenigstens ausgezogen und über einen tiefen Ast der angeblich sechshundertjährigen Lärche gehängt.

»Es war irgendwas drin in den Knödeln, was bei den anderen nicht drin war. Wir haben versucht, es aus dem Onkel Benedikt herauszukitzeln, aber er hat das Geheimnis mit ins Grab genommen. Erst ein Jahr nach seinem Tod habe ich bemerkt, dass ich noch ein paar Knödel von Onkel Benedikt in der Tiefkühltruhe eingefroren hatte. Einen habe ich aufgetaut und an ein Labor für Lebensmittelanalyse geschickt. Und dann hatte ich es schwarz auf weiß.«

Ganshagel erwartete, dass jemand fragte, was denn schwarz auf weiß. Niemand fragte. Man prostete sich mehrsprachig-babylonisch zu. Die Frau mit der Meckifrisur, von der weder Name noch Nationalität bekannt war, öffnete ein kleines Säckchen und reichte es Ganshagel.

»Ich habe hier ein paar Kräuter gesammelt. Können Sie mir sagen, ob Giftpflanzen dabei sind?«

Ganshagel nahm eine Pflanze nach der anderen heraus und betrachtete sie eingehend.

»Oh, Himmelsherold – das ist eine echte Rarität! Was haben wir noch: Weiße Silberwurz, Klebkraut, Kriechender Günsel – soviel ich sehe, ist nichts davon toxisch.«

»In dieser Höhe wachsen aber doch auch Giftpflanzen!«

»Ja, ich kann Ihnen morgen gerne ein paar zeigen.«

Wassili Wassiljewitsch deutete auf einen schmalen Graben, der sich ein Stück weit über die Almwiese zog.

»Was ist das? Ein Bachbett?«

»Nein«, sagte Ganshagel. »Das sind die Reste einer Holzriese. Das sind Rutschen, mit denen früher die Baumstämme zu Tal befördert wurden. Andere Bezeichnungen sind auch Rusche, Husche, Laaße, Ploße, Swende –«

»Interessant«, sagten der GI und die Frau mit der Meckifrisur gleichzeitig.

Die Sonne senkte sich und verlor an Kraft. Manche, wie die beiden Italiener, legten sich auf den Rücken und schlossen die Augen. Der Asiate verschickte Mails. Wassili Wassiljewitsch steckte einen Grashalm in den Mund und stocherte mit seiner russischen Seele im bayrisch-blauen Himmel herum. Das Tagwerk war getan, jeder wollte seine Ruhe.

»Wann geht es morgen los?«, fragte Lucio.

»Um sechs Uhr weckt man uns vermutlich wieder mit dieser verdammt nervigen Ziehharmonika-Musik«, antwortete Fabio. »Halb sieben Waldlauf, gut, das finde ich o.k. Um acht ist das erste Referat.«

»Thema?«

»Interkulturelle Kommunikation.«

»Wird immer wichtiger in unserem Geschäft.«

Ganshagel räumte ab und stellte das Geschirr auf den Leiterwagen. Vereinzelt gab es Gelächter. Schweres russisches Gelächter, wie es in den weiten Ebenen der Taiga erklingt. Elegantes französisches Gelächter, dem frisch perlenden Klang eines Akkordeons ähnlich. Man entspannte sich.

Hundert Meter entfernt lugte ein trübes Augenpaar durch die Büsche. Bei näherem Hinsehen hätte man glauben können, dass der Mann blind war. Glasig schimmerten seine Augen, und sie schienen ins Leere zu blicken. Aber das konnte nicht sein. Der Mann war Maler. Er hielt einen schmutzigen Block in der Hand und zeichnete die Szene mit hastigen Strichen. Und es gab viel zu zeichnen hier auf der Wolzmüller-Alm. Die Sonne ging jetzt langsam drüben in Österreich unter. Von der Käserei wehte eine leichte, aber scharfe Brise von Süßlich-Gegorenem.

»Riecht wie unser Casu Marzu«, sagte Lucio zu Fabio.

Der Tunesier knetete wieder, Pierre las in seinem französischen Buch. Ganshagel wunderte sich. Was war das für eine Gesellschaft! Keiner trank auch nur ein Gläschen Wein oder ein Feierabendbier. Diszipliniert sahen diese Teilnehmer aus, durchtrainiert, ein festes Ziel vor Augen, begierig, bei den morgigen Referaten etwas zu erfahren. Doch jetzt ließen sie sich von der Stimmung auf der Alm gefangennehmen. Einige streiften umher und setzten sich unter kleine Latschen, lehnten sich an Felsbrocken, plantschten in den winzigen Rinnsalen mit frischem Bergwasser. Einer untersuchte die zugewachsene Holzriese mit einem Taschenmesser. Eine Frau hatte sich an eine Zirbelkiefer gesetzt. Nicht die mit der Meckifrisur, sondern der andere der beiden weiblichen Gäste. Das Schauspiel der untergehenden Sonne wollte sich keiner entgehen lassen. Wassili Wassiljewitsch, der Russe, und der GI-Typ fotografierten und schickten die Bilder weg. Der Deutsche mit dem Sonnenbrand auf der Glatze plantschte mit den Füßen im Wasser des Baches. Viele nickten andachtsvoll. Alle genossen die Stimmung.

Nur die Frau, die an der kleinen Zirbelkiefer lehnte, genoss die Stimmung nicht. Sie war tot.

8

ueberGabe im unterholz

Unpräzise Lösegeldforderung

Die beiden medizinischen Alpinisten, die in ein paar Kilometern Luftlinie entfernt oben auf der Kuglerten Resl standen, hielten das Fernglas auf die tote Frau unter der Zirbe gerichtet, aus dieser großen Entfernung hatten sie jedoch den Eindruck, als ob sich da eine den Schlapphut ins Gesicht gezogen hätte und schliefe. Vielleicht hätte man mit einem noch besseren Fernglas die ungewöhnliche Handstellung erkennen können, die leichte Verkrampfung der Mittelhand, den beginnenden Rigor mortis, der für eine Schlafende eher untypisch, für eine seit einigen Minuten Tote aber völlig zwingend ist. Sowohl die Internistin wie auch der Neurologe hatten die Hand gesehen, die locker im Gras zu liegen schien, wie in müßiger Beiläufigkeit hingestreckt, wo doch in Wirklichkeit etwas Erschreckendes zu sehen gewesen wäre. Später, als die Mediziner von der Brisanz der Sache erfuhren, versuchten sie sich krampfhaft daran zu erinnern, was genau sie durch das Fernglas gesehen hatten. Vergeblich, sie erinnerten sich an nichts Konkretes, nur an eine vage Feierabendstimmung auf dem Wolzmüller-Anwesen, an herumsitzende Menschen wie zum Beispiel den Nordafrikaner, der den Tennisball knetete; den kleinen Asiaten, der mit seinem Notebook verwachsen schien; die Frau mit der Meckifrisur; den dienstbeflissen herumwieselnden Hüttenwirt Rainer Ganshagel. Sie konnten später sogar ziemlich genau angeben, wann sie mit dem Grenzstreifengucker hinübergeschaut hatten zu den Anlagen der Wolzmüller-Alm, nämlich um sieben Uhr abends – als die Glocken der St.-Martins-Kirche zur Abendmesse gerufen hatten. Sieben Uhr, das war auch der später festgestellte ungefähre Todeszeitpunkt der Frau. Das bedeutete nichts anderes, als dass sie einen Mörder gesehen hatten, ohne zu diesem Zeitpunkt davon zu wissen. So etwas ist ärgerlich. Mehr noch: So etwas ist äußerst unangenehm, wenn dieser Mörder noch frei herumläuft.

So sprachen sie noch über dies und das, zum Beispiel, dass die Kuglerte Resl natürlich offiziell und amtlich irgendwie anders hieß, südliches Dammkopfkofelkar oder so ähnlich, aber der drollige Spitzname hätte sich hartnäckig gehalten. Sie zogen die Verschnürungen der Rucksäcke zu, wechselten noch ein letztes Mal das Einheitsdoppelrohr.

»Siehst du die Gräben, die durch das Anwesen laufen?«

»Ja, sehe ich. Sind das ausgetrocknete Bachläufe? Oder schon die ersten Risse in der europäischen Kontinentalplatte?«

»Das sind Reste von alten Holzriesen. Damit wurden früher die gefällten Bäume zu Tal befördert. Das Werdenfelser Land war ein Land der Holzfäller und Flößer, deshalb sind noch viele dieser Holzriesen erhalten. Es gab auch tollkühne Wettrennen unter den Holzknechten – die damit praktisch den Bobsport vorweggenommen haben.«

»Ja, jetzt sehe ich es auch: Die Rinnen der Holzriesen verzweigen sich.«

»Eine Bahn, die dort oben beginnt, kann genauso unten im Werdenfelser Tal enden wie drüben in Österreich.«

Sie packten das Fernrohr ein und begannen mit dem Abstieg von der Kuglerten Resl. Leise pfiffen die vier Windsburschen ihr melancholisches Lied.

»Wie geht es eigentlich dem Mann, der sich die tödliche Borreliose eingefangen hat?«

»Den Umständen entsprechend gut, ich habe ihm einen Aufenthalt in einem betreuten Pflegeheim empfohlen, er jedoch hat darauf bestanden, die letzten Monate, die er noch klar bei Verstand ist, zu Hause zu verbringen.«

»Ich kann mir schon vorstellen, wie sauer der ist. Sein ganzes Leben hat er darauf geachtet, fit zu sein, Sport zu treiben, sich gesund zu ernähren – und dann so was. Was war denn seine Lieblingsdisziplin? Wahrscheinlich Langstreckenlauf, oder?«

»Nein, Bergsteigen und Kampfsport, so was wie Tameshiwari. Muskelpakete hatte der! Der muss einen ziemlichen Schlag draufgehabt haben. Er hat es mir demonstriert, auf ziemlich eindringliche Weise. Er hat eine ganze Reihe von explosiven Faustschlägen in die Luft geführt – *Das ist für den Fitnesstrainer!*, hat er dazu geschrien. *Das ist für den ganzheitlichen Körpertherapeuten! Für den südkoreanischen Akupunkteur! Die Mittenwalder I-Ging-Meisterin! Und das ist für meine Frau, die mich dreißig Jahre lang mit ihrem Gesundheitstick getriezt hat!* Bei der Ehefrau hat er mir ein Regalbrett demoliert.«

»Wenigstens hat er seinen Humor nicht verloren.«

»Ich habe es auch für einen Scherz gehalten. Aber ein paar Wochen später sind bei uns in der chirurgischen Notaufnahme innerhalb von wenigen Tagen ein Fitnesstrainer und eine Ernährungsberaterin eingeliefert worden, ein ganzheitlicher Körpertherapeut –«

»Vielleicht Zufall.«

»Vielleicht. Ich habe den Mann jedenfalls bisher noch nicht bei der Polizei gemeldet.«

Der Abstieg von der Kuglerten Resl dauerte eine halbe Stunde, auf einem kleinen vorgelagerten Plateau machten sie nochmals Rast, man hatte diesmal einen einigermaßen guten

Blick von unten auf die Wolzmüller-Alm. Wenigstens auf einen Teil des Geländes.

»Wollen wir noch hinübergehen und uns das mal anschauen? Wir wären noch vor Einbruch der Dämmerung dort.«

»Ich habe mächtig Durst. Ich weiß nicht, ob unsereins dort was zu trinken bekommt. Das ist doch bestimmt eine sehr exklusive Gesellschaft.«

Sie entschieden sich deswegen dafür, ins Tal abzusteigen. Ein Mann mit trüben Augen kam ihnen entgegen, er grüßte nur flüchtig mit einem Nicken und drehte sich dann weg. Er hatte einen Zimmermannsbleistift hinter dem Ohr stecken, und aus seinem Rucksack ragte eine Transportrolle, wie sie Maler verwenden, um ihre Skizzenblätter aufzubewahren.

Unten im Kurort kehrten sie in einer Kneipe ein. Sie setzten sich, so rotkariert und verschwitzt, wie sie waren, an den Tresen und stillten ihren Bergsteigerdurst.

»Unglaublich, was man mit dem Einheitsdoppelfernrohr alles sieht«, sagte der Neurologe. Und er sagte es sehr, sehr laut.

»Kann ich mal einen Blick drauf werfen?«, fragte der Barkeeper. »Ist das wirklich eines aus NVA-Beständen?«

»Ja, wir haben von der Kuglerten Resl hinüber auf die Wolzmüller-Alm geschaut, quer über den ganzen Talkessel«, sagte die Internistin. »Wir haben einen gesehen, der einen gelben Tennisball geknetet hat. Stellt euch vor: einen Tennisball! Wenn ich das Fernglas noch schärfer gestellt hätte, hätte ich vielleicht sogar den Markenschriftzug erkennen können.«

Der Barkeeper drehte die Musik leiser, die Gäste hörten gespannt zu. Ein Gast lauschte besonders aufmerksam. Als der Neurologe von der Frau mit dem Riesensombrero erzählte, die schlafend unter einer Zirbe gesessen war, stand der Gast auf und verließ die Kneipe. Kein Mensch beachtete ihn.

»Und wie ich die gesehen habe!«, sagte die Medizinerin.
»Wen?«
»Na, die Frau mit dem Sombrero! Da habe ich mir gedacht: So möchte ich jetzt auch dasitzen!«

Nein, liebe Internistin aus dem hohen Norden, das möchtest du ganz sicher nicht.

9

Unter dem Titel *Le sous-bois* ist leider kein einziger Film mit Jean Gabin belegt. Hartnäckig hält sich jedoch in Cineastenkreisen das Gerücht, dass es solch einen Film gibt. Gabin soll die Filmrolle mit ins Grab genommen haben.
Internationales Filmlexikon

Es war Mitternacht auf der Wolzmüller-Alm, und die Seminarteilnehmer lagen in ihren Betten: Pierre, der Franzose, der igelköpfige GI-Amerikaner und Wassili, der Russe, alle waren erschöpft von der ungewohnten Feldarbeit und der würzigen Höhenluft. Nur eine kleine Gruppe von Unentwegten diskutierte in der Zirbelstube bei Kerzenschein über die verschiedenen kulturellen Gepflogenheiten, die es auf der Welt gab. Lucio und Fabio, die beiden Italiener, und der namenlose deutsche Rocker schüttelten den Kopf.

»Man hält japanischen Kunden die Hand hin, und sie verneigen sich.«

»Umgekehrt: Man macht in Thailand einen Diener, und alle laufen schreiend davon.«

Alles war ruhig und gut, lediglich einer hier oben war noch aktiv, nämlich der Hüttenwirt und Herbergsvater der Wolzmüller-Alm, Rainer Ganshagel. Er strich draußen in der abschüssigen Umgebung herum und sah nach dem Rechten. Er hatte die Alm vor zwei Jahren gepachtet, er hatte viel Geld und Mühe investiert, den heruntergewirtschafteten Betrieb wieder ins Laufen zu bringen. Von wegen Unstern, der über der Alm schwebte! Diesem Unstern würde er schon zu Leibe rücken! Liebenswerterweise hatte ihn der Bürgermeister persönlich dabei unterstützt. Der Erhalt der alten Bräuche und Sitten wäre das Höchste, hatte er gesagt. Ganshagels Arbeit auf der Alm war eine einfache. Er versorgte die Seminarteilnehmer mit dem Notwendigsten und schirmte sie von der lärmenden und neugierigen Welt da drunten ab. Manchen verirrten Wanderer hatte er schon verjagt, manchem vorwitzigen Journalisten hatte er schon Mistgabel und Sense gezeigt. Das genügte in den meisten Fällen. Ging die Neugier einmal darüber hinaus, was bisher selten vorgekommen war, griffen die Bodyguards der hochrangigen Seminarteilnehmer ein. Es hatte bisher kaum ein Seminar ohne Leibwächter gegeben. Es waren mürrische Muskelberge mit militärischer Vorgeschichte, humorlose Grantler mit Blicken wie Dolche und Fragen wie Handgranaten. Je wichtiger die Leute, desto mehr Leibwächter. Überraschenderweise hatte Ganshagel bei den jetzigen Seminarteilnehmern überhaupt keine Bodyguards gesehen. Waren die Teilnehmer nicht so schützenswert? Oder waren die Bodyguards so gut, dass man sie nicht sah? Eigentlich ging es ihn nichts an. Er hatte es sich zur Angewohnheit gemacht, sich nicht einzumischen. Er managte einen diskreten Rückzugsort für Geschäftsleute und Mitglieder der Wirtschaftselite. Damit verdiente er sein Geld.

Für Rainer Ganshagel war der mitternächtliche Kontrollgang Routine. Ein paarmal hatten sich zu dieser Stunde Jugendliche angeschlichen, einfach so, nur der Neugier wegen. Sie waren leicht zu verscheuchen gewesen. Ein anderes Mal hatten sich Fotografen nachts angepirscht, der Grund dafür mussten wohl die anwesenden hohen Wirtschaftsbosse gewesen sein. Und erst letzten Monat hatte der Bürgermeister höchstpersönlich mit ein paar Mitgliedern des Gemeinderats die Alm hier oben besucht.

Allerdings tagsüber. Viele Inder waren mitgekommen, es wimmelte von Bhartriharis und Chattopadhyays. Sie deuteten viel herum in der Gegend, diese Inder, sie fotografierten und filmten die Berge, es musste also um Dreharbeiten gehen, dachte Ganshagel bei sich. Und richtig: Am nächsten Tag wurden Probeaufnahmen gemacht. So ein Typ wie Aamir Khan, die Bollywood-Größe, vielleicht war er es auch selber, stand da und sagte etwas auf Hindi. Sieben mit bunten Seidensaris umwickelte Schönheiten aus Mumbai-Andheri umtanzten ihn singend, während er mit ausladender Geste auf die zackigen Spitzen der Waxensteine wies. Das alles wurde mit mehreren großen Kameras gefilmt, und die Filmcrew hatte gelacht und die Gläser erhoben mit einem milchigweißen Zeug drin, das Lassi genannt wurde.

»Gell, da schaugst, Ganshagel«, hatte der Bürgermeister gesagt.

Doch auch das war schon einige Zeit her. Ganshagel war nun etwa zweihundert oder dreihundert Meter von den Schlafräumen der Alm entfernt. Er zündete sich eine Zigarette an. Drinnen in den Holzgebäuden herrschte strengstes Rauchverbot. Er nahm einen tiefen Zug. Es mochte ein Jahr her sein, da hatte er ein ziemlich erhebendes Erlebnis gehabt. Für ein Wochenende waren wenige Leute angemeldet, höchstens acht. Es waren sehr alte Leute, selbst die Leibwächter waren alt. Dann wurde ein kleines Männchen in einem gepanzerten Jeep vorgefahren, das Gesicht zerfurcht und knollennasig, die schlohweißen Haare streng nach hinten gekämmt. Das war doch nicht etwa … Doch, er war es. Er war es leibhaftig! Ganshagel hatte in diesem besonderen Fall gewagt, sich dem Kunden zu nähern.

»Wie darf ich Sie anreden?«

Überraschenderweise antwortete der Knollennasige mit den schlohweißen Haaren freundlich.

»Am besten Sie vermeiden die Anrede, da können Sie nichts falsch machen. Wollen Sie ein Autogramm? Eine Segnung?«

Ganshagel wollte kein Autogramm. Auch keine Segnung. Er hatte eine Frage, die ihm schon lang auf den Nägeln brannte.

Ganshagel schritt die mondbeschienene Steilwiese hinunter, er kannte hier jeden Tritt und jedes Mäh und Möh der Schafe, die dort lagerten. Er wusste, wo der wilde Schnittlauch wuchs. Die Alm war perfekt für heimliche Treffen aller Art geeignet, die Zugangswege waren vielfältig, verschlungen und gut kontrollierbar. Ganshagel sah die Gestalt schon von weitem. Sie schien gemütlich dazusitzen, entspannt an einen Baum gelehnt, wie bei einem Picknick. Sie trug einen ausladenden Hut, ein zarter Wind bewegte das Haar leicht, und Ganshagel wollte zunächst einen großen Bogen um sie machen, um nicht zu stören. Eine nachdenkliche Gestalt eben, die noch weitverzweigte Pläne schmiedet, kurz nach Mitternacht. Die noch über Börsenbewegungen in Fernost nachsinnt oder über das Leben im Allgemeinen. Doch man hat ein Gespür als Almwirt, und so trat Ganshagel misstrauisch und vorsichtig näher.

»Entschuldigen Sie –«, rief er.

Keine Antwort. Er schaltete die Taschenlampe ein und beleuchtete die eher zierliche Gestalt der Frau. Das Gesicht war von der breiten Krempe des Schlapphuts verdeckt. Er ließ den Lichtstrahl nach unten wandern. Schon die verdrehte Stellung der Finger ließ nichts Gutes ahnen.

»Entschuldigen Sie –«, rief er nochmals lauter.

Wieder keine Reaktion. Er lüftete den Rand des Huts, um einen Blick auf das Gesicht der Frau zu werfen und der Bewusstlosen bei Bedarf die Wangen zu tätscheln. Doch was er jetzt sah, ließ ihn entsetzt zurückprallen. Er ließ die Taschenlampe fallen und schlug die Hände vor den Mund. Fast wäre er gestrauchelt und ausgerutscht auf dem abschüssigen, feuchten Boden. Ganshagel rang nach Luft, Übelkeit stieg in ihm auf, er schluckte und japste. Hier gab es keinen Zweifel: Die Frau war tot. Es war gar nicht mehr nötig, den Puls zu fühlen. Zitternd stand Ganshagel da und wagte nicht, sich zu bewegen.

Erst nach und nach wurde ihm klar, was das bedeutete. Langsam, furchtbar langsam und unaufhaltsam sah er seine Welt zusammenbrechen, sein mühsam aufgebautes Hüttenwirtdasein, seine sichere Existenz, sein Ein und Alles. Eine Tote auf seiner Alm – das würde einen Riesenwirbel auslösen. Und jeder würde wieder an den Unstern erinnert werden, der über der Alm schwebte. Der alte Wolzmüller war damals nach einer wilden Party ebenfalls tot aufgefunden worden. Die Umstände seines Ablebens waren nie ganz geklärt worden. Nun würde die Alm vielleicht sogar ganz geschlossen werden. Das durfte Ganshagel nicht zulassen.

Ganshagel zückte sein Mobiltelefon. Es gab nur zwei Leute, die jetzt helfen konnten.

10

Mit einem tadellosen Pass und mit einem freundlichen Gesicht kommst du überall auf der Welt durch. Nur im Unterholz reibe dich zusätzlich mit Schlangenfett ein.
Indisches Sprichwort (übersetzt aus dem Malayalam)

»Was? Mitten in der Nacht?«, knurrte Ignaz Grasegger am anderen Ende der Leitung.

»Es ist dringend«, sagte Ganshagel.

Geraschel von Bettzeug, Gegrunze, ein geflüstertes Hin und Her, ein Wer noch so spät? und Wo?

»Ja, gut, wir kommen. Lass alles so, wie es ist.«

Zwei Stunden später waren sie da, die Graseggers. Ursel Grasegger, die große knochige Schönheit, der die Jahre nichts hatten anhaben können, hatte wie Ignaz, ihr Gemahl, einen breiten Fünfzigpfünder-Gürtel um den Leib angesetzt. Beide trugen die Speckschwarten wie Königsmäntel, und man wusste sofort: Die lassen sichs schmecken, und sie stehen dazu. Beide kamen gleich zur Sache. Sie sahen sich um am Fundort, sie leuchteten mit der Taschenlampe herum, sie fühlten den Puls. Sie streiften Handschuhe über und betasteten dies und das.

»Und wie können wir dir jetzt helfen?«, fragte Ursel.

»*Ihr* seid die Bestatter. Ich dachte daran, dass ihr sie wegschafft. Ich will keinen Skandal hier.«

»Wir *waren* Bestatter.«

Ignaz nahm einen herumliegenden Zweig, lüpfte damit die Hutkrempe der Dame an und leuchtete

ihr mit seiner kleinen Taschenlampe ins Gesicht. Er stand schnell auf.

»Ja, so was!«, rief er.

»Schlimm?«, fragte Ursel. Sie beleuchtete das Gesicht der Leiche ebenfalls. Dann fächerte sie sich mit der Hand Luft zu.

»Durchaus. Die muss schon drei oder vier Tage daliegen.«

Ganshagel drehte sich weg. Er spürte die Übelkeit aufsteigen, er versuchte, sie in den Griff zu bekommen. Vergeblich.

»Das ist ganz und gar unmöglich«, sagte er. »Ich bin zwanzigmal hier vorbeigekommen.«

»Dann schau einmal her, Ganshagel«, sagte Ursel und hob den Hut ebenfalls etwas hoch. »Fortgeschrittener Madenbefall, da brauche ich keinen Kriminalbiologen zu fragen, da bin ich mir sicher, dass es mindestens vier Tage sind. Aber mindestens.«

»Weißt du, wer sie ist, Ganshagel?«, fragte Ignaz.

Ganshagel stöhnte. Er musste sich erst von dem schrecklichen Anblick erholen, der für das Ehepaar Grasegger, die ehemaligen Bestatter, anscheinend ganz selbstverständlich war.

»Ja«, keuchte er. »Hier ist ihr Personalausweis, den hat sie an der Rezeption hinterlassen. Sie hat heute erst eingecheckt, sie kann noch nicht vier Tage da liegen. Außerdem komme ich immer um Mitternacht hier vorbei. Das wäre mir aufgefallen.«

»Dann ist sie vielleicht hierhergebracht worden?«, sagte Ursel.

Ignaz leuchtete den Boden rund um die Leiche ab.

»Glaube ich nicht. Keine Schleifspuren.«

Er ließ den Blick den Baum hinaufwandern und pfiff durch die Zähne.

»Von da oben könnten sie hergekommen sein, die Viecherln. Sie bauen ihre Nester in den Bäumen.«

»Welche Viecherln?«

»*Knöcherlputzer*. So heißen sie bei uns. Das sind Aaskäfer mit dem zoologischen Namen *Rothalsige Silphe*. Wenn du dir sicher sein willst, dass innerhalb von ein paar Tagen nichts mehr von dir da ist außer ein paar Knöcherl, dann legst du dich unter einen Baum, in dem ein Nest mit Rothalsigen Silphen hängt.«

Er nahm ein Glasröhrchen für seine Zigarren aus der Tasche, schüttelte die kubanische *Romeo y Julieta* heraus und praktizierte ein paar der glänzenden Krabbler hinein.

»Die kommen bei uns eigentlich selten vor«, sagte er nachdenklich. »Sie lieben die Kälte, ihr Hauptverbreitungsgebiet ist eher Nordeuropa.«

Ursel hatte den Ausweis mit der kleinen Taschenlampe angeleuchtet.

»Kennst du die Frau, Ignaz?«

»Eine Einheimische ist das nicht.«

Ganshagel schaltete sich ein.

»Das ist eine Seminarteilnehmerin.«

»So wirds wohl sein. Und du willst, dass wir die jetzt wegschaffen?«

»Deshalb habe ich euch gerufen.«

»Was soll das bringen, Ganshagel?«

Ignaz blickte zu Ursel, die ließ ihr Mobiltelefon sinken, mit dem sie die Leiche und den Ausweis vor ein paar Minuten fotografiert hatte. Sie sah ihren Mann ernst und bedeutungsvoll an. Sie schüttelte den Kopf. Ignaz verstand die Botschaft.

»Rainer, wir können dir nicht helfen. In diesem Fall gibt es nur eins: Ruf die Polizei.«

»Die Polizei!«, schrie Ganshagel. »Die Polizei kann ich hier überhaupt nicht brauchen.«

»Wer kann die schon brauchen? Trotzdem ist es eine Schnapsidee, die Leiche wegzuschaffen. Die Spuren führen immer wieder hierher, zu dir zurück. Und damit machst du alles noch schlimmer.«

»Gerade hast du gesagt, es gibt keine Spuren, Ignaz!«

»Schleifspuren nicht. Aber die Viecherl da, die der Frau das Gesicht weggefressen haben. Die führen einen halbwegs guten Spurensucher hierher. Die Tiere kommen bei uns nicht so häufig vor.«

Ignaz betrachtete die rötlich gestreiften Silphen in der Glasröhre. Wie bei dieser Art üblich, lebten Larven und ausgewachsene Käfer zusammen. Ursel beobachtete ihn seufzend. Sie ahnte, was er vorhatte.

»Servus, Ganshagel. Lass alles so, wie es ist, und ruf die Polizei. Soll ich dir die Nummer geben?«

Zu Hause angekommen, setzten sich die Graseggers auf ihre Terrasse. Der Morgen klopfte zaghaft ans Wettersteingebirge, die Dämmerung brach an.

»Bald ist es sechs. Ich finde, wir könnten schon frühstücken.«

»Gute Idee.«

Sie nahmen ein paar Rostbratwürste, Speckscheiben und Eier aus dem Kühlschrank und holten auch noch dies und das aus der Speisekammer. Sie stellten ein nahrhaftes Frühstück auf den Tisch der Terrasse, das für Jesus und die zwölf Jünger gereicht hätte, ohne dass Jesus gezwungen gewesen wäre, eine wundersame Brotvermehrung aus dem Hut zu zaubern.

»Vorhin«, sagte Ignaz, »da hast du das Passbild dieser Frau nach Italien geschickt, nicht wahr?«

Ursel nickte.

»Und was schreiben sie?«

»Finger weg! Hochbrisante Sache.«

»Unsere italienischen Freunde kennen sie also?«

»Ja. Aber über SMS will Padrone Spalanzani nichts weiter darüber mitteilen.«

»Gut, dass wir uns aus dieser Sache rausgehalten haben!«

Ursel nahm die Prepaid-Karte aus dem Telefon und schredderte sie. Dann machte sich das genussfreudige Ehepaar über die Gamsfiletsülze und den Werdenfelser Wurstsalat her. Für die Gemeinde der Urchristen, die gekommen war, um Jesus und die zwölf Jünger zu sehen, hätte es auch noch gereicht.

»Die Wolzmüller-Alm! So was!«, sagte Ursel mit vollem Mund.

»Das war ja auch eine g'spaßige Geschichte mit dem alten Wolzmüller-Bauern. Erinnerst du dich daran, wie wir den eingegraben haben?«

»Natürlich erinnere ich mich! Ungeklärte Todesursache. Trotzdem hat die Staatsanwaltschaft das Begräbnis angeordnet. Sehr merkwürdig.«

»Und dann sein Sohn, der Michl! Noch merkwürdiger.«

Ursel ging zum Kühlschrank und öffnete ihn.

»Jessas, Ignaz! Du hast doch wohl nicht die guten vier Wachteln für deine Experimente hergenommen? Wachtelbrüstchen mit Traubensauce, das war unser Mittagessen!«

Ignaz gluckste draußen auf dem Balkon.

»Sauber abgenagt bis auf die Knochen«, sagte der ehemalige Bestattungsunternehmer und hielt ein weißes Geflügelbrustbein hoch. Darunter wimmelte es von Teeny-Maden und ausgewachsenen Käfern der Rothalsigen Silphe.

»Innerhalb von vier Stunden?«

»Innerhalb von vier Stunden. Das schaffen die so schnell.«

»Die sind ja verfressener als wir. Und was soll es jetzt heute Mittag geben?«

Rainer Ganshagel wiederum hatte ganz andere Probleme. Er wusste, dass er bald die Polizei im Haus hatte.

11

Unter Dromophobie (auch Odophobie oder Xylophobie) versteht man die Angst, Waldwege zu begehen. Schon Sigmund Freud beschreibt den Fall des Herrn G., der, kaum führte ein Spazierweg in den Wald, schreiend ins Unterholz sprang und dort neben dem Weg weiterkroch, bis dieser wieder ins freie Gelände führte.

Inzwischen war es hell geworden. Über den Waxensteinen bildete sich eine graue Wolkensuppe. Die ersten Regentropfen fielen, als auf dem Nachtkästchen von Kriminalhauptkommissar Hubertus Jennerwein das Mobiltelefon klingelte. Schlaftrunken tappte er darauf herum. Polizeiobermeister Johann Ostler war am Apparat.

»Entschuldigen Sie die frühe Störung, Chef.«

»Guten Morgen. Was gibts?«

»Eine weibliche Leiche. Todesursache ungeklärt. *Nicht* natürlich. Ich hole Sie mit dem Jeep ab.«

»Kann ich nicht selbst –«

»Der Tatort ist unzugänglich gelegen, auf sechzehnhundert Meter Höhe.«

»Wo?«

»Auf der Wolzmüller-Alm.«

»Gut, ich bin in einer Stunde vor dem Männereingang der St.-Martins-Kirche. Ich warte dort auf Sie.«

So früh war Jennerwein noch nie vor einem Kirchenportal gestanden. Er hatte dieses Gebäude schon lange nicht mehr von innen gesehen. Vor zwei Jahren hatte er Karl Swoboda, einem gerissenen Österreicher und Berufsstriezi, dort eine falsche Beichte abgenommen, dann war er ihm nachgejagt und hatte die Kirche naturgemäß fluchtartig verlassen. Swoboda war ihm damals entkommen. Irgendwann würde er ihn fassen, den gerissenen Österreicher, den Verkleidungskünstler mit den unstet von Punkt zu Punkt springenden Augen.

Gleich war es sieben Uhr, in wenigen Minuten würde die Morgenmesse beginnen. Jennerwein betrat das Gebäude, ein paar ganz frühe Kirchenvögel waren schon da und pickten Lobpreisungen aus den Gebetbüchern mit Goldrand. Jennerwein setzte sich in die hinterste Reihe des Gestühls, legte den Kopf in den Nacken und blickte hoch zur Decke. Nachdenklich massierte er seine Schläfen mit Daumen und Mittelfinger. Wie oft hatte er als Bub zu diesem Deckenfresko hinaufgeschaut! Es zeigte den sattsam bekannten Heiligen Martin, den Edelsoldaten mit seinem auseinandergeschnittenen Mantel, seinem dazugehörenden frierenden Bettler, seiner unendlichen Güte, den schnatternden Gänsen und all den Zutaten, die schließlich zum Heiligsein führen. (»Wie schaust denn du aus!?«, muss die Frau vom Heiligen Martin, vielleicht die Heilige Martina, diesen gefragt haben, als er mit halbem Mantel heimkam.) Hubertus Jennerwein war Ministrant gewesen, damals, vor dreißig Jahren. Gerade fiel ihm die Geschichte ein, als –

»Ach, hier sind Sie, Chef!«

Polizeiobermeister Johann Ostler stand neben der Kirchenbank und schüttelte verwundert den Kopf. Jennerwein erhob sich und folgte ihm nach draußen. Es regnete stärker.

»Noch ein bisschen Weihrauch und Myrrhe geschnuppert,

Chef?«, sagte Ostler lächelnd. »Irgendwelche Sünden begangen?«

Er wischte sich über den Mund und kickte eine glimmende Kippe, die direkt vor der Kirchentür auf dem Boden lag, mit der Schuhspitze weg. Jennerwein wusste, dass Johann Ostler heimlich rauchte. Alle im Team wussten es. Nur er wusste nicht, dass alle es wussten.

»Heute noch nicht«, sagte Jennerwein.

Sie gingen zum Polizei-Jeep.

»Sind die anderen schon unterwegs?«

»Ja, sie sind alle benachrichtigt. Hansjochen Becker ist mit seinem Team vor einer Stunde losgefahren. Sie werden erst mal die Spuren sichern. Maria Schmalfuß und Ludwig Stengele haben sich ebenfalls schon aufgemacht.«

»Was wissen wir?«

»Es ist die Leiche einer Frau Ende dreißig«, sagte Ostler und ließ den Motor aufheulen. »Fundstelle im Freien. Der Pächter der Wolzmüller-Alm, Rainer Ganshagel, hat die Frau gefunden. Es gab diese Woche ein Seminar auf der Alm.«

»Wie viele Seminarteilnehmer?«

»Fünfzehn oder zwanzig.«

»Also jede Menge Zeugen.«

»Ich denke auch, dass irgendjemand schon etwas gesehen haben wird.«

»Hm«, murmelte der Kommissar.

Jennerwein sah aus dem Fenster des Jeeps, der den Almsteig hinaufbretterte. Es regnete weiter. Das wird Hansjochen Becker, dem Spurensicherer, aber gar nicht schmecken, dachte er. Offener Tatort, und dann auch noch im Regen.

»Die Identität der Frau?«

»Eine Seminarteilnehmerin.«

Ostler schilderte Jennerwein, was auf dem Wolzmüllerhof seit Jahren geschah, Seminare, Tagungen, informelle Treffen.

»Sogar ein Fortbildungsseminar für unsere Polizisten hat es einmal dort oben gegeben.«

»Existiert noch einer aus der Familie Wolzmüller?«

»Der Andreas Wolzmüller hat den Hof schon vor langer Zeit aufgegeben. Ist irgendwie reich geworden. Später ist er dann bei einem Besuch auf dem Hof unter mysteriösen Umständen ums Leben gekommen. Es gibt noch einen Sohn, den Michl. Der lebt in Grainau, zurückgezogen, manche sagen, er ist geistig verwirrt. Aber das wird uns in vorliegendem Fall kaum weiterhelfen.«

»Hm«, sagte Jennerwein.

Ostler bretterte wie blöd. Sie fuhren jetzt schon eine gute Stunde. Bisher hatten sie noch niemanden gesehen. Weder Wanderer noch Teammitglieder.

»Wir sind da«, sagte Ostler und blieb mitten im Weg stehen. »Wir müssen bloß noch ein paar hundert Meter gehen.«

Der Weg war steil, kleine Bäche von lehmig-schmutzigem Wasser flossen ihnen entgegen. Das Gehen war beschwerlich, sie rutschten öfters aus.

»Solche Tatorte liebe ich«, sagte Jennerwein seufzend. »Wenn ich Mörder wäre, würde ich warten, bis es regnet, und dann mit meinem Opfer einen Spaziergang auf die Alm machen.«

Als sie beim Hof ankamen, waren sie klatschnass. Ganshagel lief ihnen auf den letzten paar Metern mit einem Regenschirm entgegen.

»Danke«, sagte Jennerwein. »Aber Sie kommen zu spät.«

Als sie drinnen waren, bemerkte Jennerwein Ganshagels Augenringe.

»Hatten Sie eine schlaflose Nacht?«

»Nein, wieso?«, stotterte Ganshagel. Er war ein guter Hüttenwirt, aber ein schlechter Lügner.

»Sie haben die Leiche in den frühen Morgenstunden gefunden. Sie erzählen mir am besten alles der Reihe nach, auch von der Nacht und vom gestrigen Abend.«

»Ja, gerne, Herr Kommissar.«

Ganshagel begann zu erzählen. Alles erzählte Ganshagel den beiden Beamten natürlich nicht.

12

Russische Schachspieler reden von »im Unterholz sein«, wenn sie sich in zahlenmäßiger Unterlegenheit befinden. Auch beim Eishockey hat dieser Begriff Eingang gefunden.

Er erzählte ihnen zum Beispiel nicht, dass er die Leiche schon um Mitternacht entdeckt hatte. Die Nacht war schwarz gewesen wie die abgeschabte Lederhose eines Schlierseer Trachtenvereinsvorsitzenden. So hoffnungslos schwarz war die Nacht über der Wolzmüller-Alm, als Rainer Ganshagel vor der Leiche stand, nachdem die Graseggers wieder weggefahren waren. Gott sei Dank hatten die Ex-Bestatter der Frau den Schlapphut wieder tief ins Gesicht gezogen, denn allein schon der Gedanke an das Gekrabbel und Gewusel der Knöcherlputzer ließ Ganshagel erschaudern. Er knipste seine Taschenlampe aus und ging langsam zurück zum Haupthaus des Anwesens. Rainer Ganshagel machte sich allergrößte Sorgen über seine Zukunft. Sollte alles, was er sich die letzten zwei Jahre aufgebaut hatte, den Bach hinuntergehen? Bald würde es hier von Polizei, sicher auch von Presse wimmeln, und spätestens dann war es aus mit dem diskreten Refugium für gestresste Business-Manager, die ihre Ruhe haben wollten. Ganshagel kratzte sich am Kopf. Sollte er den Bürgermeister persönlich herausklingeln? Aber was würde das bringen? Der Bürgermeister konnte ihm die Leiche auch nicht wegschaffen. Der Bürgermeister hatte ihm damals geholfen, das heruntergekommene Anwesen zu renovieren, die Gemeinde hatte einiges an Geld- und Sachleistungen hineingesteckt, um hier oben eine schier luxushotelähnliche Anlage zu bauen, mit unterirdischem

Schwimmbad, Sauna und Fitnessraum. Herzstück des Anwesens war ein Medienraum, der mit allen Schikanen der modernen Kommunikationstechnik ausgestattet war. Die ersten Teilnehmer der Seminare hatte ihm der Bürgermeister geschickt:

»Am nächsten Wochenende zwanzig Leute, nordindische Küche mit viel Curry, ein paar Weißwürste dazu, geht das? Und ein Spruchband, auf dem irgendeine passende Begrüßung steht? Vielleicht was auf Indisch – sowas wie *Hai Ram*?«

Ganshagel hatte alles möglich gemacht. Er hatte sogar diese schreckliche Übersetzung von *Grüß Gott* auf das Spruchband drucken lassen, natürlich auf Hindi. Er musste den Bürgermeister wenigstens informieren. Später. Nicht jetzt, um drei Uhr morgens.

Der Hüttenwirt blickte noch einmal kurz zurück. Die lederhosenschwarze Dunkelheit hatte die Leiche vollständig verschluckt, denn der Mond, der feige Geröllhaufen dort oben, hielt sich immer noch hinter dicken Wolken verborgen. Ganshagel blieb abermals stehen. Er hatte den Personalausweis der Toten vorhin in seine Hosentasche gesteckt, er zog ihn jetzt heraus und betrachtete das Bild im Schein der Taschenlampe. Es war eine eher zierliche Frau Ende dreißig, eine unauffällige, jugendliche Erscheinung mit hellen, nach hinten gekämmten Haaren. Die Frau blickte genervt. Wenn man das Bild lange genug betrachtete, bekam der Blick der Frau sogar etwas Lauerndes, Gehetztes, aber das war nichts Ungewöhnliches für diejenigen, die hierher auf die Alm kamen. Sie hatten alle solche Blicke.

Was Ganshagel ziemlich nachdenklich machte, war die Tatsache, dass er genau diese Frau am gestrigen Tag noch quicklebendig gesehen hatte, unten im Kurort, in der Wettersteinstraße. Er hatte dort am Morgen Einkäufe besorgt, er war mit Tüten beladen aus einem Geschäft gekommen, er war in Eile, und so war er mit dieser Frau zusammengestoßen, er hatte sich entschuldigt, sie hatte sich entschuldigt, und dann hatte er die Episode vergessen. Dass es eine Seminarteilnehmerin war, hatte er zu dem Zeitpunkt noch nicht gewusst. Und dass sie hier oben umkommen würde, wer konnte das ahnen?

Ganshagel erschrak. Er hatte ein Geräusch gehört, das er nicht sofort einordnen konnte. Ein Knacken? Ein Wispern? – Oder vielleicht sogar Schritte? Eine siedend heiße Welle panischer Angst durchlief ihn. War der Mörder etwa noch in der Nähe? Und wenn nicht, war er in der Nähe gewesen, als er die Frau fand? Erst nach und nach beruhigte sich Ganshagel wieder. Das waren keine menschlichen Schritte gewesen. Ganz sicher nicht. Wenn man wie er zwei Jahre auf der Alm gelebt hatte, dann konnte man die Geräusche der Nacht durchaus unterscheiden.

Kurz nach drei. Ganshagel steckte den Ausweis wieder ein. Er hatte die Ankunft der Frau hier oben auf der Alm gar nicht mitbekommen, sie musste am Nachmittag eingetroffen sein, sie hatte ihre Tasche auf die Theke der Rezeption gelegt, der Ausweis hatte sichtbar und griffbereit in der Seitentasche gesteckt. Sie war dann wohl nach draußen gegangen und hatte sich dort unter die anderen gemischt. So musste es gewesen sein. Und er hatte ja nichts damit zu tun. Ihm konnten sie nichts anhängen. Aber irgendetwas arbeitete in Rainer Ganshagels Kopf, und er wusste nicht, was. Irgendetwas hatte er beim Einkaufen in der Wettersteinstraße noch gesehen oder mitbekommen. Einen Satz, der irgendwie merkwürdig war? Die Art der Entschuldigung, die aus der Reihe fiel? Er wusste es nicht mehr. Es würde ihm schon noch einfallen, da war er sich sicher. Jetzt aber musste er die Seminarteilnehmer informieren. Sonst geriet er vielleicht in ein noch größeres Schlamassel.

In der Zirbelstube brannte noch Licht, der flackernde Schein einer Kerze erhellte die kleine Stube. Durchs Fenster konnte er die beiden Italiener, Lucio und Fabio, erkennen, dazu auch noch Wassili, den Russen. Ganshagel klopfte an die Scheibe. Lucio kam ans Fenster und öffnete es von innen.

»Was gibt es, Cheffe? Noch ein paar Saure Knödel extra?«

Ganshagel entschloss sich, sofort zur Sache zu kommen.

»Ich habe draußen eine Seminarteilnehmerin gefunden«, sagte er so ruhig wie möglich. »Es ist die, die heute Nachmittag erst angekommen ist. Sie liegt unter einem Baum. Sie ist tot. Bevor ich die Polizei rufe, will ich Sie alle noch –«

Blitzartig waren die Nachteulen aufgesprungen. In wenigen Sekunden hatten sich alle drei ihre Jacken und Schals übergeworfen und standen draußen bei Ganshagel. Jeder hielt eine Taschenlampe in der Hand. Alle trugen Handschuhe. Auch eine Waffe hatte er aufblitzen sehen.

»Was erzählen Sie da?«, zischte der Russe barsch und unfreundlich. »Ich hoffe für Sie, dass das kein Scherz ist.«

»Ganz bestimmt nicht«, erwiderte der Hüttenwirt ängstlich. »Und ich sage Ihnen gleich: Der Anblick ist nicht sehr schön.«

»Woher wissen Sie, Cheffe, dass es eine aus unserem Kurs ist?«

»Ich habe hier den Personalausweis –«

Lucio riss ihm den Ausweis fast aus der Hand. Er betrachtete ihn genau. Er zeigte ihn herum. Alle drei überprüften das Wasserzeichen, sie rochen an der Pappe, sie betrachteten die Stempel. Und sie deuteten auf das Bild. Ganshagel glaubte zu bemerken, dass Entsetzen in ihren Augen stand. Aber er konnte sich in der Dunkelheit auch täuschen.

»Da steht Miller«, sagte der Russe. »Luisa-Maria Miller.«

»Nehmen Sie den Ausweis wieder an sich, Cheffe«, sagte Lucio. »Und geben sie ihn später der Polizei.«

Unter der Führung des Hüttenwirts eilten alle vier zur Zirbe. Ganshagel nahm den weichen Filzhut der Frau hoch, leuchtete das Gesicht an, atmete kurz durch.

»Du lieber Himmel!«, presste Fabio hervor. Lucio schoss mit seinem Handy ein paar Fotos.

»Und was soll *ich* jetzt machen?«, fragte Ganshagel.

»Sie machen gar nichts, Cheffe«, sagte Lucio. »Wir übernehmen es, die anderen zu informieren. In zwei Stunden müssten wir soweit sein. Bei Tagesanbruch, frühestens um sechs Uhr morgens rufen Sie die Polizei.«

»Doch, eines werden Sie noch tun«, knurrte Wassili. »Sie räumen den Medienraum auf, Sie vernichten dort alle Unterlagen, Sie beseitigen überhaupt alles Geschriebene. Haben Sie mich verstanden, Freundchen? Der Polizei gegenüber behaupten Sie, das würden Sie bei jedem Seminar so machen. Industriespionage und so.«

Kurz darauf flammten im Gästetrakt einige Lichter auf, sie wurden alle augenblicklich wieder gelöscht. Ganshagel hatte ein chaotisches Geschrei und Tohuwabohu erwartet, aber der Rückzug ging fast lautlos vonstatten, darüber hinaus rasend schnell. Es schien fast so, als hätten die Seminarteilnehmer das schon öfters geprobt. Ein Licht blitzte neben ihm auf, zwei Scheinwerferkegel tanzten hin zu dem Baum mit der Frau mit dem Schlapphut. Die Lichter fuhren die Zirbe hoch und wieder herunter, sie irrten in der Umgebung des Baums umher, dann sprangen sie die steile Almwiese hinauf, wurden immer kleiner und verschwanden schließlich in der Dunkelheit. Schwere Schritte hasteten an Ganshagel vorbei, er hörte keuchendes Atmen und leise, zwischen den Lippen hervorgepresste Zurufe, fast schon Kommandos. Es war eine Dreier- oder Vierergruppe, die in die andere Richtung, bergabwärts, verschwand, er konnte erkennen, dass die Frau mit der Meckifrisur dabei war. Ganshagel erschrak: Sie trug eine Waffe! Es war eine halbautomatische Pistole, die sie im Laufen lud. Instinktiv trat Ganshagel hinter einen Mauervorsprung und ging in die Knie. Bei diesem explosionsartigen Rückzug wollte er nicht im Wege stehen. In der Ferne startete ein Motorrad und fuhr davon. Ein zweites heulte auf und folgte ihm. Wo um alles in der Welt waren denn diese Motorräder versteckt gewesen? Und Ganshagel hatte geglaubt, er überblickte sein Terrain. Im Laufschritt huschte eine kleine Gestalt vorbei – war es der Asiate? Ja, er hatte sein Notebook unter den Arm geklemmt. Ganshagel hörte ein Knacksen in der Nähe, er verharrte regungslos in gebückter Haltung.

»Ce n'est pas possible!«

Er lauschte angestrengt. Sein Französisch war nicht so gut wie sein Englisch, aber er filetierte trotzdem ein paar Ausdrücke heraus.

»Es muss einer von uns gewesen sein.«

»Wir sollten schleunigst von hier verschwinden.«

Es waren der Franzose und der Amerikaner. Sie unterhielten sich flüsternd weiter. Und ein Begriff tauchte immer wieder auf: *L'abbesse*. Die Äbtissin.

»Sie haben doch einen Jeep?«

Ohne dass Ganshagel etwas gehört hätte, war Wassili Wassiljewitsch wieder neben ihm aufgetaucht. Er packte ihn am Hemdkragen und zog ihn hoch.

»Ja, natürlich habe ich einen Jeep«, sagte Ganshagel hastig und fingerte dienstbeflissen nach seinem Autoschlüssel.

»Setzen Sie den Wagen auf die Rechnung. Sie sehen ihn vielleicht nicht wieder.«

»Jedenfalls nicht in dem Zustand, in dem du ihn kennst, Ganshagel.«

Dieser Satz war irgendwo aus der tiefschwarzen Nacht gekommen, der zweite Sprecher jedoch war in der Dunkelheit geblieben. Ganshagel hatte die Stimme noch nie gehört. Oder vielleicht doch? Der österreichische Akzent war jedenfalls unverkennbar. Es musste einer der Referenten sein, die nicht hier auf der Alm übernachteten. So etwas kam öfters vor – sie tauchten morgens auf, hielten ihr Referat und verschwanden dann wieder.

»Ja, natürlich, nehmen Sie den Jeep«, sagte er. »Wenn ich Ihnen damit weiterhelfen kann.«

»Danke, servus und baba«, sagte der Österreicher.

Der Russe schnappte sich den Schlüssel, dann waren beide weg. Ruhe breitete sich aus. Keine knackenden Äste mehr, keine Taschenlampenkegel. Keine Motorräder, keine halbautomatischen Waffen. Der Spuk war vorüber. Die Stille war umso beängstigender. Wieder arbeitete etwas in Ganshagels Hirn. Was hatte er gestern zu der Frau gesagt, nachdem er sie angerempelt hatte? Und was hatte sie erwidert? Die Erinnerung war in dem Wust von Gedanken, die ihm jetzt durch den Kopf gingen, nicht mehr aufzutreiben.

Es war inzwischen vier Uhr morgens geworden. Ganshagel war in die Hütte mit dem großartig ausgestatteten Medienraum gegangen und hatte dort das Licht angeschaltet. Er wollte, wie ihm aufgetragen worden war, alle Spuren beseitigen. Auf dem Whiteboard stand immer noch das Wort OPTOGRAPHIE. Er wischte es sorgfältig ab. Optographie war das Thema des Vortrags gestern Nachmittag gewesen. Ein kleiner, schmächtiger

Typ hatte ihn gehalten. Er unterschied sich deutlich von den anderen durchtrainierten Gestalten, das musste ein Wissenschaftler oder so etwas Ähnliches sein. Ganshagel hatte Teile von dem Vortrag mitbekommen, weil er ein paar Requisiten für den Wissenschaftler auftreiben musste. Er hatte das Referat aus dem verglasten Technikkämmerchen heraus verfolgt. Zunächst schrieb der Schmächtige das Wort Optographie mit Großbuchstaben an die Tafel.

»Bitte laufen Sie jetzt nicht gleich schreiend davon!«, begann er. »Vielleicht haben Sie schon mal davon gehört. Ich habe diesen Vortrag schon in New York und Tokio vor diversen Wissenschaftlern gehalten, ich hätte nicht gedacht, dass ich je damit auf der Wolzmüller-Alm lande. Optographie ist, kurz gesagt, die Wissenschaft von der Fixierung des letzten Bildes, das ein Lebewesen vor dem Tod erblickt.«

Die Seminarteilnehmer saßen in der Tat sehr skeptisch in ihren Bänken. Der Referent erzählte nun einiges aus der Kriminalgeschichte, er schilderte Fälle, in denen die Optographie schon angewandt worden war. Die Angerstein-Morde, die Alexandridis-Experimente. Überführung von Massenmördern, Befreiung von unschuldig Eingekerkerten nach Jahrzehnten.

»In all diesen Fällen hat man die Augen der Mordopfer seziert und auf der Retina die letzten Bilder sichtbar machen können. Einen richtigen Durchbruch in der Kriminalistik hat es jedoch bisher nicht gegeben. Die neue Methode der Optographie jedoch ist computergestützt und wurde mit einer von mir entwickelten Lasertechnik verfeinert. Ich führe Ihnen das am besten einmal vor. Sie sehen die ganze Zeit schon den Frosch hier im Marmeladenglas, und, Sie ahnen es schon, meine Damen und Herren: Er wird bald im Froschhimmel sein. Keine Angst, liebe Tierfreunde, er hat ein erfülltes Leben gehabt, in freier Natur, unser Freund Ganshagel hat uns den glücklichsten Frosch der Gegend ausgesucht, und ich werde ihn gleich sachgerecht und schmerzlos töten. Doch zuvor muss er uns noch einen letzten Dienst erweisen. Ich bitte einen Freiwilligen, nach vorne zu kommen. Er soll das Letzte sein, was der Frosch in seinem Leben sieht.«

Wassili Wassiljewitsch, der Russe, sprang lachend auf, kniete sich vor das Marmeladenglas nieder und grinste hinein. Dann ging alles ganz schnell. Der schmächtige Wissenschaftler packte den Frosch mit einer Hand, setzte ihm mit der anderen eine Spritze. Das Tier erschlaffte sofort. Mit flinken Fingern sezierte er das Tier, präparierte die Augen heraus und legte sie unter eine kompliziert aussehende Maschine.

»Ein Laser-Elektronenmikroskop. Ich werde das optographische Bild nun auf die Leinwand projizieren.«

Und dann gab es ein Ah! und Oh! im Publikum, denn das grinsende Gesicht des Russen erschien auf dem Wandschirm, sehr unscharf, sehr verzerrt – aber zweifellos Wassili Wassiljewitschs Gesicht. Der Schmächtige wiederholte nun das Experiment, diesmal mit einer Ratte, er ließ dieselben Sprüche vom Stapel:

»Eine kleine Ratte, biologisch etwas höher stehend als ein Frosch, und – Sie ahnen es schon – sie wird bald im Rattenhimmel sein. Keine Angst, liebe Tierfreunde, sie hat ein erfülltes Leben gehabt, in freier Natur –«

Diesmal stellte sich die Frau mit der Meckifrisur zu Verfügung, und kurz darauf sah man eindeutig und unverwechselbar ihre stacheligen Borsten auf der Leinwand. Die Teilnehmer waren beeindruckt.

»Herr Ganshagel! Herr Ganshagel! Kommen Sie mal raus aus Ihrem Glaskämmerchen!«, hatte der Wissenschaftler zum Schluss gerufen. »Herr Ganshagel, schön, dass Sie sich zur Verfügung stellen. Sie ahnen es schon, meine Damen und Herren, unser Herr Ganshagel wird bald im Hüttenwirtehimmel sein.

Keine Angst, liebe Freunde, er hat ein glückliches Leben gehabt, in freier Natur –«

Es war natürlich ein Spaß gewesen, aber Ganshagel war furchtbar erschrocken. Wenn er geahnt hätte, wie schnell alles bitterer Ernst wurde! Jetzt, keine vierundzwanzig Stunden später, saßen dieser Kommissar Jennerwein und sein Hilfssheriff Ostler vor ihm, aber er konnte sich einigermaßen sicher fühlen. Oder doch nicht?

»Wann sind Sie zu Bett gegangen, Herr Ganshagel?«

»Na, so gegen zehn oder elf Uhr.«

»Und die Leiche haben Sie um halb sechs morgens entdeckt?«

»So ist es.«

»Sind Sie Frühaufsteher?«

»Ja, auf der Alm bleibt einem gar nichts anderes übrig. Um diese Zeit drehe ich immer meine Runden, jeden Tag, wissen Sie. Und da habe ich die Frau gefunden. Und ich habe Sie sofort angerufen.«

Außer der Tatsache, dass er sie viel früher entdeckt hatte und dass er die Graseggers alarmiert hatte, konnte Ganshagel dem Kommissar eigentlich alles erzählen. Er hatte nichts zu verbergen. Und ob die Seminarteilnehmer jetzt zwei, drei Stunden früher abgefahren waren –

»Herr Ganshagel«, unterbrach Jennerwein seine Gedankengänge, »ich höre grade, dass wir rüber zum Tatort müssen. Sie sorgen inzwischen dafür, dass keiner Ihrer Gäste das Gebäude und das Gelände verlässt.«

»Aber –«

Jennerwein war schon an der Tür.

»Bereiten Sie inzwischen eine Gästeliste vor. Name, Adresse, die üblichen Personalien.«

Ganshagel spürte drei Hubschrauber in seinem Bauch kreisen. Aber er nickte. Er wollte den Schwung der Ermittlungen nicht bremsen. Dass es keine Gäste mehr auf der Alm gab, dass alle abgereist waren – das konnte er später noch sagen. Er würde sich inzwischen die Worte zurechtlegen. Es wird alles gut, dachte er.

»Ganshagel, Sie sehen schlecht aus«, sagte Ostler. »Wenn Sie ärztliche Hilfe –«

»Nein, nein, es geht schon. Der Anblick der toten Frau –«

»Wir kommen gleich wieder. Warten Sie hier, Ganshagel. Berühren Sie nichts, telefonieren Sie nicht.«

Nachdem beide Polizisten hinausgegangen waren, schrieb Ganshagel eine SMS an den Bürgermeister.

13

Bei der kaiserlichen Treibjagd in Ischgl / Tirol. Der Haberländer Rudi und Wilhelm II. stecken im Unterholz fest.

Haberländer Rudi Majestät! Da vorn isch er, der kapitale Hirsch!

Wilhelm II. Wünsche keine Konversation.

Erschrocken starrte der Bürgermeister auf die SMS-Nachricht von Ganshagel. Er sprang vom Schreibtisch auf und rief Amtsrat Constantin Rohrmus an, den Gemeindekämmerer des Kurorts. Gemeindekämmerer war ein schwieriger Job, bei dem der Ärger zum Tagesgeschäft gehörte. Solch einen Granaten-Ärger wie heute hatte Constantin Rohrmus allerdings auch wieder nicht erwartet.

»Was gibts?«, raunzte er. Der Bürgermeister erzählte von der SMS.

»Ausgerechnet auf der Wolzmüller-Alm! Weiß man schon, wer und wie?«

»Nein, vermutlich ist es ein Seminarteilnehmer. Ich kann den Ganshagel nicht erreichen. Schlechte Verbindung dort droben.«

»Obwohl wir die teuren Repeater um die Alm gebaut haben!«

»Ich probier es nochmals.«

»Ist die Polizei schon verständigt?«

»Vermutlich ja.«

»Kommissar Jennerwein?«

»Ja, ich glaube, er ist dafür zuständig.«

»Ein guter Mann!«

»Ein sehr guter Mann. Er wird sicher ein paar Auskünfte von uns wollen. Ich würde sagen, wir

halten uns schon mal bereit. Auch für die Presse. Da gibt es bestimmt Fragen.«

»Es ist wirklich zum Haareausraufen. Kaum ist unser neuer Slogan auf dem Markt, da gibt es schon die ersten Schwierigkeiten.«

Der neue Slogan lautete *Entdecke deine wahre Natur.* Eine namhafte Werbeagentur hatte eine Summe dafür kassiert, für die man drei Auftragskiller hätte engagieren können. Die beiden Kommunalpolitiker legten auf.

Rainer Ganshagel saß regungslos auf dem Stuhl. Bisher hatte er alles richtig gemacht. Oder etwa doch nicht? Er blickte aus dem Fenster. Der Regen war stärker geworden. Jennerwein und Ostler waren auf dem Weg zu der Zirbelkiefer, an der die Tote lehnte. Gerade stiegen sie über die freiliegenden Wurzeln der alten Lärche, unter der es noch gestern eine herzhafte Knödelbrotzeit à la Gans'agel gegeben hatte. Ein Förster hatte ihm einmal erzählt, dass diese Lärche dreihundert Jahre alt war – vor den Seminarteilnehmern hatte er immer sechshundert draus gemacht. Das üppige Wurzelwerk war durchgesessen von Dutzenden von Almhirtengenerationen – vielleicht sollte er das nächste Mal erzählen, dass die Lärche zweitausend Jahre alt war, dass hier schon vorchristliche keltische Käser und Milchbauern Brotzeit gemacht hatten, später sicherlich auch fahnenflüchtige römische Legionäre, die nach der Teutoburger Pleite hier hängengeblieben waren. Wenn es überhaupt ein nächstes Mal gab. Ganshagel ließ den Kopf sinken. Er konnte jetzt nichts anderes tun als warten. Verdammt nochmal: Was war mit der Frau namens Luisa-Maria Miller dort unten im Kurort gewesen? Was hatte er gesehen, aber gleich darauf vergessen? Leise knarzten die Holzbretter hinter ihm. Er fuhr herum. Er hatte es nicht gleich gehört, weil der Regen so laut an die Fenster schlug und auf das Vordach plädderte. Ganshagel zitterte am ganzen Körper: Es waren nicht alle Gäste abgereist. Der Tunesier war noch im Haus. Er stand da und knetete seinen Tennisball. Was war denn das schon wieder für eine Katastrophe!

»Sind sie alle weg?«, flüsterte der Tunesier.

Ganshagel nickte. Das hatte ihm gerade noch gefehlt.

»Ja, Sie sind der letzte Gast. Wollen Sie auschecken?«

»Ich meine, ob die *Polizisten* alle weg sind!«

»Ach so, freilich. Momentan ist keiner von ihnen im Haus.«

»Wie viele sind es?«

»Fünf, mehr nicht.«

»Wie komme ich an ihnen vorbei?«

Ganshagel deutete zum Hinterausgang.

»Und wie komme ich dann von hier aus zum Krankenhaus?«

»Wieso zum Krankenhaus?«

»Fragen Sie nicht, sagen Sie es mir einfach. Oder, noch besser: Zeichnen Sie mir den Weg dorthin auf.«

»Am schnellsten ginge es natürlich, wenn Sie mitten durch den Ort –«

»Unsinn! Mitten durch den Ort! Hat man Ihnen denn keine unserer Exit-Strategien mitgeteilt? Nein? Egal. Es muss natürlich ein Weg sein, bei dem ich nicht gesehen werde.«

»Also gut, dann eben um den Kurort herum.«

Ganshagel zeichnete ihm den Weg auf ein Blatt Papier. Der Tunesier knetete, Ganshagel blickte auf und schaute aus dem Fenster. Kam da nicht gerade Kommissar Jennerwein wieder zurück? Nein, er hatte sich getäuscht. Der Tunesier bedankte sich und verschwand durch den Hinterausgang. Schließlich hatte der Regen auch ihn verschluckt.

Zur gleichen Zeit saßen der Österreicher und der Russe im Jeep des Hüttenwirts, sie waren schon in Tirol, zwischen Lermoos und Innsbruck, sie fuhren gerade einen kurvigen Waldweg entlang.

»Halt dich fest. Da vorne biege ich ab«, rief der Österreicher.

»Du kennst dich gut aus in der Gegend«, sagte Wassili Wassiljewitsch mit den Schweinsäugelchen, der piepsigen Stimme und dem Bei-den-Oblonskijs-herrschte-Riesenverwirrung-Tattoo auf dem Rücken. »Warst du schon öfter hier?«

»Ja, das kann man so sagen. Es gibt so viele Wege, um vom Werdenfelser Land nach Italien zu kommen. Dieser Weg hier ist der einfachste. Wir fahren runter zur Steiger-Alm, dann folgen wir einem alten Forstweg zum Brenner. Wenn wir Glück haben, sind wir zur Mittagsjause schon in Italien.«

»Deine Ortskenntnis erstaunt mich. Dein Referat fand ich auch sehr gut«, sagte der Russe nach einiger Zeit steilen und rutschigen Fahrens. »Habe viel über DNA und Spurensicherung gelernt. Wir in Smolensk sind da noch nicht so weit. Es mangelt an technischer Ausrüstung, du weißt schon.«

»Ich weiß schon.«

»Aber sag einmal, die Tote, die Äbtissin, die soll ja gerade auf dem Gebiet der DNA und diesen Dingen perfekt gewesen sein, oder?«

»Sie war die Größte«, sagte der Österreicher bewundernd. »Perfekte Planung. Astreines Zeitmanagement. Die war wirklich eiskalt. Nicht billig – aber wie man hört, hat sie alle Zielpersonen ohne einen Husterer ausgeknipst. Und dann natürlich ihr genialer Umgang mit Spuren. Sie hat es geschafft, dass ihre DNA in keiner Kartei dieser Welt auftaucht!«

»Ich frage mich die ganze Zeit, wer sie erledigt hat«, murmelte der Russe nachdenklich. »Und vor allem: warum.«

Swoboda warf Wassili einen schnellen, verstohlenen Blick zu.

»Das frage ich mich auch. Irgendjemand war noch besser als sie. Wahrscheinlich sogar jemand von uns.«

Geschickt wich er einem Reh aus, das plötzlich mitten auf der Fahrbahn aufgetaucht war. Dann sprangen seine Augen wieder unstet von Punkt zu Punkt. Kurz nach Innsbruck nahm er seinen falschen Bart ab.

Es war kalt geworden. Das Ehepaar Grasegger war mitsamt ihren Schüsseln, Tiegelchen und Tellerchen von der Terrasse in die Küche umgezogen. Sie waren (wie die meisten Outlaws) Frühaufsteher, und sie hatten schon oft den Tag mitten in der Nacht begonnen. Ursel leckte den Teller mit der Gamsfiletsülze aus und schüttelte den Kopf.

»Das ist ja wieder eine Gaudi da droben! Dass das nie aufhört mit den kriminellen Vorfällen bei uns im schönen Werdenfelser Landl. Eigentlich sind wir aus Italien wieder hierhergezogen, damit wir unsere Ruhe haben.«

»Die Frau vom General McRae hat das auch gedacht.«

Ignaz spielte auf eine Geschichte an, die sich tatsächlich im Kurort zugetragen hatte. Der amerikanische General Lafayette McRae war von El Paso an der mexikanischen Grenze in den Kurort versetzt worden. In El Paso war die Verbrechensrate enorm, seine Frau hatte keinen Fuß vor die Tür setzen können. Sie war deshalb nie zum Joggen gekommen und hatte in Fort Bliss zehn Kilo zugenommen. Beide waren froh, in den friedlichen Kurort zu kommen. Gleich am ersten Tag war Abigail McRae an der idyllisch dahinfließenden Loisach entlanggejoggt, und schon nach wenigen Schritten wurde sie beraubt und erstochen. Soweit zum friedlichen Kurort.

»Ja, wer weiß«, sagte Ursel, »ob an der Loisach entlang im Unterholz nicht noch mehr Leichen liegen.«

Das Bestatterehepaar Ursel und Ignaz Grasegger unterhielt sich am Küchentisch weiter über das kriminelle Potential im Werdenfelser Land. Karl Swoboda und Wassili Wassiljewitsch fuhren auf der alten Brenner-Straße auf einen einsamen Parkplatz und schraubten dort neue Nummernschilder an das Fahrzeug. In der fernen Stadt ging jemand auf die Bahnhofstoilette, las den Spruch *Suche Auftragskiller* und lachte sich kaputt darüber. Die beiden medizinischen Bergsteiger waren an diesem Morgen mit frisch geschnürten Rucksäcken auf dem Weg zur Wettersteinwand. Und Rainer Ganshagel saß auf seinem Wartestuhl, rauchte verbotenerweise eine Zigarette nach der anderen und fürchtete sich vor den bevorstehenden Fragen Kommissar Jennerweins.

14

Da stieg ein Baum. O reine Übersteigung!
O Orpheus singt! O hoher Baum so stolz!
Und alles schwieg.
Doch selbst in der Verschweigung
ging neuer Anfang vor, im Unterholz.
Rainer Maria Rilke, »Sonette an Orpheus«

Ein grün-weißer Hubschrauber der Bayerischen Polizei mit der seitlichen Aufschrift *Gewalt ist keine Lösung* zog mächtig in die Höhe, neigte sich, legte sich schließlich ganz quer und verschwand Richtung Norden. Die freistehende kleine Zirbe, an deren Stamm die leblose Frau mit dem Rücken gelehnt war, zitterte noch leicht vom Sogwind der Rotoren. Doch schließlich stand sie wieder ruhig da, als wäre nichts geschehen. Zehn Meter rings um die zerbrechliche Idylle war ein Tatortabsperrband gespannt. Der Regen bohrte sich ungemütlich ins Almgras, der Kriminaltechniker Hansjochen Becker und zwei weitere Kollegen hatten ein improvisiertes Schutzzelt aufgebaut, die Zirbe bildete dabei den Mast. Vom Mond, dem feigen Tatzeugen von gestern, keine Spur.

»Guten Morgen, Chef! Grüß Sie Gott, Ostler«, rief Becker. »Hereinspaziert! Kommen Sie ins Trockene.«

»Das ist vielleicht ein Sauwetter«, fluchte Ostler und klopfte sich die nasse Jacke vor dem Zelt aus, ehe er eintrat.

»Mit der näheren Umgebung sind wir schon fast fertig«, fuhr Becker fort. »Viel war da allerdings nicht mehr zu sichern, der Regen hat vermutlich den größten Teil schon weggewaschen.«

Jennerwein trat einen Schritt näher. Ostler blickte ihm vorsichtig über die Schultern. Die makabre Hauptattraktion in der luftigen Zirkusmanege war die tote Frau, und sie bot ein bizarres Bild. Der Schlapphut war ihr abgenommen worden. Er steckte in einem großen Plastiksack, der neben ihr lag. Im Bereich des Oberkörpers und den Extremitäten wies sie auf den ersten Blick keine Verletzungen auf, sie lag entspannt da, wenn auch mit leicht verkrampften, unnatürlich nach außen gebogenen Fingern. Jennerwein warf einen Blick auf die Hände. Er konnte keinerlei Abwehrverletzungen erkennen. Die leichte Windjacke war aufgeknöpft, unter dem mittellangen Sommerrock lugten blasse städtische Beine hervor. Nirgends waren größere Blutspuren zu sehen, keine Hieb-, Stich- oder Druckverletzungen, keine unschönen Hämatome, keine verdrehten Glieder oder anderen sichtbaren Folgen physischer Gewalt. Trotzdem bot die Frau den verstörendsten Anblick, den ein menschlicher Körper überhaupt bieten konnte. Ihr Kopf war abgetrennt worden.

»Ich habe mich aus guten Gründen dazu entschieden, Chef«, sagte Becker. »Eile war geboten. Das Gesicht war übersät mit Maden und Aaskäfern, die sich schon weit ins Fleisch gefressen haben. Eine sinnvolle Untersuchung war nur im gerichtsmedizinischen Labor möglich. Der Kopf musste sofort tiefgekühlt werden, um die Aktivität der Tiere zu stoppen. Ich habe ihn in eine Box gepackt, er ist mit dem Hubschrauber unterwegs in die Pathologie.«

»Und warum haben Sie nicht den ganzen Körper dorthin gebracht?«, fragte Jennerwein.

»Die Lage der Leiche, die Druck- und Auflagespuren, die es an der Körperunterseite gibt, eventuelle Schleifspuren rundherum, die zum Körper passen – wir können hier noch viele

Dinge herauslesen, Chef. Es schien mir sinnvoller, den Rumpf an Ort und Stelle zu lassen. Mit dem Kopf soll sich die Pathologin beschäftigen, der Hubschrauber müsste bald bei ihr sein.«

»Schon recht«, sagte Jennerwein und versuchte die leichte Übelkeit, die in ihm aufstieg, zu ignorieren. Er konnte sich auf Becker und seine Schnüffler- und Pinslertruppe verlassen, sie hatten ihn noch nie enttäuscht. Jennerwein beugte sich wieder über den Torso. Der Kopf war mit einem sauberen Schnitt vom Rumpf getrennt worden. Auf die Schnittstelle war eine durchsichtige Plastikfolie gespannt worden, wie man sie auch über eine angeschnittene Sülze zieht. Die Halsschlagadern waren mit kleinen farbigen Krokodilklemmchen abgebunden worden. Die beiden anderen Spurensucher, ein kleines, spilleriges Männchen und eine stämmige Frau mit dicker Brille, wandten sich wieder ihrer Arbeit zu, draußen vor dem Zelt, im strömenden Regen. Sie krochen durch das patschnasse Gras, schnitten, rupften und fingerten, steckten ab und zu etwas in ihre durchsichtigen Beweissicherungsbeutel.

»Wir haben ein paar der kleinen Käfer und Larven abgesondert«, sagte Becker und hielt eine Petrischale hoch. »Es ist eine spezielle Art der Rothalsigen Silphe. Sehen Sie sich die kleinen Fresser ruhig genauer an, Chef.«

Jennerwein nahm das Glas hoch. Alles war besser, als diese Frau ohne Kopf anzusehen. Es waren plumpe, hässliche Käfer mit einem gedrungenen, gerippten Panzer. Sie hatten die Größe eines Daumennagels, ihre Fresswerkzeuge waren mit bloßem Auge gut zu erkennen. Die Tiere schienen sich einen purpurroten Mantelkragen umgelegt zu haben, wie es Könige tun. Oder Rumpelstilzchen. Das Königliche der Erscheinung wurde durch die feinen, golden glänzenden Haare verstärkt, die den roten Halsschild bedeckten. Durchaus eindrucksvoll, dachte Hubertus Jennerwein. Nur gut, dass ich mich nicht vor Insekten fürchte.

»Sonst noch irgendwelche Besonderheiten?«, fragte er.

»Der Fundort ist wahrscheinlich identisch mit dem Tatort«, sagte Becker. »Die Todesursache konnte ich noch nicht eruieren, das soll die Pathologin machen. Auffällig ist aber, dass sich die Käfer lediglich im Bereich des Gesichts – ja, wie sagt man? – an die Arbeit gemacht haben, sonst nirgends. Meine Vermutung: Das Gesicht der Frau muss erhebliche Verletzungen aufweisen. Sonst hätten sich die Silphen nicht festgefressen. Sie sind scharf auf nekrotisches Gewebe, der Geruch von Fleisch, das nicht mehr arbeitet, lockt sie an.«

»Todeszeit?«

»Vor vierzehn bis fünfzehn Stunden. In dieser kurzen Zeit haben sie schon ganze Arbeit geleistet. Von der obersten Hautschicht, dem Zahnfleisch, den Augäpfeln ist schon fast nichts mehr da. Das war mit ein Grund, den Kopf abzutrennen, auf 2 Grad Celsius zu kühlen und wegzuschicken. Das Besondere bei diesen Silphen ist übrigens –«

»– dass die Larven und die ausgewachsenen Käfer zusammen auf Beutezug gehen«, sagte Ignaz Grasegger zu Ursel. Er blätterte in einem dicken Wälzer, dem *Kleinen Handbuch für Bestatter,* schlug das Kapitel *Biologie der Verwesung* auf und las daraus vor. »Larven und Käfer haben die gleiche Lebensweise und die gleichen Ernährungsgewohnheiten, allerdings ein unterschiedliches Fresstempo. Das ist für die Bestimmung des Todeszeitpunkts wichtig.«

Ursel und Ignaz Grasegger hatten das ausgedehnte Frühstück noch immer nicht beendet. Ursel biss gerade in ein würziges Landbrot mit selbstgemachter Erdbeer-Mango-Marmelade.

»Dann ist das also so eine Art Familienbetrieb bei den Knöcherlputzern«, sagte Ursel.

»Genau«, erwiderte Ignaz. »Und sie erledigen ihre Arbeit rasend schnell. Auf YouTube gibt es ein interessantes Video dazu.«

»Danke, mir genügen deine Experimente mit den schönen und sündhaft teuren Wachteln.«

»Hier steht weiter, dass diese Aaskäfer in der hinduistischen Religion verehrt werden. Bei einem speziellen Bestattungsritus im gebirgigen Nordindien sind die Käfer eine zwingend vorgeschriebene Grabbeigabe.«

»Also keine Brotzeit für die Verstorbenen wie bei den alten Ägyptern, sondern der Verstorbene *ist* die Brotzeit.«

»Aber sag einmal, Ursel: Hast du diese Silphen schon mal bei uns im Alpenraum gesehen?«

»Nein. Soviel ich weiß, mögen sie es eigentlich kälter. Aber droben auf der Alm ist es auch rauer, da kann es schon sein, dass sie sich da ihren Lebensraum erobert haben.«

Ignaz sah sich die Tiere durch eine Lupe an.

»Was hast du vor?«, fragte Ursel misstrauisch. »Ich sehe doch, dass du was im Schilde führst.«

»Zu züchten wären die ganz leicht.«

»Warum willst du die denn züchten?«

»Innerhalb von wenigen Tagen ist nichts mehr von einer Leiche da. Hast du das Brustbein von der Wachtel gesehen? Die haben sogar die Knochenaußenschicht angeknabbert.«

»Apropos Wachtel: Du gehst jetzt dann gleich rüber zur Metzgerei Kallinger und kaufst was zum Mittagessen ein. Und zwar auch was für uns und nicht nur für deine Viecherl.«

»Wenn sie sich bis zum Knochen gefressen haben, sondern sie ein bestimmtes Sekret ab –«

»– eine osteolytische Flüssigkeit, die das Knochengewebe nach und nach auflöst«, leierte die Gerichtsmedizinerin ins Diktaphon und grunzte zufrieden. Eine halbe Stunde nachdem sie den sauber und sachkundig abgetrennten Kopf aus der Kühlbox genommen hatte, hatte sie ihn in der Kältekammer des gerichtsmedizinischen Instituts schon auf das genaueste untersucht. Sie legte ihn wieder zurück, streifte die Handschuhe ab und griff nach dem Mobiltelefon.

»Ist denn Kommissar Jennerwein schon bei Ihnen auf der Alm, Becker? Dann stellen Sie auf laut. Ich bin fertig mit der Untersuchung. Die genauen Ergebnisse bekommen Sie wie immer nachgereicht. Das Wichtigste zuerst. Die Frau ist mit einem flachen, breiten Gegenstand erheblich im Gesicht verletzt worden. Das Jochbein ist eingedrückt, Stirnhöhle, Nasennebenhöhlen und Nasenbein ebenfalls.«

»Ein Schlag mit einem Brett zum Beispiel?«

»Ja, könnte sein. Die Knochen der frontalen Gesichtshälfte sind gleichmäßig demoliert.«

»Ein Sturz kann es nicht gewesen sein?«

»Ausgeschlossen, dann müssten am Körper ebenfalls Verletzungen zu sehen sein, aber Sie sagten ja, da ist nichts. Es war schon ein Schlag.«

»Todeszeitpunkt?«

»Den kann ich sogar ziemlich genau bestimmen: 19.00 Uhr, plus / minus eine Viertelstunde, da haben die ersten Silphen ihre Arbeit aufgenommen.«

»Kann es nicht sein, dass die Käfer erst später dazugekommen sind?«

»Dann hätte ich geronnenes Blut gefunden, habe ich aber nicht. Todeszeitpunkt um sieben. So genau bekommen Sie es sonst nie, Jennerwein.«

»Sonst noch Auffälligkeiten?«

»Schicken Sie mir den Rest des Körpers, dann reden wir weiter.«

Jennerwein und Becker bedankten sich.

»Kommen Sie, Ostler, wir sehen uns mal um.«

Der Regen draußen hatte nicht aufgehört, er war eher stärker geworden. Sie spannten ihre Schirme auf. Ostler und Jennerwein waren keine hundert Meter gegangen, da erreichten sie einen kleinen Schuppen. Es war eher ein nach allen Seiten offenes Holz- und Gerätelager als ein Schuppen. Die Abdeckung aus robuster, grobkörniger Dachpappe hielt den Regen ab und schützte die sauber aufgestapelten Holzstämme und -bretter. In einer Ecke des Schuppens waren Arbeitsgeräte für die Feld- und Holzarbeit gelagert. Ein paar Sensen, die von der Decke hingen. Mistgabeln, Heugabeln, die auf einem Haufen lagen.

»Was sind denn das für spitze Haken?«, fragte Jennerwein und wies auf ein paar pickelähnliche Werkzeuge, die an der Wand hingen.

»Das sind Zapine«, sagte Ostler. »Die braucht man im Wald, um Baumstämme zu ziehen. Unangenehm als Schlagwaffe, aber in diesem Fall nicht das Werkzeug, das wir suchen.«

»Das ist richtig, Ostler. Der Täter nimmt eines der flachen Werkzeuge oder ein Brett«, sagte Jennerwein. »Er geht damit zu der Zirbe, erschlägt die Frau, geht wieder zurück zu diesem Schuppen, stellt das Tatwerkzeug wieder ordentlich zurück – Können Sie sich das vorstellen?«

»Nein, eigentlich nicht.«

»Also, versuchen wir es nochmals: Gestern Abend hat eine Seminarteilnehmerin genug von ›Personalführung‹, ›Zeitmanagement‹ und ›Mobbingstrategien‹, sie macht Feierabend und setzt sich an den Baum.«

»Dann nähert sich der Mörder«, spekulierte Ostler. »Kennt sie ihn?«

»Da bin ich mir sicher. Er holt aus und schlägt der Frau mit voller Wucht ins Gesicht. Sie ist zu überrascht, um zu schreien oder sich zu wehren. Er ist sich sicher, dass sie tot ist. Da sieht er einen Käfer krabbeln, noch einen.«

»Er denkt sich: Ja super, die erledigen meine Arbeit. Er setzt ihr den Schlapphut auf, trägt die Tatwaffe zurück und mischt sich unter die anderen.«

»Becker soll sich alles in diesem Schuppen ansehen«, sagte Jennerwein. »Aber ich glaube nicht, dass die Tatwaffe darunter ist.«

15

Hausarbeit aus der Naturkunde, 2. Klasse

Die arme Frau McRae liegt im Unterholz. Ein Hase kommt dahergehoppelt und frisst ihre Leber auf. Ein neugieriges Eichkätzchen beißt sich in ihrem Hals fest. Ein Käfer kriecht auf die Hand und beginnt, daran zu knabbern.

Unterstreiche den Satz mit dem richtigen Tier! Denke an die letzte Stunde, als wir alle diese Tiere und ihre Fressgewohnheiten durchgenommen haben! Erinnerst du dich daran? Gib dir Mühe!

Ein weiterer Jeep bretterte den steilen Weg zur Wolzmüller-Alm hinauf. Hauptkommissar Ludwig Stengele saß am Steuer und fluchte über den biblisch herabströmenden Regen, der den Weg glitschig und schier unbefahrbar machte. Neben ihm saß die Polizeipsychologin Frau Dr. Maria Schmalfuß, die Hände in die Sitzpolster verkrampft, den Blick starr bergeinwärts gerichtet, denn alles, was mit Höhe, Aussicht, Abgrund, Fallen und Tiefe zusammenhing, war ihre Sache nicht. Der psychologisch korrekte Fachausdruck dazu war Akrophobie, Höhenangst genannt. Von ihr selbst als ziemlich unheilbar klassifiziert.

»Wir müssen den Rest der Strecke zu Fuß gehen«, knurrte Ludwig Stengele, der vierschrötige Allgäuer aus Mindelheim. Eigentlich klang es so wie *miamiassatdareschtlouffa*. Er ließ den Jeep mitten im Weg stehen. Maria murrte.

»Kommen Sie, Frau Doktor. Hilft nichs.«

»Wie weit ist denn noch?«, rief sie ihm nach.

»Ein paar hundert Meter bis zum Hauptgebäude der Alm. Ich war auch noch nie hier oben.«

Sie kämpften sich durch den Regen und stolperten und rutschten durch das unwegsame Gelände. Sie liefen an Spurensucher Becker und seinen zwei Mitarbeitern vorbei, die immer noch draußen rund um die Zirbel arbeiteten. Sie grüßten sich. Becker deutete auf seine Armbanduhr: Die Zeit läuft mir davon! Als Maria und Stengele endlich am Hauptgebäude der Alm ankamen, waren sie patschnass, wie alle anderen auch. An der Tür erwartete sie Rainer Ganshagel.

»Kommen Sie herein«, sagte der Hüttenwirt, eine Spur zu beflissen, wie Maria fand. »Wollen Sie auch einen Kaffee?«

Maria Schmalfuß und Jennerwein nickten sich lächelnd zu.

»Endlich sind Sie da, Maria!«, rief Jennerwein erfreut. Er machte eine kurze Kopfbewegung in Richtung Ganshagel. Marias Gesichtsausdruck war eindeutig: Ja, ich weiß, dieser Mann hier ist nervös. Alle setzten sich um einen großen runden Tisch, der im Foyer des Hauptgebäudes stand.

»Wollen Sie vielleicht was Trockenes anziehen? Ich habe –«

»Später«, sagte Jennerwein. »Wir haben ein paar dringende Fragen, die keinen Aufschub dulden.«

»Ja, natürlich. Fragen Sie.«

»Aber einen Kaffee nehmen wir gerne. Ich darf vielleicht inzwischen mein Team vorstellen. Das ist die Polizeipsychologin Frau Dr. Maria Schmalfuß. Vier Zucker ohne Milch, soviel ich weiß. Das ist Hauptkommissar Ludwig Stengele.«

»Ganz schwarz«, sagte Stengele.

»Polizeiobermeister Johann Ostler kennen Sie ja schon, und draußen die Spurensicherer haben sich sicher schon selbst vorgestellt.«

Ganshagel teilte Kaffee aus. Wenn er etwas zu tun hatte, dann war dem rührigen Hüttenwirt wohler.

»Schade, dass wir uns unter solchen Umständen hier treffen müssen«, sagte er. »Ich hatte gehofft, dass die Polizei wieder einmal ein Fortbildungsseminar bei mir hier oben veranstaltet.«

»Vielleicht später mal«, sagte Jennerwein kühl. Er fühlte sich nicht wohl in seinen nassen Klamotten. Der Regen draußen schien noch stärker zu werden. Noah hätte um diese Zeit schon längst mit den Säugetieren angefangen.

»Herr Ganshagel, ich komme am besten gleich zur Sache. Sie haben mir ja freundlicherweise den Personalausweis der Toten gegeben. Es handelt sich um Luisa-Maria Miller, achtunddreißig, deutsch, geboren in Bielefeld und so weiter. Die Identitätsüberprüfung läuft noch. Herr Ganshagel, wissen Sie mehr über diese Frau?«

»Nein, überhaupt nicht«, sagte Ganshagel, »ich habe sie gar nicht persönlich gesehen. Wir waren gestern Nachmittag alle auf dem Feld, als sie ankam. Sie hat ihre Tasche auf die Theke an der Rezeption gestellt, in einem Seitenfach steckte deutlich sichtbar der Ausweis. Den habe ich an mich genommen.«

Er blickte die Polizisten der Reihe nach an. Sie hatten freundliche, offene Gesichter. Er misstraute ihnen trotzdem. Die Psychologin war ihm einen Klacks zu schnippisch. Stengele war ein grober Klotz, aus dessen furchigem Gesicht man nichts lesen konnte. Ostler hatte ein bauernschlaues, freundliches Lächeln aufgesetzt, wie man es oft bei den Einheimischen drunten im Kurort sah. Und Jennerwein? Ganshagel hatte das Gefühl, dass er bei diesem Mann am meisten aufpassen musste, was er sagte. Alle schienen darauf zu warten, dass er weiterredete.

»Ansonsten ist mir gestern nichts Besonderes aufgefallen –«

So, wie draußen der Regen herabplätscherte, so spulte Ganshagel den gestrigen Tagesablauf herunter. Frühstück, Seminare,

Stühleaufstellen im Medienraum, Einkaufen, Mittagessen, Seminare, Saure Knödel –

»Meine Spezialität, Herr Kommissar!«

Er erzählte natürlich nichts von seinem zufälligen Treffen mit der Frau drunten im Ort. Er war sich inzwischen gar nicht mehr sicher, ob das wirklich Luisa-Maria Miller war, die er gesehen hatte. Und er wollte zuerst für sich selbst herausfinden, was ihm an ihr aufgefallen war und was ihm vermutlich in eine Vergessensspalte des Gehirns gerutscht war. Er konnte dieses wahrscheinlich unbedeutende Zusammentreffen ja immer noch nachtragen. *Herr Kommissar, was mir noch eingefallen ist …*

»Herr Ganshagel, wir können uns doch auf ihre Ehrlichkeit verlassen?«

Ganshagel zuckte zusammen.

»Ja, klar, warum nicht? Wie kommen Sie jetzt darauf?«

»Ich muss Folgendes wissen«, sagte Jennerwein. »Sie haben den Personalausweis an sich genommen, das ist soweit in Ordnung. Haben Sie auch in die Tasche gesehen? Oder haben Sie alles unberührt gelassen?«

»Nein, natürlich habe ich sonst nichts angerührt.«

Maria beobachtete ihn aufmerksam. Sie machte sich eine Notiz.

»Was wollen Sie eigentlich von mir?«, sagte Ganshagel.

Maria nahm einen großen Sicherungsbeutel und gab die Tasche vorsichtig hinein.

»Ich will mir einen Überblick über die Gegenstände in der Tasche machen«, sagte sie. »Die Systematik der Bestückung von Frauenhandtaschen, das ist geradezu meine Spezialität.«

»Es war ein Seminar?«, fragte Stengele. »Über welches Thema? Was sind das für Leute?«

»Das kann ich Ihnen nicht sagen. Das geht mich auch nichts

an. Es ist das Wesen dieser Seminare, dass die Teilnehmer unter sich sind.«

»Gut«, sagte Jennerwein, »apropos Teilnehmer, wo sind eigentlich alle? Ich habe bisher niemanden gesehen.«

»Abgereist«, antwortete Ganshagel so lakonisch wie möglich. Und jetzt kam der heikelste Punkt.

»Abgereist? Wann?«, fragten Stengele und Maria zugleich.

»Heute morgen.«

»Moment mal«, hakte Jennerwein nach, »nur, dass ich Sie richtig verstehe: Alle Seminarteilnehmer sind abgereist?«

»Ja.«

»*Nachdem* sie erfahren haben, dass es hier eine Leiche gibt?«

»Nein, gestern war der letzte Abend des Seminars. Die Gäste sind in aller Herrgottsfrühe aufgebrochen. Dann erst habe ich die Leiche entdeckt. Manche sind zu Fuß hinuntergegangen, andere waren mit dem Motorrad unterwegs, ein paar haben meinen Jeep genommen.«

»Menschenskinder! Das darf doch nicht wahr sein! Das sagen Sie erst jetzt!«

Alle im Team fuhren entsetzt auf.

»Der spinnt doch total!«, rutschte es Stengele heraus.

Trotz der allgemeinen Empörung hatte Ganshagel den Eindruck, dass er sich bisher gut gehalten hatte. Jennerwein schlug einen schärferen Ton an.

»Herr Ganshagel, wenn das, was Sie uns verschwiegen haben, die Ermittlungen behindert, dann können Sie sich auf etwas gefasst machen!«

»Ich habe nichts verschwiegen! Sie haben mich doch gar nicht danach –«

»Sie können uns aber doch die Adressen der Teilnehmer nennen?«

»Natürlich. Hier ist die Liste. Ich habe sie schon vorbereitet.«

Die Liste ging herum. Ludwig Stengele schüttelte den Kopf.

»Chokri Gammoudi, tunesischer Staatsbürger, soso.«

»Haben Sie sich die Ausweise zeigen lassen?«, fragte Jennerwein.

»Nein, das war hier nicht notwendig.«

»Ich fasse es nicht! Sie wissen schon, dass Sie gegen das Meldegesetz verstoßen?«

Ganshagel wand sich. Maria machte sich Notizen.

»Wir haben hier gewisse Personen auf der Alm«, sagte er leise, »von denen man den Ausweis nicht verlangt. Von denen auch *Sie* den Ausweis nicht verlangen würden, Herr Kommissar.«

»Von welchen Personen sprechen wir?«

»Zum Beispiel war Ihr oberster Chef einmal hier, Herr Kommissar. Der Polizeipräsident. Den habe ich natürlich nicht nach seinen Papieren gefragt.«

»Der Präsident?«, fragte Jennerwein verwundert. »So, wie ich den kenne, hätte er nichts dagegen gehabt.«

»Ja, Sie wissen schon, was ich meine. Muss ich noch deutlicher werden?«

»Ja, werden Sie endlich deutlicher«, sagte Stengele.

»Sagen wir, Sie stehen an der Rezeption, und plötzlich kommt der Papst herein. Würden Sie von dem den Personalausweis verlangen?«

»Wie kommen Sie gerade auf den Papst?«

»Na ja, ich –«

Ganshagel unterbrach sich. Alle drehten sich um, denn plötzlich und unvermittelt gab es Gepolter draußen vor der Tür, man hörte lautes Fluchen und Schimpfen. Noch ehe Ganshagel an der Tür war, wurde sie ungestüm aufgerissen, und zwei ebenfalls tropfnasse Gestalten stolperten herein. Zuerst dachte Jennerwein, dass zwei weitere Teammitglieder gekommen waren, nämlich Franz Hölleisen und Nicole Schwattke. Die hätten aber nicht geflucht wie die Bierkutscher.

»Blutsaure Maari nocheinmal, Sauwetter, verrecktes –«

Die beiden Gestalten hatten die Regencapes so über den Kopf gezogen, dass sie immer noch nicht zu erkennen waren. Jennerwein hoffte schon, dass er zwei der Seminarteilnehmer vor sich hatte, die noch nicht abgereist waren. Aber solche hochnoblen Gäste, wie sie Ganshagel wohl zu beherbergen pflegte, hätten nicht so derb und in schönstem Oberländer Dialekt dahingeflucht.

»Kreizsacklzementhalleluja!«, sagte der eine.

»Welcher Volldepp, welcher damische, hat seinen Wagen mitten in den Weg gestellt?«, sagte der andere.

Es waren der Bürgermeister des Ortes und sein Kämmerer, Constantin Rohrmus, die offenbar gezwungen worden waren, den Rest der Strecke zu Fuß zu gehen und nicht ganz bis zur Alm heraufzufahren. Sie schlüpften aus ihren Regencapes und warfen sie wütend auf den Boden.

»Ach, Grüß Sie Gott, Herr Jennerwein! Die Ermittlungen laufen wohl schon?«, sagte der Bürgermeister, immer noch wütend.

»Ja«, sagte Jennerwein nüchtern. »Wenn Sie nichts dagegen haben, würden wir die Befragung von Herrn Ganshagel gerne fortführen.«

»Rainer Ganshagel ist nur der Pächter und Hüttenwirt«, sagte der Bürgermeister. »Doch das Anwesen selbst gehört der Gemeinde. Ich kann Ihnen gerne alle Auskünfte über das geben, was hier oben geschieht.«

»Was hier oben geschieht, wissen wir eigentlich schon«, sagte Maria spitz. »Halboffizielle Seminare. Diskrete Klausuren. Prominente Gäste. Hohe Tiere. Vielleicht sogar manchmal der Papst selber? Wer weiß?«

Ganshagel und der Bürgermeister warfen sich Blicke zu. Der Kämmerer trat an den Tisch und verrenkte den Kopf, um die Gästeliste lesen zu können.

»Namen, Adressen, Telefonnummern!«, sagte Constantin Rohrmus von oben herab. »Dann haben Sie doch alles.«

»Unsere Befürchtung ist«, sagte Jennerwein ruhig, »dass wir diese Herrschaften unter den angegebenen Adressen nicht finden werden.«

Der Bürgermeister öffnete den Mund, um etwas zu sagen. Jennerwein hob die Hand und unterbrach ihn.

»Wir sind in Eile, Herr Bürgermeister. Ich habe zunächst vor, das Passfoto der Frau zu veröffentlichen. Ostler, Sie fahren hinunter in den Ort und veranlassen alles. Wer kennt sie, wer hat sie gesehen, das Übliche.«

»Aber muss das unbedingt sein?«, keuchte der Bürgermeister. »Wir leben hier –«

»– von der puren Diskretion, ich weiß«, unterbrach ihn Jennerwein erneut. »Gehen Sie, Ostler. Und einen Phantombildspezialisten brauchen wir auch. Er soll die Gäste nach der Beschreibung von Ganshagel –«

»Ist schon unterwegs«, sagte Ostler stolz.

Der Beamte traf bald ein. Ganshagel schilderte ihm den Tunesier.

»Kaffeebraun, schlank, nein – eher dürr – nein, nicht klapprig, sagen wir: sehr schlank. Auch im Gesicht, nein, nicht eingefallen, die Wangen etwas schmäler –«

Der Phantombildspezialist arbeitete mit der neuesten Spezialsoftware, und er gab sich alle Mühe. Trotzdem dauerte es unendlich lange, bis ein brauchbares Ergebnis vorlag. Ja, wenn jetzt so ein Zeichner wie der Wolzmüller Michl dagewesen wäre! Der Michl, der hätte den Tunesier mit seinem Zimmermannsbleistift nur so hingewischt und aufs Haar getroffen!

16

Sprießt im Unterholz der Reis,
wird der Sommer lang und heiß.
Chinesische Bauernregel

Dass der junge Michl damals, vor vielen Jahren, ein geniales Talent hatte, Personen zu zeichnen, indem er das Wesentliche aus ihnen herausfilterte, das hatte Möbius gleich am Anfang bemerkt. Er verlängerte sein Bleiben um zwei Wochen, um sechs Wochen, um acht Wochen, er hauste weiterhin, wie per Handschlag mit dem Vater vereinbart, mietfrei, und dreimal in der Woche kam er mit dem Michl zusammen. Zum Zeichenunterricht kam der Michl angeschlurft wie einer, dem man Schwerstarbeit zugemutet hatte. Er ließ diese düsteren Stunden lediglich über sich ergehen, damit der Alte ihn in Ruhe ließ. Das war der Handel. Der Michl wollte nichts wissen von Feldarbeit an steilen Almstücken, von Viehzucht, Wetterkunde, Käserei und ähnlichen Zumutungen. Und nur, um dem allen auszukommen, akzeptierte er die didaktisch zweifelhaften Einführungen in die Grundlagen der Zeichenkunst.

Ab und zu kam der alte Wolzmüllervater, um zu sehen, wie der Unterricht lief, und da musste Möbius einige Fachausdrücke in den Raum werfen, solche wie Sturzperspektive, Farbraum, CMYK und sfumato. Der Michl hatte die Scharade längst durchschaut. Er spielte mit und nickte. Er war nicht dumm. Er war nur faul. Das ist, wie wir seit Diogenes, Oblomow und ähnlichen Verweigerern wissen, ein riesengroßer Unterschied. Der Michl konnte, rein vom theoretischen Standpunkt aus, wirklich gar nichts. Er nahm den schweren Zimmermannsbleistift, vielleicht aus Trotz, noch immer mit der Faust, und damit zeichnete er. Ab und zu spitzte er ihn mit dem Brotzeitmesser. Der Michl wollte die schöne Zeichenkunst nicht lernen, denn sie interessierte ihn nicht, und vor allem: Er beherrschte sie schon. Er hatte sich im Wald eine Klause eingerichtet, eine kleine Holzhütte, in der er herumhing. Er schlief zwischen zwölf und vierzehn Stunden, und das ungemein Schläfrige nahm er mit herüber ins Wache, wie manche den Tod schon herübernehmen ins Leben.

»Was wollen wir heute machen?«, fragte Möbius.

»Weiß nicht.«

»Ein Selbstporträt?«

»Was soll das sein?«

»Du malst dich selbst.«

»Was soll das bringen?«

Da hatte er eigentlich recht, dachte Möbius, was soll das eigentlich bringen, dass man sich selbst zeichnet. Fast philosophisch war das, dachte Möbius.

»Also gut«, sagte der Michl. »Ich probier es einmal.«

Kein Lächeln erschien auf seinen Lippen. Der Michl nahm den Zimmermannsbleistift in die Faust und schraffierte innerhalb von wenigen Minuten einen jungen, wehmütig konzentrierten jungen Mann mit einem Zimmermannsbleistift in der Hand, der irgendetwas aufs Blatt schraffiert, was ihn nicht weiter zu interessieren schien. Es war erstaunlich, dass er seine eigene Zerrissenheit zwischen einem Ausnahme- und Dutzendmenschen so scharfsichtig porträtieren konnte. Möbius war fasziniert. Er kritisierte, der Form halber, weil es nun einmal zum Unterricht gehört, ein oder zwei Details.

»Der Strich nach oben könnte noch etwas –«

»Was könnte der?«

»Na ja, etwas beherzter.«

Der Michl zuckte die Achseln. Er zerriss das Blatt, zeichnete alles beherzter, nur den einen Strich nicht. Das war seine spezielle Art von Humor.

Beim nächsten Treffen ging Möbius noch einen Schritt weiter. Es war ein Wagnis, aber er öffnete seine Mappe und zog zwei Kunstdrucke heraus, ein Landschaftsbild von William Turner und eine ultramoderne Bleistiftzeichnung von Fuselitz, so etwas wie:

Fuselitz, einer der leuchtenden Sterne am internationalen Kunsthimmel, war bekannt dafür, dass er ein Blatt nur zu einem Bruchteil ausfüllte. Der Wolzmüller Michl warf einen flüchtigen Blick auf die Turner'sche Landschaft.

»Ein Schmarrn«, sagte er.

»Was ist ein Schmarrn?«

»Landschaften zeichnen ist ein Schmarrn.«

»Warum ist das ein Schmarrn?«

»Weil in einem Waldrand kein Gramm Seele drin ist.«

Heute war er fast redselig, der Michl. Er betrachtete die Zeichnung von Fuselitz lange und konzentriert, fast die ganze Stunde. Er spitzte in dieser Zeit den Zimmermannsbleistift um die Hälfte herunter.

»Gefällts dir?«, fragte Möbius.

Michl nickte.

»Möchtest du auch mal so was probieren?«

»Mal schauen.«

Die Geschäfte liefen schlecht. Der Verlag, der Möbius den Auftrag zu den Schülerbibelillustrationen gegeben hatte, war inzwischen eingegangen. Fuselitz selbst, der leuchtende Stern, war vor kurzem in New York gestorben, er hatte ein Vakuum hinterlassen.

»Magst einmal so wie der Fuselitz zeichnen?«

Michl nickte unmerklich. Möbius schob ihm einen Bogen Zeichenpapier unter und zog eine halbe Stunde später einen gefälschten Fuselitz unter Michls Ellbogen hervor. Die Zeichenmappe füllte sich. Möbius hatte immer noch Beziehungen zur Kunstszene. Schließlich verkaufte er Bilder. Sie brachten ein paar Zehntausende. Frank Möbius hatte Blut geleckt.

Die Alm vom alten Wolzmüller lief damals genauso schlecht wie der Markt für Bibelillustrationen. Der alte Wolzmüller ahnte langsam auch, dass Möbius ein Blender und sein Sohn ein Genie war. Weil aber nur diese Möbius-Michl-Kombination Geld heraufspülte auf die Alm, schwieg er. Der Deal war ganz einfach. Möbius legte ein wenig von dem unrecht erworbenen Geld auf den Almbauerntisch, der Wolzmüller-Vater konnte sich wieder ein paar Tiroler Wanderarbeiter leisten. Michl fälschte noch einen Fuselitz, Möbius verkaufte ihn, und die längst fällige Anbindung an die Elektrizität konnte in Angriff genommen werden. So einfach ist das oft. Die Wolzmüller-Alm blühte auf.

17

Kai Fuselitz, »Unterbewusstes«

Rainer Ganshagel stapfte die feuchte Almwiese hinunter. Das war ja gerade noch einmal gutgegangen. Zugegeben, sein Jeep war weg, und die nächsten Tage würde er wohl unten im Kurort zubringen müssen, in seinem kleinen Häuschen, denn das massive Polizeiaufgebot würde noch einige Tage brauchen, um alle Spuren rund um den Tatort zu sichern. Der Bürgermeister und sein Sancho, der Kämmerer, hatten die Sache in die Hand genommen. Sie hatten Ganshagel verteidigt und ihn von aller Verantwortung freigesprochen, vor allem hinsichtlich der verdammten Meldezettel, die natürlich niemand so richtig ausgefüllt hatte. Chokri Gammoudi – lachhaft!

Vorsichtig schritt er ein besonders glitschiges Stück Lehmwiese hinunter. Er kannte natürlich alle Schleichwege, die ins Dorf führten. Damals, als der Knollennasige mit den schlohweißen Haaren auf der Alm ein geheimes Treffen abhielt, hatte irgendein Journalist Wind davon bekommen, und ein paar Reportertrupps der allerweltlichsten Art waren schon auf dem Weg zur Alm gewesen. Da hatte er den Knollennasigen auf einem speziellen Schleichweg nach unten geführt, und er hatte sich gewundert, wie rüstig der Alte durch den Wald geschritten war. Er war gleichsam geschwebt.

»Jetzt fragen Sie schon, Ganshagel. Ich sehe doch, dass Ihnen etwas auf der Seele liegt.«

»Ich weiß nicht so recht.«

»Frisch heraus damit. Mir ist nichts Menschliches fremd.«

»Sie – Eure Heiligkeit – sind am 19. April 2005 auf den Balkon getreten und haben eine druckreife Rede gehalten. Die Wahl war gerade einmal zwanzig Minuten vorbei. Wann um Gottes willen haben Sie die Rede geschrieben? In den zwanzig Minuten? Und einen Namen für sich mussten Sie auch noch finden!«

Der Knollennasige schwieg eine angemessene Zeit. Sie schritten jetzt durch den Laubwald.

»Sie sprechen da ein heikles Thema an, Ganshagel.«

»Das tut mir leid, Hochwürden.«

Der Knollennasige lächelte über die Herabsetzung um sieben oder acht Stufen der katholischen Amtshierarchie. Es war schon lange her, dass er Hochwürden genannt worden war.

»Ist es vielleicht so«, wagte sich Ganshagel vor, »dass sich jeder der Kardinäle während der Wahl schon einen eventuellen Papstnamen überlegt? Und jeder schon eine programmatische Rede vorbereitet hat? Nur sicherheitshalber?«

»Ich glaube, es gibt keinen noch so kleinen Pfarrer«, sagte der Knollennasige, »in keinem noch so kleinen Kirchensprengel, der nicht schon eine solche Rede in der Schublade hat. Und was es da für Reden gibt. Der Pfarrer von Oberbichl zum Beispiel –«

Ganshagel stand genau an der Stelle, an der er das Gespräch mit dem Knollennasigen geführt hatte. Der Regen hatte endlich aufgehört, es klarte langsam auf. Sogar ein paar blitzende Sonnenstrahlen fuhren durch die Bäume, und der Hüttenwirt stapfte wohlgemut weiter. Er verließ das Waldstück und überquerte eine steil abfallende Lichtung. Von unten kamen ihm drei Wanderer in erdfarbenen Parkas entgegen. Er winkte kurz, sie winkten nicht zurück, stattdessen drehten sie sich um und verschwanden wieder im Hochwald. Wahrscheinlich Preußen, die mit den Gepflogenheiten am Berg nicht ganz so vertraut waren. Ganshagel ging über die Lichtung. Wo waren die drei Wanderer geblieben? Wieso waren sie wieder umgekehrt? Vielleicht waren es keine Preußen, sondern Spurensicherer von der Polizei, die die verschiedenen Fluchtwege abschnüffelten. Er hoffte, dass die Ermittlungen rasch ein Ende fanden. Er sollte sich bereithalten, hatte es geheißen. Man hätte im Moment keine weiteren Fragen an ihn. Er hatte nur ein Interesse: Er wollte mit seiner Arbeit hier oben so schnell wie möglich weitermachen. Der Bürgermeister würde dafür sorgen. Zumindest hoffte er das. Ganshagel war jetzt am Waldrand angekommen. Da sah er sie wieder, die zwei Figuren in den erdfarbenen Parkas. Zwei? Wo war der Dritte geblieben? Sie warteten offensichtlich auf ihn. Jetzt unterhielten sie sich, sie blickten hinunter auf den Waldboden, so dass er ihre Gesichter nicht ausmachen konnte. Es waren bestimmt Beamte, die hier auf etwas Interessantes gestoßen waren, vielleicht auf verwaschene Abdrücke von Motorradreifen. Ganshagel ging ein paar Schritte auf die zwei Erdfarbenen zu und rief:

»Hallo! Sind Sie von der Polizei?!«

Eigentlich rief er: *Hoi! Sannasie vonda Bolizei?* Er dachte sich nichts dabei, es so urbayrisch zu formulieren. Wer des Deutschen nicht so mächtig ist, filtert das Wort *Polizei* aus dem trüben Vokalklumpen heraus und rechnet den unverständlichen Satz auf etwas furchtbar Gefährliches hoch. Ganshagel wunderte sich noch, dass die beiden nicht aufblickten, dass ihre Kapuzen stur nach unten gerichtet waren, da lag er schon bäuchlings am Boden, die Hände schmerzhaft auf den Rücken gedreht. Bevor er nach Luft schnappen konnte, saß ein dritter Mensch auf seinen Kniekehlen und fixierte seine Beine. Er hätte vor Schmerz aufgejault, wenn er gekonnt hätte, denn sein Kopf war roh auf die Erde gedrückt worden, mit dem Gesicht ins Gras, und in seinen Mund hatte eine große Hand ein oder zwei Pfund knirschende Almerde hineingestopft. Ganshagel begriff, dass das nicht die Bayerische Polizei sein konnte.

Währenddessen saßen der Österreicher und der Russe immer noch im Jeep des Hüttenwirts.

»Was ist denn das für ein Weg?«, fragte der Russe.

»Ein uralter Schleichweg von Bayern über Österreich nach Italien«, antwortete Karl Swoboda.

»Ich verlasse mich ganz auf dich, Swoboda. Schade, dass das Seminar so abrupt beendet worden ist. Die Tage auf der Alm waren herrlich. Berge, Vorträge, Saure Knödel, alles vom Feinsten. Und man brauchte seine Identität nicht preiszugeben. Jetzt müssen wir wieder auf gefälschte Pässe zurückgreifen.«

»So ist das nun einmal, Flassi.«

»In einer Zeitung habe ich gelesen, dass es bald möglich sein wird, aus einem alten Fingerknöchelchen über die DNA den ganzen Menschen zu rekonstruieren. Aussehen, genaues Alter, Herkunft, alles.«

»Ja, hab ich auch gelesen. Ein Skelett in der U-Bahn – mit blauen Augen. Keine guten Zukunftsperspektiven für euren ehrbaren Beruf.«

Ganshagel lag immer noch auf dem Boden, starr vor Schreck und unfähig, sich zu bewegen. Er verstand die geflüsterte Unterhaltung der Männer nicht. Er konnte die Sprache keinem Land zuordnen. Der, der seinen Kopf nach unten gedrückt hielt, tastete ihn von oben bis unten nach Waffen ab. Panische Angst stieg in ihm auf. Das waren die Mörder von Luisa-Maria Miller! Er hatte gleich so eine Ahnung gehabt, dass es mehrere gewesen sein mussten, die die Frau so zugerichtet hatten. Sie mussten von außerhalb gekommen sein, das waren keine Almgäste. Und jetzt schlugen sie wieder zu. Aber warum er? Was war er für ein Idiot gewesen, der Polizei nicht alles zu erzählen. Er zappelte in rasender Todesangst, der Druck, der ihn an mehreren Stellen des Körpers umschloss, wurde stärker und äußerst schmerzhaft. Die drei Männer riefen sich etwas zu. Er konnte die Sprache nicht gleich einordnen. Aber er hatte sie schon einmal gehört. Damals, bei der Veranstaltung des Bürgermeisters. Natürlich, das war was Indisches!

»Entschuldigen Sie, wenn ich Ihnen Unannehmlichkeiten bereite. Bitte geben Sie Ihre Identität preis«, rief ihm der, der auf seinen Kniekehlen saß, ins Ohr. Der andere, der seine Arme auf den Rücken gedreht hatte, sagte gar nichts. Ganshagel nickte verzweifelt. Er spürte einen Griff, der seinen Unterkiefer umschloss und ihn seitlich in die Wangen drückte. Er konnte den erdigen Knebel ausspucken.

»Ich bin Ganshagel!«, schrie er. »Hüttenwirt! Master of the cottage!«

»Ach so, Ganshagel!«, sagte Pratap Prakash. »Lasst ihn los, er gehört zu uns.«

Sie lösten ihre Klammergriffe, halfen ihm auf die Beine und klopften ihm auf die Schultern.

»Wir bitten, unsere Übervorsichtigkeiten zu verzeihen«, sagte Dilip Advani und verbeugte sich mit zusätzlich gesenktem Kopf, was in der indischen Kultur der Entschuldigung einen besonderen Nachdruck verleiht. Ganshagel konnte das nicht sehen, Erde und Gezweig bedeckten sein Gesicht, es war lodenmanteldunkel.

»Wo sind die anderen?«, fragte Pratap Prakash.

»Ja, wo sind unsere Freunde?«, wiederholte Dilip Advani.

»Sie sind – leider – abgereist«, erklärte Ganshagel, heute nun schon zum zweiten Mal.

»Abgereist?«, fragte Pratap Prakash misstrauisch.

Die Körperhaltung aller drei Männer spannte sich.

»Es gab einen Zwischenfall. Eine tote Frau«, krächzte Ganshagel. »Eine Seminarteilnehmerin wurde ermordet. Ihr Gesicht ist unkenntlich. Die Polizei ist jetzt auf dem Hof.«

Bei dem Wort ›tote Frau‹ hatten sich die Mienen aller drei verfinstert. Einer sagte irgendwas auf Indisch, und Ganshagel wusste, dass es ›Wir müssen sofort verschwinden‹ hieß.

»Du bist Ganshagel«, sagte Dilip Advani ruhig und trotzdem drohend. »Wir sind eigens von Mumbai hierhergekommen. Man hat uns in Mumbai gesagt, man kann sich auf dich verlassen.«

Ganshagel nickte verzweifelt.

»Du hast uns nicht gesehen. Du siehst uns vielleicht nochmals, aber dann erkennst du uns nicht. Dann sind wir ganz fremd für dich. Wenn man sich aber nicht auf dich verlassen kann –«

Dilip Advani nahm eine Handvoll Erde hoch.

»Bei uns in Indien gibt es eine Redewendung: Jemand hat sich an seiner eigenen Heimaterde verschluckt. Verstehst du diesen Ausdruck?«

»Jaja, ich glaube schon«, stotterte Ganshagel.

Die Unterhaltung mit dem Knollennasigen war angenehmer gewesen.

Drei Wanderer mit erdfarbenen Parkas fielen im Kurort überhaupt nicht auf. Pratap Prakash blieb in einer Straße stehen, in der sich eine Frühstückspension an die andere reihte. Er zeigte auf ein einladendes Gebäude mit blühendem Vorgarten. »Hier ist es. Pension Üblhör, Schröttelkopfstraße. Das ist die Adresse, die in unserem Seminar-Pack als sicheres Ausweichquartier vorgesehen ist. Keine Ausweiskontrolle, keine Fragen, sichere Fluchtwege.«

Der stumme Raj Narajan schrieb etwas in seinen Notizblock. Die beiden anderen warteten geduldig. Dann betraten sie den ausgesprochen gepflegten Vorgarten des Gästehauses.

»Wollen wir wirklich in diesem Kurort bleiben?«, gab Dilip Advani zu bedenken. »Nach dem Vorfall auf der Alm wird es bald nur so wimmeln von Polizei.«

»Das glaube ich nicht. Wir befinden uns hier in der tiefsten Provinz. Da sind die Polizeikräfte nicht so gut ausgebildet. Diesen kleinen Kurort zu verlassen und dann in der Gegend herumzufahren erscheint mir wesentlich riskanter, als hierzubleiben. Wir werden den Zeitpunkt unseres Auftrags hier abwarten. Der Auftrag ist wichtig. Nicht nur für uns, sondern auch für die Gilde. Der Chef wäre sehr ärgerlich, wenn wir unverrichteter Dinge nach Hause zurückkehren würden. Wir gehen in diese Pension. Rede du zur Wirtin, du sprichst am besten Deutsch.«

Dilip Advani hatte die deutsche Sprache an der University of Mumbai gelernt, und er sprach in hochklassischem Friedrich-Schiller'schen Duktus.

»Edle Dame«, sagte er zu der Frau an der Rezeption. »Wir bitten Euch, wenn Ihr erlaubt, um Kost und Bleibe, und reicher Lohn sei Euch gewiss in fern'ren Tagen –«

Die Üblhör Rosalinde zeigte den drei curryhäutigen Männern das Zimmer und kümmerte sich nicht weiter um sie. Sie ahnte nicht, was für gefährliche Gäste sich unter ihrem Dach einquartiert hatten.

18

Im Kratt snack Platt.
Sprichwort aus Leer

Polizeiobermeister Johann Ostlers Arme hingen schlaff und in unnatürlicher, verdrehter Weise nach unten. Vielleicht ein bisschen übertrieben verdreht, aber unzweifelhaft rigomortal verkrampft. Es war vier Uhr nachmittags, man hatte im Besprechungszimmer des örtlichen Polizeireviers Tische und Stühle beiseitegeräumt, Ostler hockte mitten im Raum am Boden, er spielte die tote Frau Miller. Als Zirbe musste ein Kleiderständer herhalten, daran lehnte Ostler momentan in sitzender Haltung. Als Schlapphut hatte Maria ihren breitkrempigen Strohhut zur Verfügung gestellt, der eigentlich für die sonnigen Tage im Kurort gedacht war. Fast das vollständige Team stand um Ostler herum, Becker trat jetzt näher und gab ihm einen kleinen Schubs. Brav fiel die Leiche nach rechts zu Boden.

»Nach dem Schlag kippt das Opfer zur Seite und fällt ins Gras«, sagte Becker. Er blickte sich erwartungsvoll in der Runde der versammelten Polizisten um. »Dann wird die Frau vom Täter wieder in die sitzende Haltung aufgerichtet. Sehen Sie: So hat er sie gepackt. So hat er sie hochgezogen. Das alles ergibt sich aus den Spuren, die ich am Boden gefunden habe.«

»Warum wurde sie nicht liegen gelassen?«, fragte die Leiche höchstpersönlich.

»Der Täter wollte Zeit gewinnen«, antwortete Jennerwein. »Das Opfer sollte möglichst lang unentdeckt bleiben. Deshalb hat er ihr auch den Hut wieder aufgesetzt.«

Becker nickte bestätigend. Maria Schmalfuß schüttelte den Kopf.

»Also nochmals, für alle Psychologen unter uns: Die Frau sitzt ohne Hut da. Sie sonnt sich. Dann kommt jemand und wirft einen Schatten auf sie. Sie blickt auf, der Schatten versetzt ihr mit irgendeinem Gegenstand einen Schlag ins Gesicht. Ihr Körper kippt um, der Schatten richtet sie wieder auf und setzt ihr den Hut auf den Kopf. Riskiert denn dieser Schatten wirklich so viele Spuren – am Hut, am Körper, auf dem Boden –, nur um Zeit zu gewinnen?«

Jennerwein wandte sich an Becker.

»Sind Sie sicher, dass ihr der Hut erst nachträglich aufgesetzt wurde?«

»Da bin ich ganz sicher. Sonst hätte es Verformungs- und Blutspuren am Hutrand gegeben.«

»Spielen wir das bitte mal durch«, sagte Jennerwein. »Ostler, Sie ziehen sich den Hut ins Gesicht. Maria, Sie sind der Täter. Und bitte!«

»Oh, liebste Luisa-Maria«, flötete Maria Schmalfuß und bückte sich zu Ostler hinunter. »Entschuldigung, jetzt habe ich Sie geweckt.«

»Ach, das macht gar nichts«, rief Ostler. »Was kann ich für Sie tun?«

»Ich frage mich schon die ganze Zeit, was Sie da für einen außergewöhnlich schönen Hut tragen. Ich wollte nur die Marke wissen. Meine Frau hat nächste Woche Geburtstag und –«

»Es ist ein Panamahut«, sagte Ostler geziert, ohne die Kopfbedeckung zu verrücken. »Bekommt man nicht gerade bei Aldi, das sage ich Ihnen.«

»Darf ich mal sehen?«

»Na gut, wenn Sie wollen.«

Ostler nahm den Hut ab, Maria setzte ihn auf.

»Um Gottes Willen!«, schrie Ostler und machte übertrieben abwehrende Bewegungen mit den Händen. »Was haben

Sie denn da in der Hand! Was wollen Sie mit dem …! Nein … nicht …«

»Hm«, sagte Jennerwein. »Reichlich umständlich. Und Frau Miller soll gar nicht aufgefallen sein, dass der Mörder mit einem Brett oder einer Schaufel auf sie zugeht? Beides sind ja nicht gerade die diskretesten Mordinstrumente. Das Opfer hätte dabei genug Zeit, auszuweichen. Wir haben aber überhaupt keine Abwehrverletzung gefunden. Und dann noch was: Wo bringt der Täter das Riesengerät nach vollbrachter Tat hin? Alles äußerst merkwürdig.«

Maria löste sich aus ihrer Rolle. Auch Ostler stand wieder von den Toten auf. Maria nahm ihre Kaffeetasse und rührte unendlich lange darin herum. Das war ihre Art, sich zu konzentrieren.

»Hubertus, gehen wir nicht von falschen Voraussetzungen aus? Wir nehmen es einfach als gegeben hin, dass Opfer und Täter sich gekannt haben, dass der Täter also aus den Reihen der Seminarteilnehmer stammt. Vielleicht kommt der Schatten aber von außerhalb: Er hat das Ganze mit dem Fernglas beobachtet, sagen wir von einem gegenüberliegenden Berg. Er ist heruntergeschlichen, hat Luisa-Maria den Schlag versetzt und hat sich wieder aus dem Staub gemacht.«

»Und weshalb sollten dann alle Seminarteilnehmer fluchtartig das Gelände verlassen haben?«, knurrte Stengele.

»Eins nach dem anderen«, unterbrach Jennerwein. »Natürlich müssen wir den Mörder finden. Das hat alleroberste Priorität. Aber die Seminarteilnehmer sind nun einmal momentan nicht zu fassen. Nicole Schwattke und Franz Hölleisen arbeiten ohnehin gerade daran, die Adressen der Flüchtigen nachzuprüfen.«

»Ich bin skeptisch, ob da viel dabei rauskommt.«

»Das bin ich auch. Aber bevor wir uns in Spekulationen verlieren, sehen wir lieber zu, was uns die Leiche zu sagen hat.«

»Eine Leiche mit abgeschnittenem Kopf? Was wird uns die wohl zu sagen haben?«, murrte Stengele.

»Ich bleibe dabei: Die Lösung des Falls geht von der Leiche aus. Ein Täter kann verschwinden und sämtliche Spuren verwischen, er kann sich in Luft auflösen – das ist möglich, das hat man alles schon erlebt. Es ist aber völlig unmöglich, einen Toten zurückzulassen, der uns nicht wenigstens einen kleinen Fingerzeig gibt, was kurz vor seinem Tod geschehen ist.«

»Da haben Sie recht, Chef.«

Jennerwein wandte sich an die Frau im Rollstuhl.

»Fangen wir bei den gerichtsmedizinischen Ergebnissen an. – Sie haben den Kopf vollständig untersucht?«

»Ja. Und ich bleibe dabei«, sagte die Pathologin. »Es war ein Schlag mit einem flachen Gegenstand. Ein Brett, eine Schaufel, wie auch immer.«

»Nur *ein* Schlag?«

»Ein einziger Schlag. Die Silphenmaden haben zwar schon die vorderen Gesichtsknochen angefressen, aber ich konnte auch so noch einiges herauslesen.«

»Großes Lob an Becker«, sagte Jennerwein. »Seine drastische Entscheidung, den Kopf abzutrennen und den Madenfraß durch Kühlung zu stoppen, war richtig.«

Becker bedankte sich mit einem bescheidenen Nicken.

»Und dieser eine Schlag, der war dann wohl auch die Todesursache?«, fragte Stengele.

»Das lässt sich leider nicht hundertprozentig bestimmen«, sagte die Gerichtsmedizinerin. »Ich denke schon, dass der Schlag allein genügt hat. Es gibt jedoch die ungemütliche und unappetitliche Annahme, dass die Silphen die Todesursache waren. Die Viecher haben die Frau auf diese Weise nicht nur getötet, sondern auch gleich versucht, alle Spuren zu beseitigen. Wie gesagt: eine ungemütliche Annahme. Aber ich bin mit meinen Untersuchungen noch nicht fertig.«

Es entstand eine Pause.

Ostler fasste in Worte, was alle dachten.

»Du bekommst einen Schlag ins Gesicht, bist vielleicht nur belämmert und handlungsunfähig, und bekommst voll mit, wie sich diese Knöcherlputzer in dein Gesicht fressen –«

»Igitt, daran möchte ich lieber nicht denken«, unterbrach Maria hastig. Ostler fuhr ungerührt fort.

»Sie fangen mit den weichsten Teilen an, kriechen in den Mund und in die Nase, nehmen sich die Augen vor, mit der Zunge kannst du vielleicht noch ein paar verscheuchen –«

»Genug jetzt!« Marias Stimme stieg an. »Ich möchte noch etwas zur Tatwaffe bemerken. Nehmen wir mal an, es war ein Brett. Das könnte man leicht verschwinden lassen. Man könnte es zum Beispiel im Kamin verbrennen, den es dort oben gibt.«

»Gegen ein Brett spricht einiges«, sagte Jennerwein. »Ostler, ich darf Sie nochmals auf den Boden bitten. Polizeiobermeister Hölleisen hat freundlicherweise einige Requisiten besorgt, die für ein derartiges Verbrechen mehr oder weniger gut geeignet sind.«

Jennerwein nahm ein Fichtenbrett in die Hand und hielt es zum Schlag hoch.

»Sehen Sie: Ein Brett kann man nicht gut halten – egal, aus welchem Material es ist. Man kann damit auch keinen wuchtigen Schlag ausführen. Man kann sich zumindest nicht sicher sein, dass er tödlich ist. Wir hätten außerdem Holzsplitter gefunden. Ich halte dieses nützliche Gartengerät für wesentlich geeigneter.«

Er nahm eine verrostete Straßenschaufel, holte aus und führte den Schlag bis knapp vor Ostlers Gesicht.

»Das klappt schon besser. Der Nachteil einer Schaufel ist allerdings, dass das Blatt gegenüber dem Stiel immer leicht angewinkelt ist, man kann damit schwer flach und gezielt schlagen. Wir brauchen also ein Gerät, bei dem das Blatt gerade am Stiel sitzt. So ein Gerät haben wir hier.«

Jennerwein nahm den bereitstehenden Spaten in die Hand und schlug auf dieselbe Weise zu. Alle nickten. Das sah plausibel aus.

»Wir haben aber leider auf dem ganzen Gelände keinen einzigen passenden Spaten gefunden«, sagte Becker. »Auf allen Spaten, die im Schuppen standen, lag eine zentimeterdicke Staubschicht. Sie hatten quasi ein Alibi, und wir mussten sie wieder laufen lassen.«

»Wie wäre es eigentlich mit einem Karateschlag?«, fragte Maria. »Nicht mit der Handkante, sondern mit der flachen Hand?«

»Da müsste der Schatten ja Riesenpratzen gehabt haben«, warf die Frau im Rollstuhl ein, »mit Abmessungen einer Bratpfanne. Damit dann einen Schmetterschlag wie beim Volleyball ausgeführt – unwahrscheinlich, Frau Kollegin.«

»Wissen Sie, was mich an einem Spaten stört«, sagte Stengele und nahm sich das morbide Gartengerät nochmals vor. »Wenn ich in Tötungsabsicht komme, dann schlage ich doch nicht mit der flachen Seite zu, sondern mit der Kante. So etwa –«

Stengele deutete einen entsprechenden Hieb an.

»Wenn ich mich ein bisschen in Anatomie auskenne, dann schlage ich etwa in Höhe der Augen zu. Dabei bricht das Nasenbein, der Spaten dringt durch die Gesichtsoberfläche, die folgenden schweren Hirnverletzungen würden unweigerlich zum Tod führen.«

»Das mag sein, Hauptkommissar Stengele«, sagte die Gerichtsmedizinerin. »Aber rein theoretisch könnte das Opfer noch schreien. Das ist bei der anderen Methode unmöglich.«

Maria Schmalfuß ließ nicht locker.

»Andere Idee: Vielleicht gab es ja gar keine Tötungsabsicht.«

»Wäre auch möglich«, sagte Jennerwein. »Ein Streit, ein unbedachter Schlag mit einem Spaten. Der Täter erschrickt und läuft weg. Aber können Sie das wirklich vorstellen? Ich glaube nicht daran. Das Ganze sieht mir nicht nach einer Affekttat aus. Da steckt irgendein System dahinter.«

»Gut, es war also eine geplante Tat«, hakte Stengele nach. »Aber wie bringe ich so ein auffälliges Ding wie einen Spaten vom Gelände? Das wäre mir viel zu riskant.«

»Wie sieht es mit einem Klappspaten aus? Mit so einem, wie ihn das Militär verwendet?«

»Gute Idee, Maria. Man kann ihn unauffällig am Körper tragen. Er passt locker in eine Aktentasche oder in ein Notebook-Case. Dort passt auch der Hut hinein, den er dem Opfer nach dem Schlag aufsetzt. Die Tatsache, dass er das Tatwerkzeug sorgfältig auswählt, dass er es zudem nicht am Tatort lässt, die ganze Vorgehensweise spricht dafür, dass unser Schatten ein hochprofessioneller Täter ist. Ein skrupelloser und gefährlicher Verbrecher. Ich habe mir die Bilder vom Tatort und vor allem von der Leiche genau angesehen. Sie gibt uns einen Fingerzeig. Sie verrät uns etwas über diesen Täter. Wir wissen bloß noch nicht, was.«

19

Unterholz: Holzsplint, der in die Kopfseite des Holzstiels (zum Beispiel eines Beils oder eines Spatens) eingeschlagen wird, um das Oberholz hier zu verbreitern und in den Ring der Halterung (Beilhaus oder Tülle) einzupassen.

Darf ich mich vorstellen: Ich bin ein Klappspaten. Ich kann schon ein wenig stolz auf mich sein, denn ich bin von einem belanglosen Baumarkt-Artikel zu einem der gesuchtesten Tatwerkzeuge aufgestiegen. Als Spaten gehöre ich zur Familie der Hieb- und Schlagwaffen, mir ist natürlich klar, dass ich in der Hierarchie weit unter all den Pistolen und Messerchen, Giftspritzen und Klavierdrähten stehe – deren Eleganz werde ich nie erreichen, aber was solls: Ich bin nun einmal, was ich bin.

Momentan lehne ich leicht schräg an einer Zimmerwand, und ich stehe, damit ich keine Spuren auf dem Boden hinterlasse, auf einem weißen Handtuch mit dem Aufdruck *Guten Morgen!* Man hat mich vorher sorgfältig unter fließendem Wasser abgebürstet, deswegen tropfe ich noch leicht. Ich fühle mich rein und neuwertig. Fabrikfrisch, fast unausgepackt. Trotzdem weiß ich ganz genau, dass ich nur relativ oberflächlich gesäubert worden bin. Denn angenommen, es erschiene jetzt ein leibhaftiger Spurensicherer auf der Bildfläche, der mich mit allen technischen Schikanen untersuchte, von der Computertomographie bis zur Röntgenphotoelektronenspektroskopie, dann hätte das bloße Abwischen nicht gereicht. Natürlich nicht.
Um dem heutigen Stand der Spurensicherung ein

Schnippchen zu schlagen, hätte man mich schon in den Sterilisator eines Krankenhauses geben und dort bei 100 Grad schmoren lassen müssen. Aber das ist in meinem Fall gar nicht nötig, denn solch eine kriminaltechnische Untersuchung ist nicht zu erwarten. Ich soll nämlich an einen Ort gebracht werden, wo dieser ganze Firlefanz unnötig ist. Wo ich quasi mit einer neuen Identität ausgestattet werde und wieder ganz von vorne anfangen kann.

Vor meiner Umwandlung zur gefährlichen Tatwaffe war ich ein Klappspaten der Marke Gartenfreund, ich bin von einem großen deutschen Gartengerätehersteller sorgsam entwickelt, serienmäßig produziert und mit viel unternehmerischer Umsicht auf dem europäischen Markt lanciert worden. Wie alle meine Markengenossen habe ich einen rutschfesten Griff aus leichtem Aluminium, die Teleskopstange kann man in Sekundenschnelle herausziehen, das Scharnier ist ebenfalls leicht ein- und aufklappbar, und dann, der Hammer: Wir von der Marke Gartenfreund sind trotzdem ab-so-lut stabil! Unsere leicht spitz zulaufenden Blätter sind aus schwerem verzinkten Eisen, sie sind flach, die Blätter, bis auf eine kleine, wirklich winzig kleine Rille in der Mitte, aber diesen Abdruck findet kein Gerichtsmediziner dieser Welt im Gesicht der Zielperson wieder. Oder vielleicht doch? Und wenn schon: Was spielt das schon für eine Rolle. Überhaupt keine! Was bringt ihnen das, wenn sie die Marke des Tatwerkzeugs herausfinden? Nichts, absolut nichts.

Ein Schatten fällt auf mich. Behandschuhte Hände greifen nach mir. Ich weiß, dass jetzt der raffinierte Teil des Plans kommt: Ich bin im örtlichen Baumarkt gekauft worden, und genau dort soll ich auch wieder hingebracht werden. Der Schatten hält mich hoch und trocknet mich behutsam ab. Er sieht sich im

Zimmer um. Alles ist gut, es gibt keine weiteren Spuren. Ich werde wieder in die Originalverpackung zurückgesteckt, dann werde ich in eine Plastiktüte mit dem Logo des örtlichen Baumarkts verfrachtet. Ich bin ein bisschen stolz auf mich. Ich habe niemand Geringeren als die Äbtissin um die Ecke gebracht. Ich habe die international gesuchteste und gefürchtetste Auftragskillerin ausgeknockt. Ihr Ruf, der ihr vorauseilte, war furchtbar. Sie hatte einen unnachahmlichen Stil, sie hat sauber, schnell und zuverlässig gearbeitet. Und sie hat keine Spuren hinterlassen. Sie war nicht eben billig, die Äbtissin, aber das sind hochklassige Fachleute nie. Ein einfacher Klappspaten vom Baumarkt hatte sie hinuntergeschickt in die Killerhölle.

Jetzt werde ich mitsamt Originalverpackung und Tragetüte hochgehoben, und ich weiß: Der Schatten verlässt mit mir das Zimmer. *Er hat den Spaten wohl in dem Arm, er fasst ihn sicher, er hält ihn warm* – auch ein Klappspaten kennt seine Klassiker. Wir verlassen das Haus durch die Tiefgarage, wir gehen das Stück zum Baumarkt zu Fuß. In diesem Nest kann man alles leicht zu Fuß erreichen. Man hätte mich nach meinem Einsatz in die nächste Aschentonne werfen können, man hätte mich oben auf der Wolzmüller-Alm auch einfach vergraben können – aber ein kleines Restrisiko bleibt immer. Hingegen das Recycling im Baumarkt – eine der genialen Ideen des Schattens. Wir kommen zügig durch den Kassenbereich, es geht auf verschlungenen Wegen zur Gartengeräteabteilung. Nun liege ich wieder zwischen den anderen Klappspaten der Marke Gartenfreund. In der Originalverpackung aus geriffeltem Karton. Der Schatten hat sich leise und grußlos entfernt. Wenn das der nächste Kunde wüsste, dass ich die Äbtissin erledigt habe! Die Top-Auftragskillerin, von der die ganze Szene gesprochen hat. Schade eigentlich, dass das niemals jemand erfahren wird.

20

Unterholzer, Anatol (geb. 1921 in Deggendorf, gest. 1998 ebd.), deutscher Chemiker, Entdecker des Unterholzer'schen Gesetzes.

Das ist ein beliebter fingierter Lexikoneintrag, auch »Grubenhund« genannt. Da beim illegalen Abschreiben ganzer Lexika, die dann unter einem anderen Titel und in anderer Sprache publiziert werden, auch die Grubenhunde mit kopiert werden, können diese als Plagiatsfallen dienen, um Verletzungen des Urheberrechts nachzuweisen.

»Ich habe mich ein wenig in der Gegend um die Wolzmüller-Alm umgesehen«, sagte Stengele im Polizeirevier. »Bin auch gleich auf zwei frische Motorradspuren gestoßen.«

»Trotz des Regens?«, fragte Jennerwein.

»In diesem Fall hat der Regen die Spuren im Lehm sogar konserviert. Es sind Spuren von zwei schweren, geländegängigen Motorrädern. Sie gehören nicht zum Bestand der Alm, ich habe mich schon bei Ganshagel erkundigt. Er weiß davon nichts, so behauptet er zumindest. Ich traue dem Kerl allerdings nicht. Die Maschinen waren vermutlich unter einem Zelt geparkt, und die Spuren führen ziemlich zielgerichtet bergabwärts. Die Talfahrt endet an einem kleinen Bach, in dessen Steinbett die Fahrer weiter bergabwärts geschliddert sind. Spürhunde und andere Schnüffler haben auf diese Weise keine Chance mehr.«

Stengele war der Naturbursch im Team. Er war der Spezialist für alles, was mit Gelände, Wiese, Wald, Berg, Natur, Wasser, Wind und Käsespätzle zu tun hatte.

»Zwei der Seminarteilnehmer haben also auf diese Weise die Alm verlassen?«

»Mindestens zwei. Aber eher mehr. Die Fußspuren beim Aufsprung auf die Maschinen deuten darauf hin, dass es vier Personen waren, die auf diese Weise das Weite gesucht haben. Der Bach kreuzt irgendwann eine Straße, da sind sie wahrscheinlich abgestiegen und haben sich verteilt. Oder sie haben sich gleich dort abholen lassen. Meine Herrschaften, das waren Profis! Das war keine aufgeschreckte Horde von lichtscheuen Managern oder anderen weichlichen Bürohengsten. Ich denke, dass da etwas Dramatischeres dahintersteckt.«

Stengele zögerte. Jennerwein nickte ihm aufmunternd zu.

»Wenn ich noch etwas Spekulatives sagen darf, Chef. Eine Flucht mit vorher versteckten Motorrädern, eine Abfahrt im Wildbach, das riecht mir alles schwer nach einer Aktion der Fremdenlegion. Wenn nämlich so ein Legionär irgendwo hingeht, wo die Gefahr besteht, dass es brenzlig werden könnte, dann bereitet er genau diese Art des Rückzugs vor. Ich sage nur eins: Tonkin, 1883, General Rollet.«

»Woher wissen Sie eigentlich so gut Bescheid über die Legion?«, fragte Maria Schmalfuß.

»Ich habe mal erwogen, mich da zu bewerben«, sagte Stengele leise. »Das ist lange her«, sagte er noch leiser.

Das hört sich doch verdammt nach verzweifelter Liebe an, dachte die Polizeipsychologin Frau Doktor Maria Schmalfuß. Stengele wusste, dass sie das dachte. Und er lachte ein leises, bitteres Lachen.

»Kommen wir wieder zum Thema«, sagte Jennerwein schnell und ablenkend. »Es erhärtet sich also der Verdacht, dass wir in ein Wespennest gestochen haben. Ich bin wie Stengele der Meinung, dass das alles andere als eine normale Business-Tagung war. Die Frau ist vielleicht auf etwas gestoßen, was sie nicht hätte entdecken sollen.«

»Ich habe noch etwas Interessantes gefunden«, sagte Becker. »Vielleicht bringt das Licht in die Sache. Es war ganz in der Nähe des Hinterausgangs vom Medienraum, schon halb im Wald, ich bin fast draufgetreten. Ich habe Fotos davon gemacht.«

Becker verteilte mehrere Blätter.

»Igitt!«, kreischte Maria. »Das wird ja immer schlimmer!«

»Ja, wie Sie sehen, sind das zwei herausgetrennte Augen. Sie lagen auf dem Waldboden. Der Regen hat Insekten und andere Tiere davon abgehalten, sie anzuknabbern. Die Frage, was das nun für Augen sind, kann am besten die Gerichtsmedizinerin beantworten.«

Die Frau im Rollstuhl setzte ihre Brille auf und nahm sich die Bilder vor.

»Ach, das ist ja ganz leicht! Im Studium mussten wir gerade diese Tiere tausendmal sezieren. Das eine ist ein Froschauge, das andere ist vermutlich das Auge einer Ratte. Sie sind in beiden Fällen säuberlich herausgetrennt, richtig professionell. Das sind jedenfalls keine Küchen- oder Schlachtabfälle, sondern tiermedizinisch korrekte Eingriffe.«

»Aus welchem Grund extrahiert man Augen?«

»Das weiß ich natürlich nicht. Es könnte sich um Leute handeln, die sich mit Ophthalmologie, also mit Augenheilkunde beschäftigten. Ein Kongress von Augenärzten zum Beispiel. Oder ein Treffen von Herstellern augenärztlicher Geräte. Es ist übrigens gar nicht so leicht, Augen aus der Augenhöhle von höherklassigen Tieren herauszulösen, zum Beispiel muss der Sehnerv durchtrennt werden, was gar nicht so einfach ist. Der ist robuster, als man denkt. Ein Laie schafft das nicht so ohne weiteres. Sie kennen das vielleicht vom Kochen. Wenn man einen wirklich guten Fischfond machen will, steht in den meisten Kochbüchern: *Fischköpfe in die kochende Gemüsebrühe werfen, dabei vorher die Augen entfernen, sonst wird der Fond bitter.* Das ist natürlich sachlich völlig richtig. Aber hat jemand von Ihnen schon mal probiert, bei einem glitschigen Fischkopf die Augen zu entfernen?«

»Wie wäre es«, fragte Jennerwein amüsiert, »wenn Sie uns mal zum Fischessen einladen?«

Die Gerichtsmedizinerin nickte.

»Aber gerne!«

»Abgemacht«, sagte Jennerwein mit einem Augenzwinkern. »Zuerst werden aber die Ermittlungen abgeschlossen. Dann gibts Fischsuppe.«

Er wandte sich an Ostler.

»Sie haben sich nochmals mit Ganshagel unterhalten. Was hat diese Vernehmung denn ergeben?«

Ostler seufzte.

»Der Mann ist vollkommen fertig, das sage ich Ihnen. Der tut mir richtig leid. Trotzdem glaube ich, dass er uns etwas verheimlicht.«

»Warum lassen wir ihn dann frei herumlaufen?«, unterbrach Maria. »Können wir denn sicher sein, dass er nichts mit dem Tod von Luisa-Maria zu tun hat?«

»Der Ganshagel? Nein, das glaube ich nicht. Ich kenne ihn ja schon lange. Er ist sogar über viele Ecken mit mir verwandt. Aber das bleibt ja nicht aus in unserem Talkessel. Und Sie können mir glauben: Diese Alm da oben ist sein Ein und Alles. Er hat vorher bei der Gemeinde gearbeitet. Da war er überhaupt nicht zufrieden. Dann hat ihm der Bürgermeister die Organisation der Alm angeboten. Der geht doch nicht hin und zerstört mit einem Schaufelschlag seine eigene Existenzgrundlage!«

»Spatenschlag. Wir waren schon beim Klappspaten.«

»Dann eben Klappspatenschlag.«

»Haben Sie ihn zu seinen ›Kunden‹ befragt?«

»Natürlich habe ich ihn gerade darüber richtig ausgequetscht! Ich spiele am besten einmal das Band vor.«

Ostler drückte die Taste des prähistorischen Kassettenrekorders, und alle lauschten dem verrauschten Hörspiel halb gespannt, halb amüsiert.

»So, Gansi, jetzt sagst du einmal alles, was du weißt.«

»Läuft das Band schon? Gut. Mein Name ist Rainer Maria Ganshagel, der Wirt der Wolzmüller-Alm, auch genannt der ›Knödelwirt‹.«

»Warum denn das?«

»Du musst einmal raufkommen und meine Sauren Knödel probieren, Menschenskinder, dann fragst du nicht mehr, warum!«

»In so einer Liga spiel ich nicht, dass ich mir ein Essen bei dir leisten kann.«

»Das stimmt auch wieder, Joey. Ganz am Anfang habe ich den Hof an Feriengäste vermietet. Das macht eine Menge Arbeit und bringt nicht viel. Alle wollen in der Früh ein Glas warme Milch haben und sind bitter enttäuscht, dass man die Jungtiere nicht melken kann. Dann hat mir der Bürgermeister geholfen. Der hat mir große Firmen geschickt, Führungskräfte, Politiker, was weiß ich. Einmal war sogar –«

»Jetzt fang bloß nicht schon wieder mit deinem Papst an, Gansi!«

»Ja, der Papst ist ja noch das wenigste, was an Prominenz da war! Das kann ich gar nicht auf Band sprechen, wer da schon alles bei mir heroben war! Ich habe eine Schweigepflicht.«

»Bei mir hast du keine Schweigepflicht, Gansi. Wir sind hier bei der Polizei. Und du bist Zeuge in einem Mordfall.«

»Popgrößen, Rocklegenden, Fußballmagnaten –«

»Hör auf, das ist jetzt unwichtig. Was uns interessiert, sind die Anmeldungen. Hast du die immer so lax gehandhabt? Also ohne Personalausweis und ohne alles?«

»Aber davon rede ich doch! Wirtschaftsbosse, Medienzaren, Schönheitsköniginnen! Was meinst du, was die für ein Geld in den Ort gebracht haben! Was die für die Tradition getan haben! Den Trachtenverein unterstützt, die Lüftlmalereien erhalten, die St.-Martins-Kirche renoviert – und und und. Und bei solchen Leuten mach ich doch kein G'schiss und verlange einen Personalausweis! Wer ihn hergibt, gibt ihn her. Wer nicht, der eben nicht.«

»Gut, Gansi, jetzt haben wir eine andere Situation. Jetzt ist etwas schiefgegangen. Und da wäre es nicht schlecht gewesen, wenn wir alle Pässe gehabt hätten. Wie sind denn deine Kunden zu dir gekommen?«

»Das hat sich halt rumgesprochen in der internationalen Szene. Bei den Ölmillionären, Bundespräsidenten, Nobelpreisträgern –«

»Aufhören sollst du, habe ich gesagt!«

»Ich habe ein Handy bekommen, nur für die Anmeldungen.«

»Bitte, was? Ein Handy? Von wem?«

»Vom Bürgermeister. Und auf dem Handy bin ich angerufen worden: Nächste Woche, Samstag bis Dienstag, fünfzehn Personen, Medienraum herrichten, Beamer, Overhead-Projektor, was weiß ich.«

»Und so war es diesmal auch?«

»Freilich, fünfzehn Leute, sag ich doch.«

»Der Bürgermeister hat dich also informiert.«

»Nein, Joey, natürlich nicht. Das war einer, der sich immer als ›Veranstalter‹ gemeldet hat.«

»Der Bürgermeister wars nicht?«

»Nein, der nicht. Ich habe nicht nach dem Namen gefragt. Wie hab ich wissen sollen, dass das wichtig ist. Bisher hats ja immer funktioniert.«

Ostler schaltete das Band ab.

»Das war die Aussage von Ganshagel«, sagte er. »Mehr habe ich nicht aus ihm herausbekommen.«

»Halten Sie ihn wirklich für so naiv?«, fragte Jennerwein. »Oder ist es möglich, dass er Ihnen eine Komödie vorgespielt hat?«

»Möglich ist natürlich alles«, antwortete Ostler. »Man hat schon Ochsen Zither spielen sehen, wie man bei uns sagt. Aber ich kenne ihn schon lang, den Ganshagel. Da müsste er sich in letzter Zeit von Grund auf geändert haben. Der ist so, wie er ist.«

»Sie werden im Kurort Joey genannt, Ostler?«, grinste Maria Schmalfuß. »Das finde ich ja putzig.«

Die Tür sprang auf. Nicole Schwattke, die Recklinghäuser Austauschkommissarin, und Franz Hölleisen, der ortskundigste unter den anwesenden Ortskundigen, wurden freudig begrüßt. Man hatte sich schon lange nicht mehr gesehen.

»Wir wollen gleich zur Sache kommen«, sagte Nicole Schwattke und setzte sich mit Hölleisen an den Tisch. »Wie Sie alle wissen, hatten wir die scheinbar einfache Aufgabe, die Teilnehmerliste durchzugehen und die Adressen auf Richtigkeit zu überprüfen.«

Nicole Schwattke verteilte fotokopierte Zettel.

»Sie können sich denken, zu was die Recherchen in diesem

Fall geführt haben. Die Liste beginnt mit einem gewissen Klaas Störtebeker aus Hamburg. Klaas Störtebeker! Warum nicht gleich Käpt'n Blaubär oder Hein Blöd! Wir haben in Hamburg angerufen, es sind sogar ein paar Männer des Namens Klaas Störtebeker dort gemeldet –«

»Arme Würstchen!«

»– aber unser Kunde ist eben nicht dabei. Dann der Tunesier. Der Name Chokri Gammoudi wiederum ist in Tunesien sehr häufig, so etwas wie Hans Schmidt oder Franz Müller. Wir haben bei den Kollegen in Tunis und Sfax angerufen, bei der Botschaft, bei der diplomatischen Vertretung, beim Einwohnermeldeamt. Immer die gleiche Leier: Ja, bitte gedulden Sie sich, das ist schwierig, da müssten wir schon genauere Angaben haben –«

»Es sind also Phantasienamen.«

»Ich glaube schon. Sehen Sie sich die Liste an, das sind Namen, die man erfindet, wenn man halt irgendeinen Namen braucht, der Russe heißt Wassili, der Italiener Lucio, der Franzose Pierre – wahrscheinlich hat jeder beim Einchecken den Namen angegeben, der ihm gerade in den Sinn gekommen ist.«

»Es sieht so aus. Aber recherchieren Sie weiter, Nicole. Wir wollen nichts unversucht lassen.«

»Der einzige Name, der heraussticht, ist der von Luisa-Maria Miller, und die hat sogar ihren Personalausweis dagelassen.«

»Dagelassen ist wohl nicht der richtige Ausdruck«, sagte Jennerwein. »Ganshagel hat ihr den Ausweis aus der Handtasche genommen. Sonst hätten wir ihn jetzt bestimmt nicht. Vermutlich hätte sie sonst ebenfalls einen Phantasienamen an der Rezeption hinterlassen. Aber genau das fällt auf. Es scheint so, als ob wir mit diesem Personalausweis auf eine falsche Spur geführt werden sollten.«

Hölleisen hob die Hand.

»Tja, also dieser Personalausweis, der hat es in sich. Wir haben ihn überprüfen lassen. Das hat eine Weile gedauert. Aber als der Kollege sich dann zurückgemeldet hat, ist der fast ausgeflippt! Er war total begeistert. So eine gute Fälschung hätte er noch nie in den Fingern gehabt. Hut ab, hat er gesagt, ein wirkliches Meisterstück. In dreißig Dienstjahren hätte er schon viel gesehen, aber so was – wirklich erstklassige Arbeit.«

»Danke, Hölleisen«, sagte Jennerwein und erhob sich. »Es tut mir leid, dass Ihre Recherchen bisher so wenig gebracht haben. Wir machen jetzt einen Plan, wie wir weiter vorgehen.«

»Äh, Chef«, unterbrach Hölleisen. »Da ist noch eine Kleinigkeit.«

»Ja?«

»Ich habe mir den Baum, die Zirbe auf dem Almgrundstück, nochmals angeschaut. Ich meine, weil wir uns doch gewundert haben, dass es da gar so viele Rothalsige Silphen gegeben hat. Die Erklärung ist ganz einfach.«

Hölleisen holte ein blauweißkariertes Taschentuch aus seinem Rucksack, in das ein Gegenstand in Form und Größe einer Banane eingewickelt war. Er öffnete das Tuch und legte es vorsichtig auf den Tisch.

»Igitt!«, schrie Maria abermals, und auch alle anderen hielten sich augenblicklich die Nase zu. »Was ist denn das! Das stinkt ja bestialisch!«

»Ja, und genau das ist die Strategie der Stinkmorcheln. Sie produzieren einen Geruch, der alle möglichen Aasfresser anlockt. Diese tragen ihre Sporen dann in die ganze Welt hinaus. Oder zumindest zwanzig Meter weit.«

»Da sieht man es mal wieder«, sagte Jennerwein lächelnd. »Auch im Pflanzenreich wird getrickst, getarnt und getäuscht.«

»Ist der Pilz giftig?«, fragte Maria Schmalfuß.

»Nein, aber ungenießbar. Ich bin begeisterter Schwammerlsucher, deshalb kenne ich mich da aus. Wenn Sie wollen, lade ich Sie einmal zum Schwammerlessen ein.«

»Gerne. Ich hoffe, Sie kennen sich bei den anderen Pilzen genauso gut aus. Wie viele dieser Stinkmorcheln haben Sie denn gefunden?«

»Na, so zwei oder drei.«

»Und das genügt, um derartige Massen anzuziehen?«

»Anscheinend schon. Da müsste man jemanden fragen, der sich mit Aaskäfern genauer auskennt.«

»Einen Biologen?«

»Oder einen Bestatter.«

»Die Graseggers kommen eh in einer Stunde, um sich routinemäßig auf dem Revier zu melden«, sagte Ostler. »Da hätten wir gleich zwei Bestatter, die wir fragen könnten!«

»Ursel und Ignaz Grasegger?«, fragte Jennerwein stirnrunzelnd. »Ich weiß, Ostler, dass Sie einen ganz guten Draht zu den beiden haben. Aber es sind nun einmal verurteilte Straftäter.«

»Genau«, warf Stengele ein. »Wir wissen nicht, was genau die in Italien getrieben haben. Und ihre Kontakte zur Mafia sind bis heute ungeklärt.«

»Wir können sie jedenfalls nicht so ohne weiteres in unsere Ermittlungen einbeziehen. Der Fall ist kompliziert genug: Wir haben ein Verbrechen aufzuklären, und wir kennen noch nicht einmal die Identität der Leiche. Wir müssen alles dransetzen, das herauszufinden. Wir müssen auf die Spur des Mörders kommen. Und da wollen Sie mit den Graseggers reden! Ich höre wohl nicht richtig.«

21

»Ich bin im Unterholz.«
Dostojewski 1869 in Baden-Baden zu Fürstin Katinka von L. angesichts seiner Finanznöte. Damals wurden in den Spielbanken noch Chips aus Holz ausgegeben.

Genau diese Graseggers spazierten über den Friedhof, wie sie das jeden Tag taten, um neue Kraft zu schöpfen, um sich inspirieren zu lassen und um neue Pläne zu schmieden. Es war fünf Uhr Nachmittag, die Kirchenuhr schlug mahnend – spätestens bis sechs mussten sie sich auf dem Polizeirevier melden, aber noch hatten sie Zeit, sich auf dem idyllischen Viersternefriedhof unter der Kramerspitze zu entspannen.

»Das wäre doch einmal was«, sagte Ursel Grasegger, als sie am Grab des alten Leidl Rudi vorbeikamen. »Keine spießigen Städtereisen, wie es die anderen in unserem Alter machen, sondern eine thanatologische Rundtour, einen Gräber-Trip rund um den Erdball! Aber nicht zum Père-Lachaise in Paris oder zum Zentralfriedhof in Wien. Sondern zum Beispiel zum Bergfriedhof in Barcelona oder zu den Baumgräbern in Indien. Solche Kaliber.«

»Ja, gut, machen wir«, nickte Ignaz. »Aber erst dann, wenn wir uns nicht mehr jeden Tag auf dem Polizeirevier melden müssen. Ich frage mich sowieso, wie lange das noch gehen soll. Wir sind brave Staatsbürger geworden, wir tun niemandem etwas zuleide, wir übertreten keine Gesetze –«

Die tägliche Meldepflicht war eine ihrer richterlich angeordneten Bewährungsauflagen gewesen. Sie hatten einst ihr Geld (sehr viel Geld!) damit verdient,

Leichen ungeklärter Herkunft in den Särgen unbescholtener Bürger verschwinden zu lassen. Und dass sie jetzt wirklich brave Staatsbürger geworden waren, das bezweifelten manche im Kurort.

»Da schau hin, da ist das Grab vom Biersack Manni!«

»Ja, der Biersack Manni, der ist jetzt auch schon wieder zehn Jahre tot.«

Sie waren nun am hinteren, westlichen Ende des Friedhofs angelangt. Eine niedrige, brüchige Friedhofsmauer, voller Eidechsen und Friedhofsmäuse, die herumhuschten, trennte die Ruhestätte von einer struppigen Wiese, die in einen jäh ansteigenden Hang überging. Sie waren nicht zufällig hierhergekommen. Sie blieben jetzt stehen, vor einem Grab, das sie nicht kannten. Sie neigten den Kopf und falteten die Hände, als wenn sie darüber nachdachten, woran denn dieser Baurat Gramml gestorben war. Plötzlich sprang ein drahtiger Mann über die Mauer, dem ersten Anschein nach ein Bergwanderer mit einem Geißbart, er trug einen Rucksack, den etwas Kleines, aber Schweres nach unten zog. Das hätte Stengele mit seinem Fremdenlegionsblick sofort gesehen. Stengele war aber nicht hier. Stengele war, ein paar Handgranatenwürfe entfernt, bei einer Besprechung. Die Augen des Bergsteigers sprangen scheinbar ziellos von Punkt zu Punkt, er schien den Hintergrund auf Verdächtiges zu scannen.

Es war der Österreicher Karl Swoboda aus Wien. Er hatte früher mit den Graseggers zusammengearbeitet. Und er hatte einen nicht unwesentlichen Teil zum lukrativen Leichenverschwindenlassen beigetragen.

»Küss die Hand, Gnädigste!«, charmierte Swoboda.

»Ja, von wegen: Gnädigste!«

»Servus, Ignaz!«

»Grüß dich, Swoboda, alter Bazi.«

»Aber sag einmal, Swoboda, was war denn in der vergangenen Nacht auf der Wolzmüller-Alm los?«

»Hinter alle Einzelheiten steige ich auch nicht. Ich habe ein Referat da oben gehalten, und dann ist der Palawatsch passiert. Eigentlich wollte ich euch schon früher besuchen, ganz gemütlich und entspannt. Aber wir haben alle ganz schnell verschwinden müssen. Dann habe ich den Auftrag bekommen, einen Russen, den Flassi, in Sicherheit zu bringen, den habe ich in Tirol zwischengelagert. Ich hau auch gleich wieder ab, ich will mich im Kurort nicht länger als unbedingt nötig aufhalten.«

»Ein Referat hast du gehalten? Bist du jetzt unter die Unternehmensberater gegangen?«

»So ist es«, sagte Swoboda nicht ohne Stolz. »Und zwar eines über die modernsten Entwicklungen im Spurenverwischbereich und DNA-Fälschungsgeschäft. Aber ich bin fast ein bisserl nervös geworden. Denn die absolut genialste Spurenverwischerin war ja höchstpersönlich angekündigt –«

Swoboda beugte sich über das Grab des Baurats Gramml, er sprach leise, mit einer Mischung aus tiefer Ehrfurcht und professioneller Vorsicht.

»Die Äbtissin! Stellt euch vor! Alle haben schon von ihr geredet. Was heißt geredet – geschwärmt haben sie von der Frau. Die begnadetste Knipserin, die es je gegeben hat! Sie soll den Padrone Cesselli erledigt haben, damals, gerade noch rechtzeitig, bevor der Staatsanwalt ihn ausquetschen konnte. Oder Vardan Vardanovich Kushnir, den mächtigsten Spamkönig von Russland, der scheinbar so perfekt abgeschirmt war – den hat sie umgelegt. Und das ist schon was, nach Russland hineinzumarschieren und um alle Bruderschaften, die es dort gibt, gesund herumzukommen. Ihr könnt euch vorstellen, wie die alle gespannt waren auf die Äbtissin! Und dann liegt die tot unter einem Baum! Unglaublich. Der Ausweis war natürlich falsch, aber ihr Bild war ja drin, das haben alle gesehen.«

»Es war ein Treffen von Auftragskillern?«, rumpelte Ignaz unvorsichtig heraus. Ein altes Gießkannenweiblein war vorbeigegangen. Sie grüßte freundlich. Sie hatte wohl nichts gehört. Vermutlich konnte sie mit dem Begriff auch gar nichts anfangen.

»Ich rate euch, äußerst vorsichtig zu sein«, sagte Swoboda ernst. »Das ist kein Kinderfasching. Da geht es nicht um ein paar Schläger und Striezis, da geht es um die internationale Crème der Ausknipser und Terminatoren. Der Flassi war da und die zwei Italiener natürlich, dann der Franzose mit seinem geschleckten Outfit. Hat mich gewundert, dass der überhaupt sein Jackett ausgezogen hat bei der Hitze. Der soll in Frankreich einiges durcheinandergewirbelt haben. In der hohen Politik sogar. Weiß mans. Geredet wird viel. Auch in diesem Geschäft.«

»Aber sag einmal, Swoboda«, unterbrach Ursel. »Wer hat so eine geniale Person erledigt? Das muss doch jemand von den Teilnehmern gewesen sein.«

»Ich bin mir nicht sicher«, murmelte Swoboda in seinen falschen Geißbart, den er sich wieder angeklebt hatte. »Möglich ist das, ja. Was hätte das aber für einen Sinn! Um die Aufträge der Äbtissin zu übernehmen? Kann ich mir nicht vorstellen. Um ein Zeichen zu setzen? Aber was für eines? Ein mögliches Szenario könnte folgendes sein: Jemand kommt von außerhalb auf die Alm. Die Seminarteilnehmer sind sich allzu sicher da droben, sie werden leichtsinnig und unaufmerksam. Und dann schlägt er zu. Hart und professionell. Er lenkt den Verdacht natürlich auf niemand anderen als auf die versammelte Killerelite, und die müssen schnellstens verschwinden. Die Polizei kommt, meint, sie sind deshalb abgehauen, weil sie etwas mit dem Mord zu tun haben. Die Haberer finden niemanden, stellen die Ermittlungen ein. In Wirklichkeit ist es aber vielleicht jemand aus dem Kurort, jemand direkt in ihrer unmittelbaren Nähe. Das wär doch ein geniales Manöver!«

»Ja, sag einmal, Swoboda, hast du vielleicht selbst –«

Der Österreicher lachte auf.

»Aber was denkt ihr denn! Ich bin ein Strofinaccio, ein Ausputzer und Problemlöser – und kein Knipser.«

»Die Ermittlungen werden noch ganz schön kompliziert werden«, sagte Ignaz.

»Bloß gut, dass wir uns da rausgehalten haben«, sagte Ursel stirnrunzelnd.

Ignaz wandte sich an Swoboda. »Aber sag einmal: Warum bist du wieder zurückgekommen? Hast du uns vielleicht etwas mitgebracht?«

Swoboda nahm seinen Rucksack ab. Er stellte ihn, ohne die Gesetze der Pietät weiter zu beachten, auf den breiten Lockenkopf eines gipsernen Engels, der das Grab des ehemaligen Baurats Gramml schmückte. Er öffnete den Rucksack langsam und bedächtig. Ursel und Ignaz warfen einen Blick hinein. Ursel schnappte nach Luft. Ignaz schluckte.

Die Graseggers waren momentan knapp bei Kasse. Ihr Vermögen war eingezogen worden, und an die umfangreichen Schwarzgelder in Italien kamen sie nicht heran. Zudem hatten sie Berufsverbot. Sie durften nicht mehr als Bestatter arbeiten. So lauteten nun einmal die Bewährungsauflagen. Swoboda holte aus dem Rucksack etwas heraus, das wie ein in Zeitungspapier eingeschlagenes Brotzeitweckerl aussah, ein italienisches Brotzeitweckerl allerdings, denn das schwere Trumm war in den *Corriere della Sera* eingewickelt.

Das hätte Ursel nicht erwartet. Ihre Nüstern bebten, ihre

Hände zitterten. Sie öffnete ihre Handtasche, und Swoboda ließ das Objekt hineingleiten.

»Und was ist das gute Stück wert?«

»Achtzig- oder neunzigtausend schon. Ich habe mir gedacht, in Zeiten des bargeldlosen Zahlungsverkehrs ist das das Beste. Damit ihr nicht dauernd eure Kinder anpumpen müsst.«

»Aber ein Goldbarren! Wie sollen wir den verflüssigen? Wir bräuchten eigentlich sofort was!«

»Verflüssigen ist ein gutes Stichwort. Ihr feilt ein Stückerl ab, so um die fünf Gramm etwa, schmelzt es ein und werft es in kaltes Wasser, so wie beim Bleigießen an Silvester. Es muss am Ende so aussehen wie abgelöstes Zahngold. Dann macht ihr eine schöne Rundreise und klappert die Geschäfte ab, die Bares gegen Zahngold bieten. Davon gibt es reichlich. Und nie vergessen: Nicht gierig werden – immer kleine Mengen anbieten.«

Swoboda verschwand so schnell, wie er gekommen war. Der Spätnachmittag wurde fest und golden, wie der Barren in Ursels Handtasche. Ursel griff hinein und betastete das preziöse Weckerl immer und immer wieder.

»Warte halt, bis wir daheim sind«, mahnte Ignaz.

»Schade, dass wir den zerstückeln müssen, wirklich jammerschade.«

»Komm, gehen wir ins Polizeirevier, unsere tägliche Pflicht erfüllen.«

Die Sonne tauchte jetzt ins Kramermassiv ein. Die ehemaligen Bestatter gingen die Reihen der Gräber entlang. Sie nickten und grüßten nach allen Seiten. Wem hatten sie nicht alles den letzten Dienst erwiesen! Einem ehemaligen Bürgermeister (schlicht), einem Ritter der Ehrenlegion (angemessen protzig), einer altehrwürdigen Werdenfelser Familie (Granit). Und am Ende der Reihe stand, reichlich prächtig für einen ehemaligen Almbauern:

Hier »ruht«
ANDREAS WOLZMÜLLER
vulgo Dicktl Anderl
Almwirt, Privatier
1929 – 1995

Droben am Berg bist du gewesen,
nah beim Herrgott hast du gmaht,
Kühe gmolken, Fremde gfüttert,
und dann hats dich obidraht!

Die Anführungszeichen bei »ruht« konnte man, wie heutzutage üblich, als Verstärkung des Gesagten verstehen: Heute »frische« Weißwürste. Man konnte natürlich auch einen ketzerischen Zweifel an der katholischen Auferstehungstheorie herauslesen: Ruhte er vielleicht gar nicht in der Erde, sondern war er in eine hinduistische Wolke reinkarniert, der alte Wolzmüller? Kaum jemand dachte an die naheliegende Erklärung des in Gänsefüßchen Ruhenden: Dass nämlich der Wolzmüller gar nicht in *diesem* Grabe ruhte, sondern ganz woanders. Es gab Gräber, da waren mehr Leichen drin, als die Bestattungsordnung zuließ. Es gab jedoch auch den umgekehrten Fall. Ein Grab mit allem Pipapo, von der Inschrift bis zur Bepflanzung, doch die Gebeine lagen woanders. Die Graseggers mussten es wissen.

»Weißt du noch? Wie wir den Wolzmüller Andreas droben auf seiner Alm eingegraben haben?«

»Ja, ich erinnere mich noch genau. Und der Bub von ihm? Der müsste doch auch schon fünfzig sein. Lebt der eigentlich noch?«

»Der Michl, freilich lebt der noch, draußen in Grainau.«

»Armer Teufel. Aber ein guter Maler soll er einmal gewesen sein.«

22

Francisco de Goya malte zwischen 1797 und 1805 die beiden berühmten Bilder *La maja vestida* (Die bekleidete Maja) und *La maja desnuda* (Die nackte Maja). Was aber weniger bekannt ist: 1798 kam *La maja sotobosque* (Maja im Unterholz) dazu. Dieser Halbakt vereint die Vorzüge und Nachteile beider Bilder. Es zeigt wahrscheinlich die 13. Herzogin von Alba, sich hinter einem dichten Strauch verbergend.

Und was für ein guter Maler der junge Wolzmüller Michl vor dreißig Jahren war! Gut ist gar kein Ausdruck. Genial war er. Faul, aber genial. Und er stünde vielleicht schon in jedem Lexikon der modernen Kunst, wenn er sich nicht im Gestrüpp der Kunstmafia verheddert hätte, damals, Mitte der Achtziger.

»Aber was hast du denn da für ein grausliges Bild hängen!«, rief Möbius entsetzt aus. Er war das erste Mal in Michls Stube. Sie war sehr spartanisch, sehr dürftig eingerichtet, wie bei ganz großen Malern eben üblich. Das einzig Bequeme war ein flauschiges Bett, ein Faulbett, das mit mehreren Decken und Kissen vollgestopft war. Der Komponist Gioacchino Rossini hat so eines gehabt. Und er hat es, ähnlich wie Marcel Proust, nicht verlassen. Er soll den »Barbier von Sevilla« (auch der steht meist in Anführungsstrichen) darin komponiert haben, angeblich in zwei Wochen. Dann aber: Ein offenes Fenster, ein Luftzug, und die Ouvertüre soll ihm aus dem Bett gefallen sein.
Zu faul zum Aufstehen, hat er einfach eine zweite

komponiert. So einer war auch der Wolzmüller Michl. Zwischen den Laken und Decken lagen viele Stifte, Wachsmalkreiden – sogar offene Ölfarbentuben, denn der Michl war inzwischen auch technisch einigermaßen fortgeschritten. Aber hauptsächlich interessierte er sich für die unfarbige Zeichenkunst, und so lagen Dutzende von Zimmermannsbleistiften im Bett, in verschiedenen Verbrauchtheitszuständen.

»Aber das schlechte Bild!«, rief Möbius. »Um Gottes willen, warum hängst du das nicht ab! Das inspiriert dich doch überhaupt nicht!«

»Eben schon«, sagte der Michl.

Das Bild zeigte – was denn auch anderes – einen alten Bauern des Kurorts, der in der Frühlingstraße zufrieden grinsend auf einer mit Schnitzereien verzierten Bank saß und ein Pfeiflein schmauchte. Im Hintergrund bot sich die übliche Werdenfelser Dreifaltigkeit dar, bestehend aus Alpspitze (Vater), Waxensteine (die Söhne) und Zugspitze (der Heilige Geist); aber alles, vom alten Bauern über das Grinsen bis zu den Bergen, all das war so erdhöhlenschlecht gemalt, wie es Möbius noch nie im Leben gesehen hatte. Die Perspektiven stimmten hinten und vorne nicht, die Farbränder liefen übereinander, Schraffuren reichten über die Begrenzung hinaus, man konnte die Skizzenstriche erkennen –

»Das Bild ist von mir«, gab der Michl schließlich zu. »Ich habe alles so gemalt, wie es *nicht* gehört. Da lernt man am meisten. Wenn man es zuerst so macht, wie es nicht gehört, dann sieht man am deutlichsten, wie es gehört.«

Der Satz sollte später in vielen kunstgeschichtlichen Lexika stehen, allerdings mit falscher Quellenangabe.

»Ich werde es mir merken«, sagte Möbius.

»Und was machen wir heute?«

»Aktzeichnen.«

»Was soll das bringen?«

Ja, was sollte das wohl wieder bringen? Aktzeichnen, Landschaftsmalerei, Portraits, Stillleben?

»Das Studium des menschlichen Körpers. Das Gefühl für Proportionen –«

Der Michl nahm einen Zimmermannsbleistift hinter dem Ohr hervor, spitzte ihn mit dem Taschenfeitel, griff nach einem Blatt und setzte den ersten Strich darauf.

»Mooooment!«

»Was gibt es denn noch?«

»Ein Modell habe ich für dich dabei.«

»Wen?«

»Die Rosner Resl.«

»Die im Wirtshaus zur Roten Katz Bedienung ist? Die kenn ich.«

»Aber nicht nackert.«

»Ich hab sie einmal barfuß gesehen, das genügt mir.«

»Aber sie wartet draußen –«

»Schick sie wieder weg. Ich zeichne auch ohne sie einen Akt. Ich hab es nicht gerne, wenn jemand zuschaut. Ich mach es auswendig.«

»Auswendig, soso.«

Frank Möbius ging hinaus und erklärte der Rosner Resl die Sachlage. Es täte ihm leid, aber sie wäre umsonst heraufgekommen. Sie würde aber die vereinbarte Entlohnung für das Modellstehen trotzdem bekommen.

»So eine Sau, so eine perverse!«

Die Rosner Resl war entrüstet. Sie war auf die Alm gestiegen in der Hoffnung, sich auf diese Weise Eingang in den Louvre zu verschaffen. Wutschnaubend stapfte sie wieder hinunter ins Dorf.

»Du schließt von den Füßen auf den ganzen Körper?«

Michl schwieg. Pars pro toto, hätte er geantwortet, wenn er Latein gekonnt hätte. So nahm er den Zimmermannsbleistift in die Faust und wischte ein paar Striche hin. Er zerknüllte das Papier und begann erneut. Möbius schlich hinaus. Wenn der Michl so drauf war, dann durfte man ihn nicht anreden.

»Und, wie gehts so dahin?«, fragte der alte Wolzmüller-Bauer.

Die Geschäfte von Möbius liefen gut. Sehr gut.

23

Don Quijote Sancho, treuer Begleiter, siehst du den Hochwald, der sich vor uns aufbäumt?
Sancho Panza Herr, wir liegen am Boden und sehen lediglich Gehölz, in dem wir feststecken.
Don Quijote Aber was für Palisandergehölz, um das sich Walnuss, Teak und Kirschbaum rankt!
Sancho Panza Herr, es ist die Gemeine Stechwinde, die uns zu schaffen macht.
Don Quijote Sancho, du machst es dir wie immer zu einfach.

Aus dem Ausstellungskatalog des Frankfurter Museums für Moderne Kunst. Expertise von Annika Hüttenrauch.

Und schon wieder haben wir einen echten Fuselitz entdeckt! Wieder ist eine Aktzeichnung aus dem Nachlass aufgetaucht. Aber ist es überhaupt eine Aktzeichnung? Ich würde fast sagen: Es ist mehr als das, es ist eine Arbeit, die den Akt gleichzeitig in Frage stellt, ad absurdum führt und weiterentwickelt. Fuselitz ist tot – es lebe Fuselitz. Diese Zeichnung, die er selbst bescheiden *Halbakt* genannt hat, zeigt weibliche Füße – aber was für Füße! In seiner unverwechselbaren subjektiv-geometrischen Sichtweise (die die typisch Velázquez'sche Angst vor der Leere des Blattes mit der rasenden Kühnheit des mittleren Watteau verbindet) mischt er die irrealen Perspektiven Picassos, die hie und da zwischen der strengen Handhabung Liebermann'scher Gestaltungslogik aufblitzen, lässt einer

ungeahnten eigenen Originalität freien Raum, die den vorgegebenen Konstruktivismus Dalís (und manchmal, bei den Schraffierungen, auch den von Chagall) überflügelt und vergessen macht. Um es auf den Punkt zu bringen: So hat man weibliche Füße noch nie gesehen. Man spürt in den Füßen quasi den Körper der ganzen Frau. Ein schwächerer Künstler als Fuselitz hätte die Frau ganz und gar hingezeichnet, doch gerade die Leerstelle zeichnet ihn aus. Das leere Sofa, die leichten Abdrücke darin – und die unten stehenden Füße.
Einer der gelungensten Halbakte der Kunstgeschichte – Eine Essenz des menschlichen Körpers – Der Höhepunkt des posterotischen Destruktivismus. Man darf nach diesem genialen Wurf gespannt sein, was aus dem Nachlass des Meisters noch alles auftaucht.

Aufsatz »Ein Museumsbesuch«. Von Tobi, 9 Jahre.

Wir sind ins Museum gegangen und haben dort viel gesehen, bevor es was zu essen gegeben hat. Am besten hat mir ein Bild von Fuselitz gefallen. Das war ein einziges Gestrichel und Gezittere, ein wildes Rumgeschmiere, wie wir das in der Schule nie hätten machen dürfen. Aber je mehr man hingeschaut hat auf das Gekritzel, hat man die Füße der Frau gesehen, wie sie am Boden gestanden sind. Die Frau selbst ist nicht auf dem Sofa gesessen, aber man hat sich das vorstellen können. Besser natürlich als umgekehrt, als wenn man die Frau auf dem Sofa wirklich gesehen hätte, und man hätte sich die fehlenden Füße vorstellen müssen. So hat der Zeichner dann im Endeffekt schon ein gutes Bild gezeichnet.

Yasmina Reza, »Kunst«. Ein Miniaturdrama.

(Ein Mann in einer Galerie. Er steht vor einem Bild von Fuselitz und betrachtet es.)

Mann Das kann ich auch.

(Ein zweiter Mann tritt hinzu.)

Zweiter Mann Banause!

Mann *Sie* sind der Banause. Ich bin Fuselitz.

Zweiter Mann Wer ist Fuselitz?

Mann Sehen Sie.

Zeitungsnotiz.

Vergangenes Wochenende wurde die Bleistiftzeichnung *Halbakt* von Kai Fuselitz, 34 mal 57 Zentimeter, leicht eingerissen, gekauft. Über den Erlös ist nur so viel durchgesickert, dass er siebenstellig gewesen sein soll.

24

Vom Seil gehen, aus der Wand fallen, im Flug noch rechts die Kampenwand sehen, den Flachmann machen, die Luftgrätsche geben, herunterhyperbeln, sich der x-Achse annähern, im Unterholz landen …
Ausdrücke für »abstürzen« in der Bergsteigersprache

Die Internistin stellte ihren Rucksack auf den steinigen Boden des Wanderwegs. Dann drehte sie sich nach hinten, holte weit aus wie eine Speerwerferin und schleuderte das Kerngehäuse eines Apfels über die Felskante der Törlspitze. Sie beugte sich vorsichtig über den Abgrund und sah dem Apfelbutzen zu, wie er langsam die drei- oder vierhundert Meter nach unten trudelte. Der Neurologe mit den sächsischen Grenzschützerwurzeln griff in die Seitentasche seines Rucksacks, holte einen zerbeulten Flachmann heraus und summte ein Lied, das irisch klang.

»Meine Ration für Notfälle«, sagte er. »Bergnot, du verstehst. Single Malt Scotch, fünfundzwanzig Jahre alt. Passt auch besser zu der Törlspitze als dein oller Granny Smith.«

Er schraubte das Fläschchen auf und nahm einen Schluck.

»Du auch?«

»Nein danke.«

Der Neurologe begann, ein paar Tropfen des Flachmanninhalts vorsichtig über die Felskante zu gießen.

»Eine Opfergabe? Für wen?«

»Ich weiß nicht, vielleicht für die vier bayrischen Luftburschen.«

Er hielt den Flachmann in die Höhe.

»Auf Gustl, Hias, Blasi und Naaz!«

Die goldene Flüssigkeit rann langsam den Kalkstein hinunter. Der Single Malt ließ sich Zeit, er floss träge und ölig über die Kante. Der Geruch, der aufstieg, war bitter und herb-süßlich, wie ein Hauch von dudelsackumklungenen schottischen Highlands, der sich hervorragend ins Derb-Würzige des bayrischen Alpenlands einfügte – Freistaat ist Freistaat.

Die beiden Mediziner waren frei von jeder Höhenangst, sie traten noch einen Schritt näher an den Abgrund. Sie suchten festen Stand und blickten hinunter. Einige Steinchen kullerten in die Tiefe. Momentan herrschte absolute Windstille. Der Neurologe faltete eine Karte des Werdenfelser Landes auf, hob den Arm und zeigte hinüber. Das Panorama auf der anderen Seite des Tales wurde dominiert von dem bewaldeten Ungetüm des Kramergebirges.

»Ist das da drüben der Königstand?«, fragte die Internistin.

Der Neurologe nahm das Fernrohr aus dem Rucksack. Er fuhr damit die gegenüberliegenden Berge ab und reichte es der Internistin.

»Das windschiefe Ding neben der Kramerspitze? Ich glaube eher, dass das der Felderkopf ist.«

»Der Felderkopf, ja. Die Wolzmüller-Alm kann man von hier aus überhaupt nicht sehen. Schade.«

»Jetzt tut es mir fast leid, dass wir gestern nicht rübergegangen sind.«

Die zwei Gipfelstürmer hatten noch keine Nachrichten gelesen oder gehört. Sie hatten nichts von den Vorfällen auf der Alm mitbekommen. Sie hatten zwar eine Frau mit Hut unter einem Baum liegen sehen, aber sie wussten nicht, dass sie Zeugen eines Mordes waren. Gestern Abend war es spät geworden in der

Kneipe, andere Gäste hatten ebenfalls launige Berggeschichten zum Besten gegeben und dazu reichlich Gipfelgurkis gekippt, darum hatten die beiden heute Morgen verschlafen. Sie waren später aufgebrochen als sonst, mittags in Richtung Meilerhütte marschiert, waren in der Augusthitze umhergewandert und standen jetzt direkt am Abgrund.

»Da, kuck nach unten, da springt eine Gemse!«

»Nein, schau, das ist ja ein ganzes Rudel!«

»Meinst du, der Apfelbutzen ist schon unten?«

»Ich weiß nicht, wie lang so ein Apfelbutzen braucht.«

Sie schwiegen und genossen die spätnachmittägliche, von Minute zu Minute schwächer werdende schwüle Hitze.

»Brechen wir langsam auf?«

»Warten wir das Sieben-Uhr-Läuten noch ab, das klingt hier oben immer besonders schön. Wenn wirs dann packen, sind wir um neun Uhr unten.«

»Außer wir machen noch einen Umweg über den Krummbieglkopf. Du, schau: schon wieder eine Gemse!«

Sie beugten sich noch weiter und noch kühner über die Kante. Gute dreihundert Meter ging es steil bergab. Unten war dichter Wald zu sehen. Beide waren zwar schwindelfrei, aber langsam stieg doch das gewisse süße Unbehagen auf, der Thrill der Tiefe. Diese Felskante war nicht mit preußenfreundlichen Geländern gesichert – da hätte man ja auch viel sichern müssen in den Alpen. Die Internistin drehte sich um. Sie hatte ein Geräusch gehört. Ein paar Steinchen kamen ihr entgegengekullert. Ein großgewachsener Mann war gerade dabei, auf das kleine Hochplateau der Törlspitze zu klettern, er war nur noch fünfzehn oder zwanzig Meter von ihnen entfernt. Er hatte die Sonne im Rücken, man sah kaum mehr als seine Silhouette. Er kam direkt auf sie zu.

Der Neurologe riss die Augen auf.

»Aber das gibts doch nicht – das ist ja –«, stotterte er.

Er ließ vor Schreck die Landkarte fahren. Der Plan des Werdenfelser Landes im Maßstab 1 : 10000 flatterte hinunter wie ein bunter Vogel, der endlich in die Freiheit entlassen wurde.

Die Gestalt warf einen Schatten auf den Neurologen. Dann wurde es kalt und still.

25

> A cow with its tail to the sky
> makes the weather sunny and dry,
> A cow with its tail in the brush
> makes a terrible weather gush.
> *Schottische Bauernregel in bedauerlichem Englisch*

Es war kurz vor sechs Uhr abends. Die Luft im Talkessel perlte quirlig und frisch wie Champagner, die ersten Föhnwolken schluderten lässig über die Wettersteinwände. Ein warmer Südwest trieb eine Armada von Brennnesselpollen durch den Ort. Ignaz und Ursel Grasegger schlenderten auf das örtliche Polizeirevier zu. Je näher sie kamen, desto langsamer wurden sie. Schließlich blieb Ursel stehen, sie sah sich um und vergewisserte sich, dass sie alleine waren.

»Ignaz, ich wette, dass sie uns gleich eine Kopie des Passfotos zeigen. Sie werden uns fragen, ob wir die Frau kennen. Haben wir es wirklich drauf, nein zu sagen, ohne mit der Wimper zu zucken?«

»Da hast du recht. Die Psychologin kann man vielleicht noch überlisten. Aber der Jennerwein, das ist ein Fuchs. Der durchschaut uns sofort.«

»Also, was schlägst du vor?«

»Ich weiß nicht so recht. Wir sollten es nicht darauf ankommen lassen.«

Ursels Blick verfing sich in den wilden Brennnesselfeldern am Ufer der Loisach.

»Ich glaube, ich habe eine Idee«, sagte sie listig.

Im Besprechungszimmer des Polizeireviers stand eine plumpe, nicht eben modische Damenhandtasche auf dem runden Tisch. Sie war leer, ihr Inhalt war schön säuberlich daneben ausgebreitet.

»Wie Sie sehen«, dozierte Frau Dr. Maria Schmalfuß, »haben sich keinerlei außergewöhnliche Gegenstände in der Tasche befunden.« Bedeutungsvoll fügte sie hinzu: »Auf den ersten Blick nicht.«

Alle beugten sich vor, um den Krimskrams in Augenschein zu nehmen: ein Päckchen Papiertaschentücher, zwei Augenbrauenstifte, ein Kugelschreiber, ein Bleistiftstummel, ein Lippenstift, ein eingeschweißtes Büchlein mit Sinnsprüchen, ein Parfümfläschchen, eine Cremedose, ein unbenutztes Nähset, ein Prospekt mit Restaurant-Empfehlungen und vieles mehr.

»Was Ihnen vermutlich als Erstes auffällt, ist die Tatsache, dass nichts Persönliches dabei ist, kein Adressbuch, kein Notizheft, auch keine sonstigen handgeschriebenen Zeilen. Gut, das ist im digitalen Zeitalter nichts Besonderes. Alles Persönliche ist heutzutage auf dem Handy gespeichert. Luisa-Maria kann so ein Ding in ihrer Hosentasche getragen haben, der Mörder kann es ihr nach der Tat abgenommen haben.«

»Und? Was soll uns das bringen?«, fragte Stengele ungeduldig. Schon in der Schule hatte er es gehasst, wenn Lehrer das Ergebnis künstlich hinausgezögert hatten. Maria Schmalfuß erinnerte ihn stark an seinen alten Mathematiklehrer.

»Ich führe Ihnen das, worauf ich hinauswill, am besten mal vor.«

Maria erhob sich und schritt in die Mitte des Raums, sie stellte sich so, dass alle sie in voller Größe sehen konnten.

»Fällt Ihnen etwas an mir auf?«

Sechs neugierige Augenpaare waren auf sie gerichtet, die von Becker und der Frau im Rollstuhl, die von Ostler und Stengele, die von Nicole und natürlich die von Jennerwein. Sogar die international gesuchten Verbrecher, die auf den Fahndungsfotos an der Wand zu sehen waren, der Bankräuber, der Feuerteufel und der Gattenmörder, alle schienen Maria kritisch zu mustern. Jennerwein lehnte sich zurück und kniff die Augen zusammen. Maria trug eine mintfarbene Chino-Hose, ein seidiges Top in unschuldigem Cremeweiß, darüber einen pfirsichfarbenen Kurzblazer und einen Schal.

»Und, was meinen Sie?«

Sie setzte ein Bein vor das andere, so dass die Blicke zu den ebenfalls pfirsichfarbenen Plateau-Sandalen gelenkt wurden.

»Gut sehen Sie aus«, sagte Jennerwein.

Maria lächelte.

»Danke, Hubertus, aber das meine ich nicht.«

Ostler kratzte sich am Hinterkopf.

»Ja, Frau Schmalfuß, Sie haben sich umgezogen. Ist es das?«

»Gut beobachtet. Aber meine anderen Klamotten waren klatschnass. Auf den Kleiderwechsel allein will ich auch nicht hinaus.«

»Der Baumwollschal«, sagte Hansjochen Becker, »er scheint mir aus irgendeinem Grund nicht zum Rest der Kleidung zu passen.«

»Sehr gut!«, rief Maria entzückt aus. »Sie sind schon ganz nahe dran.«

Die Gerichtsmedizinerin meldete sich zu Wort.

»Übersehen wir vielleicht irgendwas an der Farbzusammenstellung? Tragen Sie unpassende Kombinationen? Sind hochhackige Schuhe zu dieser Hose absolut unmöglich?«

»Das ist es nicht. Es ist etwas an mir, das man bemerken müsste, ohne sich in Mode- oder überhaupt in Kleidungsfragen auszukennen. Selbst einem absoluten Dressmuffel müsste es auffallen.«

Maria konnte jetzt gar nicht anders, als Stengele einen giftigen Sekundenblick hinzuklatschen. Becker schlug sich mit der Hand an die Stirn.

»Bei meiner Spurensichererehre! Wie konnte ich das übersehen: Sie haben sich von Kopf bis Fuß neu eingekleidet! Die Kleider sehen völlig ungetragen aus, wie gerade frisch ausgepackt.«

»Richtig, Becker! Die Kleider sind nigelnagelneu. Ich habe alles einschließlich der Schuhe vor drei Stunden gekauft, gleich nachdem ich von der Alm gekommen bin. Ich habe sie im Geschäft angezogen und gleich anbehalten. Nur den Schal habe ich wieder umgelegt. Und das ist das, was Ihnen unnatürlich vorkommt. Wenn etwas absolut unzerknittert ist, ohne jede Gebrauchsspur, ohne den Hauch einer Falte, ohne ein Staubkörnchen – dann fällt das genauso auf wie wenn jemandem eine Nudel an der Nase klebt.«

»Und was hat das schließlich mit der Handtasche zu tun?«, unterbrach Stengele genervt.

»Alles. Sie ist nämlich ebenfalls nagelneu. Gut, das könnte man noch damit erklären, dass sich die Frau vor ihrer Reise noch eine Handtasche gekauft hat. Aber kauft man den Inhalt auch neu? Sämtliche zweiundzwanzig Dinge, die hier auf dem Tisch liegen – nagelneu?«

Alle beugten sich nun über die ausgebreiteten Gegenstände, um sie zu inspizieren.

»Aber sehen Sie«, sagte Nicole Schwattke, »der Augenbrauenstift, der ist doch schon runtergespitzt.«

»Der ist gespitzt, ja«, erwiderte Maria. »Aber es ist ein Unterschied zwischen einem neuen, angespitzten Stift und einem Stift, der schon wochenlang in Gebrauch ist. Dieser hier weist überhaupt keine Gebrauchsspuren auf.«

»Sie denken also, dass die Handtasche eigens für uns präpariert wurde«, stellte Jennerwein nachdenklich fest. »Sie meinen, dass wir als Ermittler in eine bestimmte Richtung gelenkt werden sollen.«

»Ja, wenn ich es recht überlege«, fügte Becker hinzu. »Ich habe den Eindruck, dass einige Dinge auf der Alm inszeniert wurden.«

»Bei der Handtasche glaube ich ganz fest daran«, fuhr Maria fort. »Aber bei dieser falschen Spur wurden meiner Ansicht nach einige Fehler gemacht. Sehen sie her. Ich habe hier einen blauen Eyeliner. Dazu Lidschatten in sämtlichen Grüntönen, ein Döschen Rouge, ein knallroter Lippenstift und reichlich Puder. Das ist viel Schminke für eine Frau, die auf ihrem Passfoto überhaupt nicht geschminkt ist. Und noch was. Gibt es jemanden unter Ihnen, der findet, dass blauer Eyeliner und grüner Lidschatten zusammenpassen?«

»Wenn Sie die die Frage so stellen, dann wahrscheinlich nicht«, gab Nicole zurück.

Jennerwein schüttelte den Kopf. Wieder schien etwas in ihm zu arbeiten.

»Maria, was wollen Sie damit sagen? Dass es eine gefakte Identität ist? Dass wir an der Nase herumgeführt werden sollen?«

»Wir – oder jemand anders«, antwortete Maria.

Jennerwein sah sie nachdenklich an.

»Meinen Sie –«

»Aber andererseits könnte es doch auch eine Frau sein, die auf solche Sachen keinen besonderen Wert legt«, unterbrach Nicole. Die Recklinghäuserin gab nicht auf. Sie stand auf einfache, naheliegende Erklärungen. »Wie zum Beispiel ich. Ich lege auf solche Sachen überhaupt keinen Wert. In meiner Handtasche wird man vielleicht auch viel Unpassendes finden. Es könnte doch sein, dass es Luisa-Maria einfach eilig hatte. Sie ist in ein Kaufhaus gegangen, hat sich das Zeug zusammengekauft und ist damit hierhergefahren.«

»Nicht so schnell, Nicole«, sagte Jennerwein. »Darin könnte eine Spur liegen.«

»Aber –«

Hölleisen steckte den Kopf zur Türe herein.

»Wir haben Besuch. Sie wollten, dass ich Sie benachrichtige, Chef.«

Jennerwein erhob sich. Er und Ostler nickten sich zu.

»Bevor wir gehen, eines noch«, sagte Jennerwein. »Ich weiß, dass die Familie Grasegger zum Ortsbild gehört und auch bei Ihnen viel Sympathie genießt. Dennoch sollten wir nicht außer Acht lassen, dass es sich um verurteilte Straftäter mit ausgezeichneten Kontakten zur Mafia handelt. Sie dürfen keinesfalls Verdacht schöpfen, dass wir sie für unsere Zwecke benutzen. Und niemals dürfen sie Kenntnis über den Stand unserer Ermittlungen erhalten. Wir können ihnen nicht trauen.«

»Wir stellen ihnen ja nur eine Frage«, sagte Ostler.

»Eine einzige Frage, mehr nicht.«

»So, dann sieht man sich auch einmal wieder«, schmunzelte Ignaz Grasegger im Vorraum des Polizeireviers.

»Ja, so schnell sieht man sich wieder«, doppelte Jennerwein.

»Wir kommen zur üblichen Besuchszeit«, sagte Ursel und schniefte. »Immer kurz vor dem Abendgebet.«

»Ja, das glaube ich Ihnen gerne, das mit dem Abendgebet«, sagte Jennerwein.

Maria war mit ihm durch die Tür geschlüpft, sie beobachtete die Szene aus dem Hintergrund. Das war so besprochen. Die Graseggers würdigten die Psychologin keines Blickes. Sie ließen sich durch diese eindeutige Beobachtungsposition nicht aus der Ruhe bringen. Profis, dachte Maria. Drei Jahre Italien haben sie zu Meistern der Coolness gemacht.

»Sie haben sicher schon von den Ereignissen auf der Wolzmüller-Alm gehört?«, fragte Jennerwein.

»Ja, flüchtig.«

»Kennen Sie diese Frau?«, sagte Jennerwein so beiläufig wie möglich. Er hielt ihnen das vergrößerte Passfoto entgegen.

Sowohl Ignaz als auch Ursel hatten das Bild heute Nacht schon einmal gesehen. Sie wussten, wer die Frau war. Sie hatten Padrone Spalanzanis *Finger weg!* noch im Ohr beziehungsweise vor Augen. Sie wussten, dass sie jetzt gezuckt hätten. Oder dass sie auf übertriebene Weise *nicht* gezuckt hätten. Jennerwein und Maria hofften auf diesen Effekt. Die Graseggers hatten jedoch Vorkehrungen getroffen. Ignaz beugte sich als Erster über das Bild. Er kniff die Augen zusammen.

»Ach, entschuldigen Sie, Herr Kommissar – hatschi!«

Ignaz drehte sich um und putzte sich die Nase.

»Nein, kenn ich nicht«, schniefte er und blinzelte mit geröteten Augen zu dem Bild hin. »Heuschnupfen, unangenehme Sache. Brennnesselpollen, wohin man schaut.«

Fehlversuch, dachte Maria. Profis eben.

»Sie wissen schon, dass Sie sich strafbar machen, wenn Sie etwas verschweigen«, sagte Jennerwein in ruhigem, aber schneidendem Ton. »Da ist es gleich vorbei mit der Bewährung.«

»Natürlich, Herr Kommissar. Selbstverständlich wissen wir das.«

Ursel warf ebenfalls einen kurzen Blick auf das Bild. Auch sie zog die Heuschnupfen-Arie durch.

»Nein, noch nie gesehen. Wer ist das?«

»Das versuchen wir gerade herauszufinden«, sagte Jennerwein.

Das Ehepaar erhob sich. Ursel Grasegger griff in ihre Handtasche, wie um sich zu vergewissern, dass sie nichts vergessen hatte. Ihre Augen weiteten sich. Ignaz bedachte sie mit einem strafenden Blick.

»Auf Wiedersehen, Herr Hauptkommissar. Wenn wir Ihnen sonst noch helfen können –«

Als Maria und Jennerwein alleine waren, standen sie noch eine Weile nachdenklich da.

»Das ist aber ärgerlich!«, sagte Maria. »Wir haben keine Chance gehabt.«

»Einen Versuch war es sicherlich wert«, sagte Jennerwein. »Aber so einfach können wir die nicht packen. Einzeln vielleicht schon. Aber zusammen sind sie unangreifbar.«

»So wie wir, nicht wahr?«

Das war Maria einfach so herausgerutscht. Wieder entstand eine Pause.

»Und Sie haben sich extra wegen der Demonstration neu eingekleidet, Maria?«

»Ich wollte mir ohnehin neue Kleider kaufen. Gefalle ich Ihnen?«

»Natürlich, Sie sehen wie immer –«

Jennerwein zögerte.

»– blendend aus?«, vervollständigte Maria kühn.

»Ich habe nach einem besseren Ausdruck gesucht. Einem originelleren. Nach einem, der Ihnen angemessener ist.«

Maria lächelte. Ihre Zähne blitzten blendend weiß. Einige Türen öffneten sich, und es schwebten Czárdásgeiger herein, die mit prächtigen Kleidern angetan waren. Sie setzten die reichgeschmückten Zedernholzbögen auf die Saiten und strichen warm und weich, entlockten Klänge voll Sehnsucht und unendlicher Nähe. Von der Decke regneten weiße Hyazinthen, und sieben silbergewandete mandeläugige Harfenistinnen griffen beidhändig in die Vollen, um gemeinsam die ewige Tarantella des Herzens anzustimmen. Hubertus neigte den Kopf etwas schräg, ein zaghaftes kleines Lachen entkam ihm. Er ging einen Schritt auf sie zu.

»Maria –«

»Der Bürgermeister hat schon wieder angerufen, Chef.«

Ostler war hereingerumpelt, er blieb stehen, er hatte noch den letzten Rockschoß eines zigeunerhaften Czárdásgeigers erhascht.

»Oh, Entschuldigung, Chef.«

»Ist schon gut.«

Hubertus Jennerwein und Maria Schmalfuß schüttelten sich und folgten Ostler zurück ins Besprechungszimmer.

Dort wurde gerade heiß und kontrovers über die Handtasche und ihren Inhalt diskutiert.

»Ich finde das einen Schmarrn!«, rief Stengele gerade. »Warum soll unser Schatten solch einen Aufwand treiben?«

»Er will nicht, dass man die echte Tasche der Frau findet«, spekulierte Becker, »denn von der würde man auf seine Identität schließen können. Er tauscht die Tasche aus, um die Ermittlungen ins Leere laufen zu lassen. Es ist auf jeden Fall nicht die Tasche der Frau.«

»Vielleicht sollen wir ja nur beschäftigt werden.«

Jennerwein und Maria setzten sich. Es entstand eine kleine Pause.

»Haben die Graseggers gezuckt?«, fragte Stengele.

»Die Graseggers? Nein. Nicht ein bisschen«, sagte Maria.

»Wie besprochen, habe ich das Passbild ins Netz gestellt«, sagte Nicole Schwattke. »Außer den üblichen Hirnis und Nerds – die aber leicht als solche erkennbar sind – kann uns niemand etwas Neues über diese Frau mitteilen. Niemand kennt sie, nirgendwo wird sie vermisst. Der Abgleich mit den Kollegen von Interpol und BKA hat zu keinerlei Ergebnissen geführt. Ihre DNA findet sich in keiner Datenbank. Eine verdeckt agierende Beamtin ist es auch nicht gewesen, das habe ich vorsichtshalber gleich mit überprüft. Ich habe auch mit Facebook, Facetrash und einigen anderen Medienformaten und sozialen Netzwerken gearbeitet, die –«

»– uns alle sicher überfordern würden?«

»Nein, so habe ich es nicht gemeint. Mit ein paar Einführungskursen ginge das schon. Aber lassen Sie mich mal machen. Wir sollten die Hoffnung nicht aufgeben. Morgen erscheint das Bild analog, in den Zeitungen. Warten wir das einmal ab.«

Jennerwein massierte sich die Stirn mit Daumen und Mittelfinger.

»Ein gut gefälschter Personalausweis, der mit viel Aufwand hergestellt wurde und der sicher eine Stange Geld gekostet hat. Eine Handtasche, die vermutlich präpariert wurde, eine Frau, die niemand vermisst, eine wild auseinanderstiebende Schar von Seminarteilnehmern – worauf deutet das Ihrer aller Meinung nach hin?«

»Ich sehe das so«, sagte Stengele. »Die Seminarteilnehmer bewegen sich schwer außerhalb der Legalität. Das sind keine zwielichtigen Treffen von halbseidenen Managern, das sind Kriminelle. Und diese tote Frau ist kein unschuldiges, armes Opfer, sondern diese Frau hat selbst Dreck am Stecken gehabt. Vielleicht hat sie sich mit den Seminaristen angelegt. Die Tötung ist professionell durchgeführt, die Flucht perfekt abgewickelt worden.«

Jennerwein beendete die Massage.

»Wir müssen die wahre Identität von Luisa-Maria unbedingt herausfinden. Sonst haben wir überhaupt keine Chance, den

Mörder zu fassen. Ich schlage folgende Maßnahmen vor: Ostler, Sie reden nochmals mit Ganshagel. Vielleicht fällt ihm noch etwas zu der Frau ein. Hat zum Beispiel einer der Teilnehmer sie vor ihrem Auftauchen erwähnt? Ist sie bei der nachmittäglichen Brotzeit, von der er gesprochen hat, dabei gewesen? Hat er sie bei einem der Seminare gesehen? Wir haben zwar keine Anhaltspunkte, dass Ganshagel etwas mit der Sache zu tun hat, aber bitten Sie ihn trotzdem, dass er in Reichweite bleibt.«

»Ich bin schon unterwegs zu ihm.«

»Maria, wie wäre es, wenn Sie das Foto ein bisschen in der hiesigen Szene herumzeigen?«

»Finde ich eine gute Idee. Ich fange in der Bäckerei Krusti an, dann schau ich beim Metzger Kallinger vorbei. Dort treffe ich sicher einige Kandidaten.«

»Machen Sie das. Nehmen Sie Hölleisen mit. Der weiß, welchen Ratschkatheln man das Bild auch noch unter die Nase halten muss.«

»Ich werde mich mal um den Mageninhalt kümmern«, sagte die Frau im Rollstuhl. »Und um ihre körperliche Verfassung. Ein paar Sachen müsste man noch herauslesen können: Ist sie In- oder Ausländerin gewesen, hat sie Sport getrieben, gibt es körperliche Besonderheiten, hat sie irgendwelche paramilitärische Ausbildung gehabt. Aber das dauert seine Zeit.«

Jennerwein schlug mit der flachen Hand auf den Tisch.

»Das gibt es doch nicht, dass jemand überhaupt keine Spuren hinterlässt.«

Das gab es wohl. Die Äbtissin zum Beispiel war in der Szene schon seit Jahren berühmt dafür, überhaupt keine Spuren zu hinterlassen.

26

Beim Kegeln spricht man von ›Unterholz‹, wenn der (zugegebenermaßen seltene) Fall eintritt, dass die Kugel beim Wurf auf der Abwurflinie liegen bleibt, der Werfer hingegen durch die Wucht des Schwunges auf die Kegelbahn stürzt, weiterschlittert, in Richtung der Kegel rutscht, alle Neune abräumt und schließlich im Schacht landet. (So geschehen beim Deutschen Preiskegelfest 1887 in Leipzig.) Passender Spruch dazu: Gut Unterholz!

Ohne Vorwarnung, in voller Lautstärke begann das Sieben-Uhr-Abendgeläute. Man vernahm die Glocken durch die ganze Gemeinde, sie riefen zur Vespermesse, sie erreichten die Gläubigen und Ungläubigen gleichermaßen, der mahnende Ruf der heiligen Monsterkübel breitete sich im ganzen Kurort aus, er drang ein in die Ohren und Herzen der Zauderer und Zögerer, die in der entsprechenden Bibelstelle gerügt werden, er war schließlich sogar auf den umliegenden Bergen zu hören. Auch der großgewachsene Mann droben auf der Törlspitze vernahm den Chor der kupfernen Kirchgangrufer, aber er achtete nicht weiter darauf. Er trat an den Rand des Abgrunds und blickte hinunter. Er nahm auch keine Notiz von den beiden Medizinern, die vor der bedrohlichen Gestalt beiseitegeschnellt waren und sich vorsichtshalber einige Schritte von dem Mann entfernt hatten, landeinwärts, weg von der Felskante, für alle Fälle.

»Der hat vielleicht Nerven«, sagte die Internistin. »Uns so zu erschrecken. Kennst du den? Wer ist denn das?«

Der Neurologe wischte sich den Schweiß von der Stirn.

»Das ist der Patient, von dem ich dir erzählt habe!«

»Der Demenzkranke?«

»Genau der. So, wie ich das sehe, ist sein Zustand schon ziemlich weit fortgeschritten. Er ist nicht mehr fähig, sich an bekannte Gesichter zu erinnern.«

»Ja, und da ist er ganz allein unterwegs!«

»Nein, das ist er nicht!«

Die Stimme kam aus der gleichen Richtung, aus der auch der Borreliose-Patient gekommen war. Ein junger Bursche mit rotem Gesicht und langen Haaren prustete die letzten Meter herauf.

»Ich bin der Zivildienstleistende von diesem Herrn«, sagte er zu den beiden Medizinern und warf sich erschöpft auf den Boden. »Er weiß nicht mehr, wie viel zwei plus zwei ist, aber Bergsteigen, das kann er noch! Ich bin ihm kaum nachgekommen.«

»Aber das ist doch ziemlich gefährlich!«

»Sie meinen, dass er abstürzt oder so was? Nein, keine Sorge, die Gefahr besteht nicht. Klettern, Gewichtheben, sogar Kajakfahren, das macht er alles noch, ohne dass er sich auch nur einen Kratzer zufügt. Was man mal körperlich eingeübt hat, das behält man. Glauben Sie mir, ich betreue ihn jetzt schon seit drei Monaten. Es gibt Abende, da bin ich fix und fertig.«

Sie traten näher zu dem erschöpften jungen Mann. Er richtete sich auf.

»Aber sagen Sie mal: Sie kenne ich doch! Sie sind Ärzte im Krankenhaus. Ich habe Sie schon lange nicht mehr gesehen.«

»Wir haben uns ein paar Tage freigenommen. Bergsteigen, Wandern, auf Gipfeln rumhängen. Das ist unser Hobby.«

»Dann haben Sie ja gar nicht mitgekriegt, was auf der Wolzmüller-Alm los war.«

»Auf der Wolzmüller-Alm?«, fragte die Internistin verwundert. »Nein, wieso? Was ist da geschehen?«

»Was Genaues weiß man noch nicht. Nachrichtensperre. Die Polizei ermittelt. Eine Leiche ist gefunden worden. Völlig unkenntlich. Von ein paar Verdächtigen haben sie Phantomzeichnungen ins Netz gestellt.«

Der Zivi lachte.

»Sie beide sind übrigens nicht dabei.«

»Da sind wir ja froh.«

»Schade, dass ich hier oben auf meinem Handy keinen Empfang habe. Sonst würde ich ihnen die Verbrechergalerie zeigen. Ein Mann mit Glatze ist mit von der Partie, eine komische Alte mit einer Frisur wie SpongeBob, ein Araber mit einem Tennisball –«

»Wie bitte?«

»Knetet dauernd einen Tennisball. Nach einer Zeugenaussage.«

»Den haben wir doch auch –« Der Neurologe unterbrach sich. »Wann ist der Mord geschehen?«

»Gestern Abend. Beim Sieben-Uhr-Läuten. Also genau vor vierundzwanzig Stunden.«

Die beiden Mediziner erbleichten.

»Wir müssen sofort runter«, sagte die Internistin.

Sie drehten sich um. Der Muskelberg, der am Abgrund gestanden hatte, war nicht mehr zu sehen.

»Verdammt, er ist schon wieder ausgebüxt!«, rief der Zivi. »Helfen Sie mir? Er kann noch nicht weit sein.«

27

Unterholz aus dem Hause Jimmy Shoo

Den großen alpenländischen Kurort, der sich im Werdenfelser Tal hinfläzt wie ein schnarchender Riese mit ausgebreiteten Armen, umkreisen auch ein paar Satelliten, kleine Marktflecken, die sich wie die sieben Zwerge hinter den Bergen verstecken. Grainau gehört dazu, Mittenwald und Oberammergau, ferner Farchant, Hammersbach, Ettal – und schließlich Wamberg. Von jedem der Zwerge gibt es etwas Besonderes zu vermelden. Grainau hat die Zugspitze für sich gepachtet, Mittenwald frönt dem Geigenbau, Oberammergau der Passion Christi, Farchant ist Schauspielerrefugium, Hammersbach ist die eiskalte Pforte zur reißenden Höllentalklamm, Ettal ist benediktinischer Hort der Manneszucht, nur Wamberg hat sich bisher keine international bekannten Meriten erworben.

Doch jetzt war auch in Wamberg etwas Dramatisches geschehen. Franz Hölleisen streckte im Polizeirevier den Kopf durch die Tür des Besprechungszimmers.

»Wir haben einen Hinweis auf einen der Seminarteilnehmer. Ein Anruf aus Wamberg. Von einem Mobiltelefon. Jugendliche haben einen Mann gesehen, auf den ein Phantombild im Internet passt.«

Alle fuhren auf. Nicole Schwattke, die die Phantombilder ins Netz gestellt hatte, stieß die Faust in die Luft.

»Yeah! Es hat geklappt!«

»Warten wirs ab«, sagte Stengele. Doch auch er stand schon.

»Wen von den Seminarteilnehmern wollen die Jugendlichen denn erkannt haben?«, fragte Jennerwein.

»Soweit ich das verstanden habe, ist es der Tunesier, der seinen Namen mit Chokri Gammoudi angegeben hat.«

»Hölleisen, schärfen Sie den Jugendlichen ein, dass sie nichts auf eigene Faust unternehmen sollen. Sie sollen warten, bis wir da sind. Wenn es wirklich einer von den Seminarteilnehmern sein sollte, dann ist äußerste Vorsicht geboten.«

»Geht in Ordnung.«

»Wie weit ist es bis nach Wamberg?«

»Wenn man voll Stoff fährt – etwa zehn Minuten.«

»Ein Zweierteam dürfte genügen«, fuhr Jennerwein entschieden fort. »Ostler, Sie sind ortskundig, Schwattke, Sie sind jung. Fahren Sie los. Und passen Sie auf sich auf.«

Zehn Sekunden später saßen Ostler und Nicole im Auto und fuhren nach Wamberg. Voll Stoff.

Der Tunesier, der seinen Namen mit Chokri angegeben hatte, knetete wie üblich den Tennisball. Das war seine Art, sich zu konzentrieren. Er hatte sich das im Knast angewöhnt. Von heute Morgen bis jetzt war alles nach Plan verlaufen. Er befand sich auf dem Weg zum Krankenhaus, Ganshagel hatte ihm den Weg erklärt. Chokri war gut vorangekommen, obwohl es geregnet hatte wie aus sieben tunesischen Januarhimmeln. Er konnte sich natürlich im Kurort selbst nicht blicken lassen, dieser Hüttenwirt hatte ihm Nebenwege empfohlen. Er war quer durch den Wald über Stock und Stein gelaufen. Er war geklettert und hatte sich durchs dichte Gestrüpp gekämpft. Seine Beine schmerzten, er hatte Hunger und Durst. Aber er war ein harter Hund. Chokri Gammoudi, der Wüstensohn, hatte schon ganz andere Hindernisse überwunden.

Und dann hatte er von einer Anhöhe aus plötzlich den Klettergarten gesehen. Ganz oben in der Wand hing ein Jugendlicher, ein anderer sicherte den Kletterer von unten. Die Kerle trugen sichtbehindernde Sturzhelme, sie schienen zudem voll konzentriert auf ihre Übungen. Das waren sicher dumme Jungs, die auf keinen zielstrebig dahineilenden Wanderer achteten. Er konnte es riskieren, an ihnen vorbeizuhuschen. Ansonsten würde er noch eine Stunde verlieren. Er wollte noch vor Anbruch der Dämmerung das Krankenhaus erreichen. Chokri nahm den Weg, der nach unten führte. Und tatsächlich: Als er in einiger Entfernung an den Jugendlichen vorbeikam, schienen sie ihm keinerlei Beachtung zu schenken. Sie waren voll auf ihre Toprope-Sicherung konzentriert. Der Untere stand mit dem Rücken zu ihm. Und der Kletterer oben war mit seinen Tritten, Griffen und Verspreizungen beschäftigt. Chokri beschleunigte seine Schritte, bis er außer Sichtweite kam. In der Ferne machte er ein paar Häuser aus. Das musste Wamberg sein, die Ortschaft, von der Ganshagel gesprochen hatte. Wenn er diesen kleinen Flecken hinter sich hatte, konnte nichts mehr schiefgehen. Dann brauchte er keine weiteren Straßen und Orte mehr zu durchqueren, um sein Ziel zu erreichen.

»Du, sag mal, Charly, wir waren doch grade vorher noch im Internet«, schrie der Klettermaxe nach unten zu seinem Sicherer.

»Was? Internet? Ja, und?«

»Kannst du dich erinnern: Da haben sie doch was von einem Arab gebracht.«

»Arab? Keine Ahnung. Ach, du meinst den auf der Alm!«

»Grade ist einer vorbeigegangen, der hat genauso ausgesehen wie der auf der Zeichnung. Er ist erst da oben auf dem Hügel gestanden, dann ist er an uns vorbeigelaufen.«

»Echt? Habe ich gar nicht gesehen.«

»Ich glaube, das war der Gesuchte! Für den gibts ein paar tausend Euro Belohnung.«

»Okay, wenn du meinst!«, schrie Charly nach oben. »Ruf du mal bei der Polizei an, ich schau, wo er hingelaufen ist.«

Charly, der Sicherer, sicherte und entfernte sich. Kevin, der Kletterer, zückte sein Mobiltelefon und wählte Einseinsnull.

Es ging zügig voran, aber Chokri kam fast um vor Durst. Er beherrschte sich. Kurz nach dem Ortsschild von Wamberg brüstete sich ein ausnehmend hässlicher Getränkemarkt mit der endgültigen Stillung des oberbayrischen Durstes. Stapelweise standen Kisten mit Wasserflaschen und Säften vor der Tür. Ein mageres Männchen lud den Lastwagen aus. Sonst war niemand zu sehen. Der Tunesier näherte sich dem Getränkemarkt, er schlich um das Haus herum. Als das Männchen wieder im Lastwagen verschwunden war, nahm er sich vier Halbliterflaschen aus der Kiste, steckte sie in die Jackentaschen und machte sich wieder auf den Weg. Er würde sie im Wald trinken. Auf der Hauptstraße, die durch Wamberg führte, war kein Mensch zu sehen. Ein paar Fenster waren geöffnet, und aus allen drang die gleiche Fernsehsendung.

»Halt, bleiben Sie stehen!«

Es war eine junge, helle Stimme. Er wandte sich kurz im Gehen um. Das war nicht das magere Männchen vom Getränkemarkt, das war einer dieser verrückten Kletterer, der ihm nachgelaufen war. Chokri beschleunigte seine Schritte. Dem Kerl konnte er bestimmt mit einem kleinen Zwischenspurt entkommen. Chokri blickte sich nochmals um. Sein Verfolger lief immer noch hinter ihm her, er blieb dran. Dieser Junge wurde lästig. Er musste ihn loswerden. Er griff in die Tasche.

Charly hatte keine Angst. Erstens hatte sein Kumpel die Polizei gerufen – gleich würde es hier wimmeln von Einsatzfahrzeugen, die von allen Seiten in den Ort gequietscht kamen. Zweitens befanden sie sich hier nicht mehr in der freien, deckungslosen Landschaft. Er konnte sich jederzeit hinter einen Pfosten ducken. Oder in einen Vorgarten hechten. Charly war gut in Form. Wenn man es genau betrachtete, lief der dunkelhäutige Mann da vorne vor ihm davon. Das stachelte Charly an. Außerdem war Charly ein Kletterer. Und die Kondition eines Kletterers ist enorm. Hörte er da nicht schon die Polizeisirenen? Er musste den Arab hier im Ort stellen. Showdown in Wamberg, das wäre was! Jetzt blieb der Mann stehen. Charly duckte sich hinter einen Zaun. Was hatte der Typ vor? Er beugte sich nach hinten, als würde er sich recken, als würde er eine Verspannung in den Schultern lösen, und schon schlug neben Charly das erste Geschoss ein. Er erschrak furchtbar. Er blickte auf den Boden: Scherben, sprudelnder Schaum. War das eine explosive Flüssigkeit? Etwas Giftiges? Dann begriff er: Der Irre hatte eine Flasche Selters nach ihm geworfen. Oben öffnete sich ein Fenster.

»Das macht ihr wieder weg, ihr Säue!«, schrie die Kloß Antonia, die ehemalige Schönheitskönigin von Wamberg, noch heute Höhepunkt jedes Maitanzes.

»Gib Ruhe, Antonia, gleich kommt die Polizei«, rief Charly. »Mach das Fenster zu und geh wieder rein!«

Doch die Kloß Antonia zeterte weiter. Sie war mitten in ihrer Lieblingssendung gestört worden, das konnte sie gar nicht vertragen. Sie drehte sich um und schrie nach ihrem Mann.

»Geh, mach was, du Lapp! Da unten werfen welche mit Flaschen.«

Der gutmütige Lapp stürmte nach unten. Er sprang aus dem Haus, lief den beiden nach, er holte auf, in der Unteren Gasse hatte er Charly erreicht. POSCH!SCH!SCH! SPLISCH! Eine zweite Granate schlug ein. Die beiden sahen sich an. Keiner war getroffen worden. Sie liefen weiter.

Johann Ostler und Nicole Schwattke fuhren ohne Blaulicht, sie wollten niemanden warnen und keine schlafenden Hunde wecken.

»Ist das da vorne Wamberg?«, fragte Nicole.

»Ja, und gleich rechts liegt der Klettergarten«, antwortete Ostler. »Und da oben hängt einer und winkt. Das ist unser Mann.«

Sie fuhren in die Wiese vor dem Klettergarten.

»Da, in die Richtung sind sie gelaufen«, schrie Kevin von oben. »Weit können die beiden noch nicht gekommen sein!«

»Die beiden?«

»Der Arab aus dem Internet, und dann natürlich mein Kumpel Charly. Der ist ihm nachgerannt. Ich kann ja allein nicht runter.«

Ostler und Nicole sprangen aus dem Auto und liefen los.

»Halt, und wie soll ich jetzt –«

Die Rufe Kevins verhallten ungehört.

»Na toll, das hat man nun davon«, maulte er in fünfzehn Meter Höhe. »Da will man helfen, und dann so was.«

Es piepste. Er warf einen Blick auf den Screen seines Handys. Der Akku war leer.

»Wirklich, ganz toll.«

Nicole und Ostler liefen in die Richtung, in die der Kletterkevin gezeigt hatte. Bald hatten sie das Ortsschild von Wamberg erreicht. Sie spurteten durch die Hauptstraße. Einige Fenster hatten sich geöffnet, ein paar Bürger in karierten Hemden deuteten in Richtung Ortsausgang. Nach ein paar Metern sahen sie

Charly, den tollkühnen Toprope-Sicherer, der den Helden gegeben hatte. Er lag flach auf dem Boden, Arme und Beine weit von sich gestreckt. Ein anderer Mann beugte sich über ihn.

»Was ist passiert? Ist der Junge verletzt?«, rief Ostler. »Jetzt sag schon!«

Charly rappelte sich auf und deutete die Straße hinunter. Bleichgesichtig und mit zittriger Stimme wandte er sich an Ostler.

»Der Arab hat einen Schuss abgegeben. Erst hat er uns mit Flaschen beworfen, dann hat er geschossen. Das gibts doch gar nicht! Plötzlich zieht der eine Spritze und schießt. Da, schauen Sie sich die Bescherung an!«

Hinter ihnen stand ein Auto mit zersplitterter Windschutzscheibe. Ein Warnschuss. Niemand war verletzt worden.

»Sie beide bleiben jetzt da, wo sie sind!«, sagte Nicole in scharfem Ton. »Die Kollegen werden gleich kommen.«

Ostler deutete in Richtung Ortsausgang.

»Er wird dort hinüber zum Waldrand gelaufen sein. Wir müssen ihn vorher schnappen. Sonst wird es sehr schwer werden, ihn zu finden.«

Abermals rannte das Verfolgerteam los. Im Laufen zogen beide ihre Dienstwaffen. Nach ein paar hundert Metern erreichten sie einen kleinen Hohlweg, der durch immer höher werdende Gräser führte.

»Da vorne ist er!«, schrie Ostler. »Haben Sie ihn gesehen, Nicole?«

Hundert Meter vor ihnen war ein schwarzer Schatten um die Kurve gebogen.

»Halt! Stehenbleiben!«

Sie verschärften ihr Tempo. Margeriten und Kornblumen flogen an ihnen vorbei. Sie waren beide ganz gut in Form, Ostler vom Bergsteigen, Nicole vom Leichtathletiktraining, aber langsam ging ihnen die Puste aus. Nordafrikaner waren doch die besten Mittelstreckenläufer, so schoss es Nicole durch den Kopf. Ostler und Schwattke – ortskundig und jung – ein gutes Paar. Aber reichte das gegen einen entschlossenen Leichtfüßler mit Schußwaffe?

»Halt! Bleiben Sie stehen! Beide!«

Ostler und Nicole hielten entsetzt inne. Sie waren auf einen uralten Trick hereingefallen: um die Ecke verschwinden, warten, die Verfolger vorbeilaufen lassen, ihnen dann in den Rücken fallen. Der Mann, der seinen Namen mit Chokri angegeben hatte, stand jetzt fünf Meter hinter ihnen. Sie waren beide völlig außer Atem, von dem Tunesier hörte man keinerlei Anzeichen der Erschöpfung.

»Bleiben Sie genauso stehen und bewegen Sie sich nicht«, sagte er ruhig. »Drehen Sie sich nicht um. Legen Sie die Waffen seitlich auf den Boden.«

Nicole sah Ostler an, der nickte knapp. Ihnen blieb nichts anderes übrig, als den Anweisungen Folge zu leisten. Niemand wollte hier den Helden spielen.

»Ziehen Sie Ihre Jacken aus. Werfen Sie sie ebenfalls auf den Boden. Nehmen Sie Ihre Handschellen vom Hosenbund, befestigen Sie sie an einem Handgelenk. Und jetzt gehen Sie nach links, dort hinüber zu dieser Maschine.«

Jetzt erst sahen sie den monströsen Mähdrescher, dessen obere Hälfte in schreiendem Rot aus dem hohen Gras ragte. Sie hielten sich eng nebeneinander und stapften durchs Feld.

»Tragen Sie irgendwo am Körper eine zweite Waffe?«, flüsterte Ostler.

»Nein«, flüsterte Nicole zurück. »Wir müssen uns etwas anderes einfallen lassen.«

»Schnauze!«, sagte der Tunesier.

Die Handschellen schnappten ein. So hingen sie nun beide am Gestänge des Mähdreschers fest, mit den Händen weit über dem Kopf, an eine stabile Querstange des Schneidwerkwagens gekettet. Der Tunesier hielt die Pistole in der einen Hand, mit der anderen steckte er die Handschellenschlüssel in seine Tasche. Dann holte er einen Tennisball heraus und knetete ihn. Er betrachtete sie prüfend. Es waren lange, quälende Sekunden für die beiden Polizisten. Nicole hob den Kopf und sah ihm in die Augen. Sie versuchte, für diesen einen Satz jegliche Angst aus der Stimme zu nehmen.

»Sie haben keine Chance, aus dem Talkessel herauszukommen.«

Der Tunesier machte eine wegwerfende Handbewegung.

»Wollen Sie mich daran hindern?«

Dann steckte er die Waffe weg, drehte sich ruckartig um und entfernte sich wortlos in Richtung Wald.

Als er außer Hörweite war, atmeten die beiden Polizisten durch, sofern das in dieser äußerst unbequemen Haltung überhaupt möglich war.

»Schöne Bescherung!«

»Richtig blöde reingefallen!«

»Trotzdem. Das hätte noch übler ausgehen können. Wir haben Glück gehabt.«

Sie waren immer noch ziemlich außer Atem. Auf einem Hügel war in der Ferne eine Gruppe von Wanderern zu sehen. Nicole und Ostler schrien, doch die Wanderer schrien und winkten nur zurück.

»Das darf doch nicht wahr sein!«, keuchte Ostler. »Wir müssen unbedingt die Kollegen alarmieren.«

»Ich habe eine Idee«, sagte Nicole. »In meiner Hosentasche

steckt mein Handy. Wir müssen es nur irgendwie aus der Tasche bekommen.«

Nicole umfasste das Rohr, an dem die Handschellen befestigt waren, und versuchte eine Art Felgaufzug. Sie schüttelte und rüttelte sich. Und irgendwann, nach quälenden und schmerzhaften Minuten, fiel das iPhone aus der Hosentasche auf den Boden. Es kam glücklicherweise so zu liegen, dass Nicole es gerade noch mit den Füßen herziehen konnte.

»Und was jetzt?«

»Wir versuchen, mit den Schuhspitzen eine Nachricht einzutippen.«

Schon mal versucht? Mit den Füßen, die in massiven, gut zugeschnürten Wanderstiefeln stecken, ohne Zuhilfenahme der Hände ein Mobilfunkgerät anzuschalten und dann einen Hilferuf abzusetzen? Schon mal probiert? Nicht? Dann man los.

28

Als Unterholz wird in entsprechenden Szenekreisen auch ein Tattoo bezeichnet, das ausschließlich auf die Fußsohlen tätowiert wird. Beliebte Motive sind hierbei Schuhsohlen mit dem berühmten Camel-Loch oder Anfänge russischer Romane, wie zum Beispiel: *Bei den Oblonskijs herrschte Riesenverwirrung …*

Im Schnapsladen *Absturz* brodelte es. Es hatte sich herumgesprochen: Auf der Wolzmüller-Alm war ein Mord geschehen, und irgendwo da draußen lief ein Mörder frei herum. Hier drinnen beugten sich fünfzehn oder zwanzig Gelegenheitsschlucker verängstigt und doch mit einem wohligen Schauer über ihre hochprozentigen Stamperl.

»Den ganzen Kopf weggefressen«, sagte der Jagenteufel Nikolaus und stürzte einen Obstler hinunter. »Spinnst du: den ganzen Kopf weggefressen!«

So ein Stammpublikum ist auf Dauer doch ziemlich untreu. Früher hatte man sich in der Metzgerei Kallinger oder in der Bäckerei Krusti getroffen, jetzt war es angesagt, sich in der Spirituosenhandlung *Absturz* sehen zu lassen. Vor zwei Jahren war der Absturz noch eine Buchhandlung gewesen, die jedoch immer mehr Geschenkartikel und Spirituosen in ihr Sortiment aufgenommen hatte, schließlich waren die Leute nur noch wegen dem ausgezeichneten Schnaps gekommen.

»Mit E-Spirits kann mir wenigstens keiner das Geschäft versauen!«

Das war der Wahlspruch des ehemaligen Buch-

händlers, der jetzt einen edlen Calvados so ausschenkte, wie er früher einen Lyrikband von Baudelaire aufgeschlagen hatte. Dem Hochgeistigen war er treu geblieben.

Die Geschichte mit der toten Frau unter der Zirbe und den Aaskäfern hatte sich natürlich schnell herumgesprochen. Und der Jagenteufel Nikolaus wiederholte es nochmals:

»Den ganzen Kopf weggefressen! Spinnst du: Den ganzen Kopf habens ihr weggefressen, der armen Touristin, der unbekannten!«

Der Vieregg Blasi, der am Tisch saß, setzte noch eine Schauergeschichte drauf.

»Mein Opa war im Ersten Weltkrieg an der Westfront, 1914/15, bei Ypern. Da sind sie zu einem französischen Schützengraben gekommen, der ist völlig leer gewesen, bloß noch ein paar von den Knöcherlputzern sind weggekrochen. Die Kennmarken und die Gürtelschnallen sind noch dagelegen, sonst war alles weggeputzt.«

Der Hellinger Helmut schaltete sich ein.

»Als die Paulsdorf Agnes gestorben ist, ist was Ähnliches passiert. Sie hat beim Fenster rausgeschaut, hat allen Vorübergehenden zugenickt, erst nach Monaten hat man bemerkt, dass sie schon tot war. Die Aaskäfer haben sie schon zur Hälfte aufgefressen, die Paulsdorferin, nur haben sie bei den Füßen angefangen. Die hat nämlich gar nicht genickt, das war der Wind. Monate ist sie so dagesessen.«

»Monate! Beim letzten Mal waren es bloß Wochen!«

»Aber dagesessen ist sie! Und genickt hat sie! Ich hab sie selber gesehen.«

An einem anderen Tisch saß der Flury Benno, der nur noch einen Arm hatte.

»Ich bin ja heilfroh, dass es die Viecherl gibt«, sagte er und hob das Bierseidel mit dem intakten Arm. »Sonst würd ich vielleicht nicht mehr leben.«

Der Benno hatte im Wald als Holzknecht gearbeitet. Das war schon immer ein bitterer und zutiefst unromantischer Beruf, denn es ging das Sprichwort: *Wen das Beil nicht trifft, den beißt der Kerf.* Als Kerf wurde früher die Borreliose-Zecke bezeichnet, die die entsprechenden Bakterien als Wirtstier beherbergte. Alle Holzknechte hatten den Kerf. Aber auch alle Jäger und pensionierten Forstamtsmeister, alle Wilderer, keuchenden Jogger, Liebespaare, Naturschützer, Schwammerlsucher, Geheimnisträger, Vogelfreunde, Philosophen, alle pensionierten Studienräte, Heimatdichter, Beerensammler, die Rosner Resl, Waldläufer und was noch nicht alles, was den Werdenfelser Wald bevölkert, alle hatten sie früher den Kerf. Von wegen Romantik.

»Ich war allein im Wald. Da hat mich ein herunterfallender Ast an der Hand erwischt. Alles war total kaputt, vollkommen zerbaazt. Damals hast du ja nicht einfach ins Krankenhaus fahren können. Hast schon, aber zahlen hast es nicht können. Alles zerbaazt also. Ich bin dann zum Bader Wastl gelaufen.«

Der Bader war noch bis vor einigen Jahrzehnten Ansprechpartner für alles Mögliche: Warzen wegbeten, Zähne ziehen, zur Ader lassen, Gliedmaßen amputieren.

»Der Bader hat damals die Knöcherlputzer angesetzt.«

Einige am Tisch blickten skeptisch. Doch der Apotheker Blaschek, der aus dem Tschechischen herübergemacht hatte, unterstützte den Benno.

»Lachts nicht! Das stimmt, die Rothalsigen Silphen werden auch therapeutisch eingesetzt. Die fressen nekrotisches Gewebe. Früher wurde Wundbrand noch so behandelt. Die wurden extra gezüchtet dafür. Mit Morcheln wurden sie gefüttert. In den Bäumen haben sie ihre Nester gehabt. Im Tschechischen, wo ich herkomme –«

»Der Bader Wastl also macht sein Schachterl auf, lässt die Viecherl frei, und die fressen den Arm brav und sauber ab. Kaum eine halbe Stunde hat es gedauert. Hat ein bisserl gekitzelt, aber danach war mir wohler. Der Bader hat mir bloß noch den Knochen wegsägen müssen.«

»Das ist auch jedes Mal eine andere Geschichte mit deinem Arm!«, sagte der Scheuchzer Schorsch, seines Zeichens Dorfgigolo und Erfinder von wahnsinnig originellen Anmachsprüchen.

»Diesmal ist es aber die wahre!«

Der Flury Benno hatte in der Tat schon die eine oder andere Geschichte als die wahre angepriesen, warum ihm ein Arm fehlte. Eine blutige Sägewerksgeschichte aus Niederbayern. Eine brutale Armdrück- und Fingerhakelgeschichte aus dem hiesigen Bierzelt. Eine oberfiese Polizeigriffgeschichte aus dem Grenzer- und Schmugglerleben. Und ausgerechnet diese, die ekligste, soll nun die wahre gewesen sein?

»Aha! Die Damen und Herren von der Polizei! Was wird denn in einem Schnapsladen untersucht? Habt ihr schon eine Ahnung, wer das war?«

Maria Schmalfuß und Franz Hölleisen waren zur Tür hereingekommen, sie drängten sich durch die Feierabendschlucker und zeigten Luisa-Marias Foto nach allen Seiten herum. Schon mal gesehen? Erkennen Sie die Frau? War sie in den letzten Tagen in Ihrem Geschäft? Kommt sie Ihnen bekannt vor? Hölleisen hatte den Job, das Bild quasi halboffiziell zu zeigen und so zu tun, als käme die Polizei nicht weiter, als bräuchte man die Hilfe der Bevölkerung. Was ja eigentlich auch stimmte. Marias Part war es, die jeweiligen Reaktionen darauf genau zu beobachten. Doch niemand hatte anscheinend etwas zu verbergen. Bis jetzt niemand.

»Wollen Sie auch einen Schnaps, Frau Doktor?«, sagte der Scheuchzer Schorsch, und er setzte gleich noch einen gereimten Anmachspruch drauf:

»Trinkt d' Frau Doktor ein' Likör,
dann setzt sie sich zum Schorschl her!«

Maria lehnte reimlos, aber bestimmt ab. Als sie sich umdrehte, hörte sie in ihrem Rücken:

»Jedes Mal, wenn man wo hingeht, wo es wirklich gut ist, dann ist die Polizei da und will irgendwas. Ich glaube, in den *Absturz* kann man auch nicht mehr gehen.«

»Auweh zwick! Jetzt kommt aber einer!«

Auweh zwick! Da kam tatsächlich einer! Fünfzehn oder zwanzig Köpfe drehten sich gleichzeitig zur Tür. Draußen fuhr ein Riesenschlitten auf den Parkplatz, ein sauber polierter, glänzender BMW ohne irgendeine Schramme. So eine gepflegte Karosse konnte nur einem Einzigen gehören.

»So, Bürgermeister, sind im Rathaus die Erfrischungsgetränke ausgegangen?«

»Für was zahlen wir denn deinen Chauffeur, wennst dann doch selber fährst?«

Der Bürgermeister war mit Constantin Rohrmus hereingekommen, er war höchstpersönlich gefahren, der Kämmerer war auf dem Beifahrersitz gesessen, ein aufgeklapptes Notebook auf dem Schoß. Manchmal nahm er Kontakt zum Volk auf, der Bürgermeister. Hier im *Absturz* schien ein repräsentativer Mikrokosmos des Volkes zu gedeihen, da fühlte er sich wohl.

»Was sind das für Leute gewesen, da droben auf der Wolzmüller-Alm? Sag schon, Bürgermeister!«

Der Bürgermeister hatte diese Frage erwartet. Und er hatte eine knallharte Antwort vorbereitet.

»Ehrlich gesagt: Ich weiß es nicht.«

Entwaffnende Ehrlichkeit. Medienschulung. Das saß.

»Leute von dir?«

»Leute von mir auf keinen Fall! Leute von mir würden im Ort bleiben, sie würden sich der Verantwortung stellen, sie würden der Polizei bei ihrer schweren und aufopferungsvollen Arbeit helfen.«

Lange Jahre im diplomatischen Dienst. Menschenkenntnis. Tiefes Verständnis für die Probleme der Bevölkerung.

»Aber du musst doch was wissen, Bürgermeister, du bist doch dauernd droben!«

»Was, ich? So ein Unsinn! Ich habe ein paar Veranstaltungen gemacht, mehr nicht.«

»Mit deine Inder!«

Maria und Hölleisen wurden hellhörig. Maria hatte beide Mitglieder der Obrigkeit im Blick. Auf einmal wirkte der Bürgermeister reichlich nervös.

»Was für Inder? Ach so, die! Ja freilich, einmal war eine indische Delegation da. Das war ein Gewusel! Die wollten eine Riesenhochzeit da veranstalten. Mit zweitausend Leuten. Stellt euch das einmal vor!«

»Und was ist aus der indischen Hochzeit geworden?«

»Warum reitest du denn jetzt dauernd auf den Indern herum! Die werden schon wiederkommen. Und dann bringen sie jedenfalls einen Haufen Geld ins Loisachtal!«

Nervös blickte der Bürgermeister zu seinem Kämmerer Rohrmus. Doch das Volk schonte ihn nicht.

»Und wo sind die dann jetzt?«, fragte der Hotelier Ohnkeusch. »Ich habe jedenfalls noch keine Buchungen aus Bombay.«

»Herrschaftszeiten, seid doch nicht so ungeduldig. Außerdem heißt das jetzt Mumbai«, erwiderte der Bürgermeister. »Ich kann es eben noch nicht sagen. Und wenn noch mehr so

Sachen wie auf der Wolzmüller-Alm passieren, dann kommen sie gar nicht mehr.«

»Den ganzen Kopf weggefressen«, lallte der Jagenteufel Nikolaus und stürzte noch einen weiteren Obstler hinunter. »Spinnst du: den ganzen Kopf weggefressen!«

»Tja, ich muss dann«, sagte Constantin Rohrmus und drückte sich durch die Menge zur Eingangstür.

»Ah, da schau her! Da kommen die Richtigen!«

Das Ehepaar Grasegger betrat den Schnapsladen. Nach ihrem täglichen Melderitual im Polizeirevier gingen sie oft noch auf einen Absacker hierher. Als der Bürgermeister die beiden sah, zuckte er zusammen. Das waren die Einzigen, die ihm politisch gefährlich werden konnten. Er hatte im Ort eine gefestigte Stellung. In der Opposition gab es keine ernstzunehmenden Konkurrenten. Niemand hatte große Lust, freiwillig in seine Fußstapfen zu treten. Doch er hatte es schon hie und da als Gerücht vernommen: Wenn die Graseggers sich als Bürgermeisterkandidaten aufstellen ließen – die würde man wählen. Aber die wollten auch nicht. Bisher noch nicht. Aber wenn sie eines Tages vielleicht doch einmal wollten, hätte er keine Chance gegen die Sympathieträger, das wusste er. Er musste unbedingt in der Gemeindeordnung nachsehen. Konnten verurteilte Straftäter überhaupt an einer Wahl teilnehmen? Und konnte ein Ehepaar zusammen den Bürgermeisterposten besetzen?

»So, seid ihr auch einmal wieder da«, sagte der Bürgermeister. »Das ist ja schön.«

»Ja, das ist schön«, antwortete Ursel.

Die Tür wurde krachend aufgestoßen. Ein Mann, der aussah, als wäre er die letzten hundert Meter unter elf Sekunden gelaufen, stolperte herein.

»Droben in Wamberg! Droben in Wamberg!«

»Was ist droben in Wamberg? Red schon!«

»Da hat es eine Schießerei gegeben.«

»Wo?«

»Mitten auf der Straße. Mit mehreren Toten.«

Hölleisen und Maria Schmalfuß stürmten aus der Trinkstube und sprangen ins Auto. Mehr bekamen sie nicht mit. Zum Beispiel die wahre und endgültig wahre Geschichte, warum der Flury Benno nur einen Arm hatte.

Der Bürgermeister stieg ins Auto.

»Fährst mit?«, sagte er zu Constantin Rohrmus.

»Nein, ich habe noch was zu tun.

»Dann *raam raam*«, sagte der Bürgermeister.

»Raam raam? Was heißt jetzt das schon wieder?«

»So etwas wie servus, bloß auf Indisch halt.«

29

Untelhorz.

Beliebter Witz asiatischer Comedians

Die Anstrengungen führten beide an die Grenze ihrer körperlichen Leistungsfähigkeit. Ihre Handgelenke brannten wie Feuer, ihre Bauchmuskeln waren bretthart von den vielen Versuchen, so etwas wie einen Felgaufzug hinzubekommen. Ostler machte darüber hinaus noch ein weiteres Problem zu schaffen. Durch die ungewohnte und einseitige Belastung der Beine bekam er Muskelkrämpfe, die bei den Zehen begannen und in den Oberschenkeln endeten. Auch er hatte inzwischen schon ein Dutzend Mal versucht, das Handy am Boden mit den Füßen zu fassen und bis zu den Händen über dem Kopf zu befördern. Er hatte schon alles versucht, um dem Krampf Einhalt zu gebieten. Doch lange konnte es nicht mehr dauern, bis er vollkommen eingesponnen war in ein peitschendes Muskelflattern, das keine Bewegung mehr zuließ. Auch er hatte kein Glück mit dem Handy. Es fiel immer wieder zu Boden, und sie hofften jedes Mal, dass es nicht außer Reichweite fiel. Ob es überhaupt noch funktionierte? Ostler zweifelte langsam daran.

»Glauben Sie, dass der Tunesier noch in der Nähe ist?«, fragte Nicole, als sie eine Pause bei ihren Klimmzügen einlegten. Ostler wollte gerade antworten, als sie beide entsetzt genau diese eine wohlbekannte Stimme hörten.

»Ja, er ist durchaus noch in der Nähe.«

Der Tunesier trat in ihr Sichtfeld. Hatte er ihren verzweifelten und ergebnislosen Bemühungen zugesehen? Jedenfalls warf er keinen einzigen Blick auf das im Gras liegende Handy. Dafür musterte er sie von Kopf bis Fuß.

»Und er hat eine Frage, der Tunesier. Chokri

Gammoudi wünscht, dass Sie diese Frage wahrheitsgetreu beantworten.«

Wie um dem letzten Satz gefährliches Gewicht zu geben, holte er langsam seine Pistole heraus, hob sie urplötzlich und zielte in ihre Richtung, erst auf Ostlers Brust, dann auf seine Knie.

»Was wollen Sie wissen?«, rief Ostler.

»Ich will etwas über den Bürgermeister wissen. Der Bürgermeister Ihres Ortes – wie ist sein Name?«

Nicole und Ostler blickten verständnislos. Diese Frage hatten sie nicht erwartet. Andererseits: Den Namen des Bürgermeisters konnte man überall erfahren. Ostler nannte ihm den Namen.

»Wo wohnt er privat?«

»Keine Ahnung –«

Der Tunesier richtete die Waffe auf Nicoles Kopf. Ostler sah keine andere Möglichkeit. Hastig nannte er die Straße, die den Namen eines schönen Gebirgszugs trug. Noch hastiger fügte er die Hausnummer hinzu. Der Tunesier nickte. So schnell, wie er gekommen war, verschwand er wieder.

»Ich halte das nicht mehr aus«, stöhnte Ostler nach einiger Zeit. »Der Krampf macht mich fertig. Ich kann nicht mehr gegen ihn ankämpfen.«

Mit einem Wadenkrampf ist es wie mit der Höhenangst und der Eifersucht. Man versteht das nicht, wenn man nicht selbst darunter leidet.

»Sie werden dagegen ankämpfen. Denken Sie an was anderes«, sagte Nicole. »Erzählen Sie mir eine Geschichte. Ich probiere es inzwischen nochmal mit dem Handy. Erzählen Sie die Geschichte laut und deutlich, wie wenn Sie zwanzig Kinder als Zuhörer hätten. Alter Trick beim Langstreckenlauf. Wenn man spürt, dass ein Krampf im Anzug ist, erzählt man laut eine Geschichte.«

»Was für eine Geschichte?«

»Egal, irgendeine!«

»Sie haben Nerven!«

»Los jetzt, Ostler, stellen Sie sich nicht so an!«

Nicole feuerte Ostler und sich gleichzeitig an. Sie kam mit den Füßen nicht weiter hoch. Sie musste sich jetzt mit dem Hintern am Gestänge abstoßen, sie musste diesen Schwung ausnützen, um mit den Füßen zu den Händen zu kommen. Sie konzentrierte sich wie ein Gewichtheber, während Ostler irgendetwas vor sich hin brabbelte.

Nicole stieß sich ab. Sie schnellte hoch. Das war ihr letzter Versuch. Sie hatte den Felgaufzug schon zu oft gemacht. Sie wusste, dass sie keine Kraft mehr haben würde, es erneut zu probieren. Sie musste es jetzt schaffen.

30

»Überm Unterholz gehts weiter ...«
Udo Lindenberg

Das Feld rund um den Klettergarten gehörte dem Wasinger-Bauern, und der fünfjährige Ägidius war sein hoffnungsvoller Spross. In der Mitte des Feldes stand ein schönes grünsilbriges Polizeiauto, und der Ägidius strich vorsichtig um das Monstrum mit der Aufschrift *Keine Macht den Drogen* herum. Ab und zu tupfte er mit seinen kleinen schmutzigen Wurstfingerchen an das Blech. Als kein Polizist herausstieg, um ihn zu verhaften, kletterte er auf den Fahrersitz. Wrmm! Wrumm!, machte er, Tatütata! und Blinke-Blinke!, dabei drückte er auf alle Knöpfe, die er erreichen konnte. Der Ägidius hatte zu Hause eine schöne Sammlung von Polizeiautos, aber er war natürlich noch in keinem richtigen gesessen.

»Peng! Peng!«, rief der Ägidi und »Splosh!« und »Smack!« Er hatte nämlich im Fernsehen einen Film gesehen, wo ein Superagent innen im Wagen ein paar Knöpfe gedrückt hatte, worauf außen die Raketen gestartet sind. Aber hier: keine Raketen, keine Raumschiffe, nichts. Der Ägidi wollte wenigstens das Blaulicht anschalten, aber auch dazu fand er den Schalter nicht. Schade, dachte der Ägidi, dann nehme ich halt eine schöne Polizeimütze mit. Aber die war ihm viel zu groß. Einen Revolver fand er auch nicht, mit dem glänzenden Stock aus Hartgummi konnte er nichts anfangen, also riss er das Handschuhfach auf, dort fand er ein seltsames Täschchen mit einem komischen Fläschchen, und das steckte er in seine Hosentasche. Damit konnte man vielleicht die Mutter überraschen.

Im Polizeirevier hielten nur noch Jennerwein und Stengele die Stellung. Der Allgäuer beugte sich gerade mit zusammengekniffenen Augen über eine Landkarte.

»Die Kletterwand, von der aus der Jugendliche, dieser Kevin, angerufen hat, liegt etwas außerhalb von Wamberg. Ich kann ihn allerdings nicht mehr erreichen. Gibt es denn das: Er muss sein Handy ausgeschaltet haben!«

Jennerwein schlug mit der Hand auf Tisch.

»Und keine Nachricht von Nicole und Ostler! Ich mache mir allergrößte Sorgen. Wo stecken die nur!«

Er sprang auf und ging in das kleine Zimmer nebenan, in dem die Funkzentrale zur Koordination der Einsatzfahrzeuge untergebracht war. Er riss den Telefonhörer aus der Halterung und drückte die Sprechtaste.

»Zugspitz 1, bitte kommen!«

»Hallo, hallo, hallo!«, hörte er eine helle kleine Stimme, die er nicht kannte. »Kannst du mir sagen, wo das Tatütata ist?«

Im ersten Augenblick dachte Jennerwein an einen Scherz. Aber das passte so gar nicht zu Ostler oder gar zu Nicole.

»Kommissarin Schwattke«, begann er vorsichtig, »ist alles in Ordnung?«

»Peng! Peng!«

»Wer spricht denn da?«

»Bumm Bumm!«

Wer verdammt nochmal war da in Ostlers Auto? Jennerwein winkte Stengele heran. Der kam und hörte mit.

»Wie heißt du denn?«, fragte Jennerwein weiter.

»Ich bin der Ägidi! Ich bin fünf Jahre alt.«

»Der Ägidi bist du, so. Das ist aber ein schöner Name. Wer ist sonst noch bei dir?«

»Ich bin ganz allein im Auto. Ich wollte die Raketen abschießen, aber da sind keine Knöpfe für das Bumm Bumm.«

Jennerwein und Stengele sahen sich an.

»Sind wir auf so was vorbereitet?«, fragte ihn Jennerwein leise. »Es ist ein Streifenwagen auf dem neuesten Stand der Technik. Kann ein Kind da irgendetwas anstellen?«

»Nein, normalerweise ist alles gesichert. Und den Schlüssel haben sie ja hoffentlich nicht stecken lassen.«

»Aber wo sind die beiden?«, sagte Jennerwein voller Ungeduld. Ins Funkgerät sprach er so sanft und liebevoll er konnte: »Hallo, Ägidi! Wo bist du denn?«

»In einem Polizeiauto.«

»Ja, das weiß ich. Aber wo steht das Polizeiauto?«

»Auf einer Wiese.«

»Auf einer Wiese, das ist ja schön. Aber weißt du denn, wie die Wiese heißt?«

»Haben denn Wiesen Namen wie wir?«

»Wenn du hinausschaust aus dem Auto, was siehst du da?«

»Eine Wiese.«

Stengele hatte sich im Hintergrund schon einsatzfertig gemacht. Er hielt Jennerwein die Jacke hin. Der zog sie an, während er mit Ägidi weiterredete.

»Manche Kinder sind gemein«, sagte Ägidius gerade.

»Warum das denn?«

»Sie sagen Igitti statt Ägidi zu mir.«

»Ich bin nicht gemein zu dir. Ich nenne dich Ägidi. Das ist ein schöner Name.«

»Und wie heißt du?«

»Ich bin der Hubertus.«

»Das glaube ich nicht. Das ist gar kein Name.«

Stengele schüttelte den Kopf.

»Wissen Sie was, Chef, ich schlage vor, dass ich alleine fahre. Ich finde die beiden schon. Ich habe schon eine Vermutung, wo sie langgegangen sein könnten.«

»Machen Sie das, Stengele. Ich bleibe hier und versuche, etwas aus dem Kind herauszubekommen.«

Draußen hörte man Bremsen quietschen. Hölleisen und Maria stürmten ins Büro.

»In Wamberg soll es eine Schießerei gegeben haben«, rief Maria.

»Fahren Sie mit Stengele«, sagte Jennerwein bestimmt. »Er erklärt Ihnen alles.«

Die drei eilten hinaus. Jennerwein war allein. Sein Puls war auf hundert. Er fühlte sich überhaupt nicht fit. Aber er riss sich zusammen. Er drückte auf die Sprechtaste.

»Hallo, Ägidi?«

»Ja, hier bin ich.«

»Ägidi, weißt du: Ich bin ein Polizist, und mir gehört das Auto.«

»Das glaube ich nicht.«

»Das musst du mir aber glauben. Und ich suche zwei andere Polizisten, die in der Nähe sind. Hast du keine anderen Polizisten gesehen?«

Keine Antwort. Nicole und Ostler da alleine rauszuschicken, war der Wahnsinn gewesen. Wenn ihnen etwas zustieß, musste er die Verantwortung übernehmen. Jennerwein legte den Kopf in den Nacken und blickte zur Decke. Er konzentrierte sich auf einen kleinen Wasserfleck neben der Deckenleuchte. War der neu, oder war der schon immer dagewesen? Wenn er jetzt die Selbstbeherrschung verlor, wenn er sich nicht tierisch zusammennahm, dann bekam er einen Akinetopsie-Anfall. Das war das Letzte, was er momentan brauchen konnte.

»Hallo, Hubertus!«, sagte Ägidius verschwörerisch. »Da oben hängt einer!«

Jennerwein war hellwach.

»Was? Da hängt einer? Wer hängt da?«

»Da hängt ein Junge, der zappelt und winkt.«

»Ist es ein Bergsteiger?«

»Ich weiß nicht. Er hat einen Helm auf. Und jetzt schreit er auch noch! Er schreit was zu mir runter. Aber ich versteh nicht, was er schreit.«

Jennerwein löste den Blick von der Decke, er blickte zu Boden. Kalter Schweiß trat auf seine Stirn, eine Woge von Übelkeit rollte durch seinen Körper. Er musste sich zusammenreißen. Er musste dafür sorgen, dass dieses Kind keinen Unsinn machte. Kommissar Jennerwein blickte auf seine Schuhspitzen, aber er hatte immer noch das Bild der Deckenlampe vor Augen. Er befand sich mitten in einem seiner seltenen, aber heftigen Anfälle von temporärer Akinetopsie.

»Hallo, Hubertus!«

»Hallo, Ägidi. Was ist mit dem Bergsteiger geschehen? Hängt er immer noch da?«

»Ja. Er schreit und zappelt. Ich gehe jetzt heim.«

»Nein, bleibe da, wo du bist.«

»Ich muss aber heim. Bei uns gibt es jetzt Abendessen.«

Ganze zwölf Menschen auf der ganzen Welt litten an dieser Krankheit, die meisten davon chronisch. Sie hatten keine temporären Anfälle wie er, sondern sie sahen die Welt, wenn sie die Augen aufmachten, in ruckelnden, immer wieder stehenbleibenden Bildern. Die Menschen mit Bewegungsblindheit sahen den Lauf der Dinge nicht als Film, sondern sie blätterten in einem Fotoalbum, während die Geräusche und Töne der Welt um sie herum weiterliefen. Jennerwein hatte diese Anfälle eher sporadisch, immer in großen Stresssituationen. Dann war es so, wie wenn er in einem Buch las, und plötzlich stockte die Handlung. Sie blieb stehen, sie gefror – bis sie wieder in normale Bahnen geriet.

»Da kommt noch ein Polizeiauto«, sagte Ägidius. »Sitzt du da drin?«

»Nein, Ägidi! Ich sitze nicht da drin. Drei andere Polizisten sitzen da drin. Hab keine Angst vor ihnen. Es sind ganz liebe Polizisten. Warte, bis sie ausgestiegen sind –«

War das jetzt psychologisch klug gewesen, den Begriff Angst überhaupt zu nennen? Jennerwein stand auf und versuchte, ruhig und gleichmäßig zu atmen. Er hatte die Augen geöffnet, aber wo er auch hinsah, stets hatte er das Bild der Deckenlampe vor Augen.

»Weißt du, Hubertus, wenn ich nicht rechtzeitig zum Abendessen komme, dann gibts Ärger!«

»Dann schimpfen der Papa und die Mama, oder?«

»Ja, die schimpfen.«

»Wie heißen denn dein Papa und deine Mama?«

»Die heißen eben Papa und Mama.«

»Da unten steht der Wagen«, schrie Hölleisen. »Los, fahren wir hin!«

Er bretterte eine steile Wiese hinunter. Alle drei sprangen heraus, liefen zum anderen Auto, rissen die Türen auf und sahen hinein. Das Polizeiauto war leer, vollkommen leer.

»Das gibts doch gar nicht!«, sagte Maria.

»Hey ihr Cops, holt mich endlich hier runter!«, schrie Kevin von oben.

Alle richteten ihre Blicke in die Höhe. Dort war nur ein gelber Fleck von Windjacke zu sehen. Der gelbe Fleck zitterte und zuckte im Wind.

»Das ist der junge Mann, der uns angerufen hat«, sagte Hölleisen. »Ich helfe ihm mal herunter.«

Im Nu war Hölleisen an der präparierten Kletterwand, in wenigen Sekunden hatte er Kevin mit kurzen Kommandos nach unten gebracht.

»Thanks«, sagte Kevin.

»Wo sind sie hin?«, fragte Stengele.

Kevin zeigte in Richtung Wamberg.

»Glaube ich wenigstens. Ich habe von oben nur so viel gesehen, dass der Araber den alten Feldweg entlanggeflitzt ist. Die zwei Cops sind ihm nachgelaufen.«

»Hölleisen, Sie folgen mir«, sagte Stengele ruhig. »Maria, Sie bleiben hier. Kümmern Sie sich um den jungen Mann. Sichern Sie die Fahrzeuge. Können Sie mit einer Waffe umgehen? Hier, nehmen Sie meine.«

Stengele reichte Maria seine Heckler & Koch. Maria schluckte, gab aber keine Widerworte.

»Untersuchen Sie das Auto und melden Sie, wenn Ihnen etwas auffällt.«

»Verdammt, das Handfunkgerät fehlt!«, rief Hölleisen.

»Kommen Sie jetzt, darum kümmern wir uns später«. sagte Stengele.

»Hallo, Ägidi! Wo bist du?«

»Auf der Froschwiese. Ich sehe unseren Hof schon, Hubertus.«

»Ihr habt einen Bauernhof?«

»Freilich!«

»Wie heißt denn der Hof?«

»Du bist aber dumm. Das ist doch der Wasinger-Hof!«

»Und wo ist der?«

Schweigen. Funkkontakt abgebrochen. Das Funkgerät ausgeschaltet. Oder einfach weggeworfen. Jennerwein erhob sich und ging langsam in den anderen Raum. Das Bild der Deckenlampe löste sich zitternd auf. Vor sich sah er den runden Tisch des Besprechungszimmers. Jennerwein atmete durch. Er hatte noch nie mit jemandem über seine Erkrankung gesprochen. Wenn dieser Fall vorbei war, wollte er sich Maria Schmalfuß anvertrauen. Wenn dieser Fall vorbei war. Dann aber bestimmt. Ganz bestimmt.

Stengele und Hölleisen legten noch einen Zahn zu. Der Menschenauflauf in der Mitte der Ortschaft war nicht zu übersehen. Platz da, Polizei, gehen Sie beiseite, Sie behindern die Ermittlungen. Zwei Krankenwagen waren nach Wamberg gekommen, um Charly und Herrn Kloß, den Mann der Schönheitskönigin, zu versorgen. Zwanzig Menschen standen herum und versuchten redlich, den Sanitätern nicht im Weg zu sein. Ostler scheuchte sie weg.

»Wo ist Charly, der Idiot?«, fragte Stengele.

»Hier!«, erklang es ziemlich kleinlaut von einer Trage.

»In welche Richtung sind sie gelaufen?«

»Ortsauswärts, Richtung Haigerwald.«

Stengele zog seine Dienstwaffe, ganz bewusst in Richtung der versammelten Gaffer, ganz bewusst eine Spur zu martialisch – und die schaulustige Meute wich erschrocken zurück. Mit der freien Hand schnitt er ein kurzes, eindeutiges Handzeichen in die Luft: Alle bleiben hier. Niemand folgt uns. Sonst gibts Ärger.

Stengele und Hölleisen liefen los und sahen sich ein paarmal um. Tatsächlich folgte ihnen niemand. Sie kamen zum Ortsausgang.

»Das ist ein Riesengelände bis zum Wald«, rief Hölleisen. »Da sind wir zu zweit ziemlich chancenlos.«

»Herrgottsakrament! Chancenlos gibts nicht. Los! Den Hohlweg entlang!«

»Hallo, hallo, Chef!«

Nicoles Stimme klang aufgeregt, aber beherrscht.

»Endlich, Nicole! Sind Sie wohlauf? Und Ostler?«

»Ja, einigermaßen. Wir sind östlich von Wamberg, wir sind an einer riesigen Mähmaschine angekettet. Sie ist die einzige auf dem Feld, ist knallrot, und sie ragt über das hohe Gras hinaus. Seien Sie vorsichtig, Chef. Ich bin mir nicht sicher, ob der Tunesier nicht doch noch in der Nähe ist.«

»Danke, Nicole. Ich bin froh, dass es Ihnen gutgeht. Es wird gleich jemand bei Ihnen sein. Ihre Waffen –«

»– hat er mitgenommen.«

»Halten Sie ein paar Minuten durch.«

Jennerwein musste es riskieren. Er rief ein Taxi. Jennerwein machte es dringend. Er erwischte einen hervorragenden Fahrer, der einige Abkürzungen kannte.

»Wo genau hin?«

»Kennen Sie die Froschwiese?«

»Noch nie gehört.«

»Den Wasinger-Hof?«

Alle saßen beim Essen, die Mama, der Papa, ein paar Knechte und Mägde und einige Kinder.

»Du musst der kleine Ägidi sein!«

»Ja freilich!«

»Ich bin der Hubertus. Hast du was für mich?«

»Ja, schon.«

Jennerwein griff nach den beiden Sachen, die Mutter stand auf und kam auf ihn zu.

»Ja, das glaube ich nicht! Sie sind doch –«

»Ich habe dem Ägidi versprochen, dass er einmal das Tatütata hört. Dafür hat er mir auch was geschenkt.«

»Wollen Sie nicht zum Essen bleiben, Kommissar?«

»Danke, ganz lieb, aber mein Taxi wartet.«

Jennerwein stürmte hinaus. Ägidi hatte ihm zwei Sachen gegeben. Das Handfunkgerät hatte er erwartet, das Pfefferspray nicht. Er schüttelte die Dose: Es war anscheinend nicht benützt.

»Ich kann mich irren, aber Sie sind doch –«, sagte der Taxifahrer.

»Ja, der bin ich. Und jetzt schnell zurück aufs Revier.«

Stengele und Hölleisen kamen atemlos am Mähdrescher an. Das Bild, das sich ihnen bot, war gleichzeitig erschreckend und bizarr. Kommissarin Nicole Schwattkes und Polizeiobermeister Johann Ostlers Gesichter blickten schmerzverzerrt, beide waren mit ihren eigenen Handschellen an das Gerät gefesselt. Beide stöhnten und wimmerten.

»Hölleisen, befreien Sie die beiden. Ostler, ich sehe, Sie haben einen Wadenkrampf. Treten Sie fest mit den Beinen auf den Boden. Gehen Sie herum, laufen Sie herum. Das ist das Einzige, was hilft. Ihre Waffen?«

»Hat er uns abgenommen.«

»Das dachte ich mir. Ich glaube zwar nicht, dass der Tunesier noch in der Nähe ist, aber ich sehe trotzdem nach.«

Und schon war Stengele im hohen Gras verschwunden. Ostler humpelte brüllend herum. Hölleisen zerriss sein T-Shirt und verband damit Nicoles blutende Handgelenke.

Stengele kam zurück.

»Weit und breit keine Spur vom Tunesier. Ich bin mir sicher, er ist Richtung Wald gelaufen. Es wird allerdings bald dunkel. Es hat vermutlich keinen Sinn mehr, aber wir sollten nichts unversucht lassen. Ostler, wenn Sie sich fit genug fühlen, dann bleiben Sie hier und halten für alle Fälle die Stellung. Hier ist meine Waffe. Ich werde sie im Wald nicht brauchen.«

»Aber Sie haben doch vorher –«, sagte Hölleisen überrascht.

»Ja, ich trage zwei Waffen. Aber jetzt nicht mehr. Unwichtig. Nicole, fühlen Sie sich fähig, mitzukommen?«

Stengele wartete die Antwort nicht ab. Die Truppe zog los. Sie waren wild entschlossen, den Tunesier zu stellen.

»Den erwischen wir!«, murmelte Nicole. »Dem will ich Aug in Aug gegenübertreten. Der kann was erleben, das sage ich Ihnen.«

»Er hat Spuren zurückgelassen«, sagte Stengele, als sie eine kleine Pause machten. »Sie sind gut zu erkennen. Er ist entweder ein Anfänger, was ich nicht glaube. Oder es ist ihm gleichgültig. Er hält uns wahrscheinlich für Provinzdeppen, die eh keine Spuren lesen können. Da ist er aber an die Falschen geraten! Hier, sehen Sie, ein frisch abgeknickter Zweig. Er ist in Brusthöhe beschädigt, ein Tier kann es also nicht gewesen sein. Hm! Mir scheint, dass die Spur absichtlich gelegt wurde. Um uns in die Irre zu führen.«

Zwei Augen starrten aus einem Busch. Zwei Augen, die nicht einmal Stengele bemerkte. Es waren trübe und dösige Augen, und die Gestalt hatte einen dicken Zimmermannsbleistift hinter dem Ohr.

31

Richard Wagner, *Siegfried jagt den Drachen im Unterholz*

Das mit dem dicken Zimmermannsbleistift hinter dem Ohr hatte sich der dösäugige Wolzmüller Michl vor dreißig Jahren angewöhnt – jeder braucht seine Marotte, auch der allerfaulste Faulpelz. Damals vor dreißig Jahren hatte der alte Wolzmüller, der Vater des Faulpelzes, immer mehr Gefallen an dem Geld gefunden, das da hereinfloss. Der Michl malte einmal in der Woche ein Bild, und der ehemalige Bibel-Illustrator Frank Möbius verkaufte einmal pro Woche eines. Es war gutes schwarzes Geld, das so hereinkam, das Geschäft mit den posthum gefundenen Bildern von Kai Fuselitz lief wie geschmiert. Von Landwirtschaft im althergebrachten Sinn war längst keine Rede mehr, Südtiroler Leiharbeiter mähten, molken und kästen. Möbius schlug vor, ein partygeeignetes Zirbelstüberl zu bauen, so richtig landhausmäßig, mit allen Schikanen, mit dem authentischen bayrischen Lebensgefühl, mit Sauna und viel Blick aufs Gebürg. Als es fertig war, sollte eine Housewarming Party stattfinden. Auch der junge Michl wurde eingeladen, er lehnte ab, ihm war so etwas zuwider, ihm waren das zu viele Leute. So schaute er von draußen durchs Fenster und malte ein paar der Gäste. Auch der alte Wolzmüller war eingeladen. Er war wichtig für die authentische Atmosphäre.

Als die Gäste in den Raum strömten, gab es ein vielstimmiges Ah! und Oh!, denn auf dem runden großen Glastisch war der Kurort im Maßstab 1 : 5000 zu sehen, und alle traten neugierig näher, um das sorgsam gearbeitete Modell zu bewundern, ein fein ziseliertes Relief der Marktgemeinde.

»Das ist ja –«, sagte der damalige Bürgermeister und schlug die Hände über dem Kopf zusammen.

Der Doppelort glich einem riesigen Schmetterling, der mit ausgebreiteten Flügeln und mit dem Kopf nach unten in einer Suppenschüssel schwamm. Am Tellerrand, an den hügeligen Rändern des Talkessels, stachen sofort die sportlichen Attraktionen des Winterkurorts ins Auge, das waren allerlei farblich hervorgehobene Skipisten, Schlepplifte, Rodelstrecken und Eisstockbahnen. Die Häuser und Gebäude waren mit kleinen, zuckerwürfelartigen Quadern nachgebildet, die Straßen hatte der begabte Kartograph durch pulvrigen, hellen Staub angedeutet. Die wichtigsten Verkehrswege waren besonders deutlich markiert, die breite Zugspitzstraße etwa, eine der Hauptschlagadern des Loisachtales, und die historische Mittenwalder Straße, durch die schon seit vielen hundert Jahren der Handelsverkehr rauschte. Momentan rauschte nichts. Nur grellweißer Schnee lag auf den Wegen.

»Ich für meinen Teil werde mal mit einer klitzekleinen Straße beginnen!«, sagte einer, der aussah wie Gunter Sachs, vielleicht war er es auch selbst. Er warf sein geföhntes Haar nach hinten. »Vielleicht mit der Ballengasse!«

Langanhaltendes, bewunderndes Gelächter in der bunten Gesellschaft, die sich hier versammelt hatte. Dem Geföhnten steckten zwei Flugtickets (Paris, einfach) locker und beiläufig in der Gesäßtasche. Er zitterte einen kleinen Strohhalm aus einem geflochtenen Kästchen heraus. Er hielt das Röhrchen an die Nase, bückte sich und begann, den glitzernden Staub, aus dem die Ballengasse bestand, aufzusaugen. Er setzte das breite Ende des Strohhalms etwa in Höhe des Hauses vom Kölblinger Ignaz an, dann schnupfte er sich zügig durch bis zum Anwesen Nr. 47, das mit der Wiese des Olfberger-Bauern abschloss. Kühe und Ziegen aus Zuckerguss und Lebkuchen standen darauf und glotzten verständnislos auf die illustren Gäste. Applaus, Hochrufe. Die Housewarming Party war eröffnet.

Eine semmelknödeläugige Spitzengastronomin aus der Umgebung nahm sich die Ludwigstraße im Osten des Kurortes vor. Sie war nicht gar so geschickt wie der weltgewandte Partylöwe, sie glitt mit dem Schnupfhalm öfters ab, rutschte am Bahnhofplatz ganz aus, kurvte dort quietschend herum wie ein orientierungsloser Taxifahrer, stach sich in die Nase, blutete, kicherte und lachte, fuhr wieder zurück, musste mehrmals nachfassen. Sie ließ viel Stoff auf dem Glastisch zurück. Eine Anfängerin eben. Die geladenen Gäste klatschten und johlten trotzdem.

»Eine perfekte Überraschung!«, raunte ein einheimischer Stararchitekt seinem Nachbarn, einem Schickeria-Zahnarzt, zu. »Haben Sie einen Strohhalm für mich übrig? Ich möchte es auch einmal versuchen.«

Der Zahnarzt reichte ihm einen. Prustend und spotzend durchschniefte der Architekt die Falkensteinstraße, die um den Friedhof herumführte. Bald hatten sich alle Partygäste, Sportler, Politiker, Baulöwen und Filmleute, in der würzigen Suppenschüssel festgesaugt, sie schnaubten und schnüffelten schweigend, ab und zu kam es zu einem vagen Ächzen und Kieksen, sonst gab es eine Zeitlang keine erkennbaren Gesprächsinhalte.

»Die Koks-Allergiker unter euch sollten sich an die schönen oberbayrischen Seen in den Naherholungsgebieten halten!«, rief ein Mannsbild mit Hut und zitterndem Gamsbart.

Und tatsächlich: Tiefblau blitzten einige Gewässer auf, der

Schmölzersee, der Pflegersee und der Riessersee. Bei näherer Betrachtung waren das keine Farbtupfer, das waren echte, scharf riechende Flüssigkeiten. Frank Möbius selbst tauchte den Finger in den Eibsee und leckte daran. Er bekam einen Hustenanfall.

»Pfui Teufel!«, keuchte er. »Blue Curaçao!«

Schließlich wandten sich alle wieder dem Schnee zu.

Die stimulierende Reliefkarte des Kurorts war ein Werk des ortsansässigen Konditormeisters Heinz Wölfle, Chef des gleichnamigen Traditionsbetriebes. Man hatte ihm den Auftrag gegeben, dieses kleine Alpenpanorama zusammenzuzuckern, und weil der Auftrag dann doch einen Ticken delikater war als die sonstigen Hochzeits- und Geburtstagstorten, waren für ihn zusätzlich zur branchenüblichen Entlohnung noch ein paar Hunderter extra herausgesprungen. Mit dreißig bis vierzig Gästen wurde gerechnet droben auf der Alm. Der Geföhnte hatte nicht geknausert und über hundert Gramm Gaudipulver drüben im Italienischen eingekauft.

Die Grünanlagen, der Kurpark, die Felder waren mit bunten Bastelmatten angelegt, da und dort ragten sogar einige Bäumchen auf, wie man sie für elektrische Modelleisenbahnanlagen verwendet. Und tatsächlich, da fuhr sie schon ab, die kleine Bummelbahn, vom Bahnhof des Kurortes. Es war ein Gütertransport der besonderen Art, denn auf den Waggons bliesen Schneekanonen den belebenden Staub in alle Richtungen. Die Umstehenden fächelten sich das Zeug mit beiden Händen zu. Die Volksschauspielerin Leopoldine Schmiëd (gesprochen Schmi-ed, nicht etwa prosaisch Schmied), die in vielen Heimatfilmen mitgespielt hatte, hatte dagegen eine andere, wesentlich derbere Technik der nasalen Einfuhr von Drogen. Die Schmiëd schaufelte eine breite

Allee, die an der Loisach entlangführte, mit einem gefalteten Prospekt des Kurorts auf, sie nahm die Ladung mit der Pappe hoch und kippte sie sich abwechselnd in beide Nasenlöcher. Ihre herrlichen Nasenvorhöfe wurden allseits gerühmt.

Der Michl stand draußen vor der Almhütte. Er hatte einen Blick durchs Fenster hineingeworfen und ein paar Skizzen gemacht, das hatte ihm schon genügt. Möbius, der ebenfalls unter den Gästen gewesen war, trat vor die Tür.

»Die Skizzen wirfst du alle weg«, sagte er.

»Warum denn?«, sagte der Michl bockig.

»Keine Widerrede. Diese Bilder braucht es nicht.«

»Warum braucht es dann überhaupt Bilder?«

Frank Möbius wurde ärgerlich.

»Gib her, ich mach das für dich.«

Er riss ihm die Skizzen aus der Hand, ging wieder hinein und verbrannte sie im authentisch lodernden Kaminfeuer. Dass der Michl auf Skizzen vor Ort gar nicht angewiesen war, dass der Michl sich die Motive bis ins kleinste Detail merken konnte, das wusste Möbius wohl. Aber er hoffte, dass der Michl zu faul war, diese Koks-Sause zu verewigen. Frank Möbius ging wieder hinein. Er war dem Stoff nicht direkt zugeneigt, er schnupfte sozusagen Geld, aber er war dabei, weil er hier neue Käufer für die Bilder anwarb. Der alte Wolzmüller stand mitten im Raum. Er hatte sein bestes Stück Tracht angezogen, er gab diesem und jenem die Hand.

»Schön hast du es hier heroben, Andreas! Das pralle Leben!«, sagte der Bürgermeister. Wohlgemerkt: der damalige Bürgermeister.

»Sell woll.«

»Probier einmal, Bauer«, sagte Möbius. »Es ist wie Schnupftabak.«

Und der Wolzmüller zog sich eine Linie in sein Almbauernhirn, dass es nur so rauschte.

»Herrschaftseiten, des is a guada Schmaizler!«, rief er, ohne dass ihn jemand groß beachtete. Und er nahm noch eine Prise, und noch eine, und er pöschelte sich voll, lief nach draußen, sang almerische Lieder, brach schließlich auf der steilen Almwiese zusammen. Zum Schluss lief sogar sein langes Almbauernleben an ihm vorüber. Der Schickeria-Zahnarzt stellte den Totenschein aus, er behauptete, er hätte das schon öfters gemacht – und eingegraben wurde Vater Wolzmüller dann tatsächlich von den jungen Graseggers. Wenigstens in diesem Punkt hatten sie nicht gelogen.

32

»In diesem Baum steckt Leben!«, flüsterte Galadriel. Langsam drückte sie stärker auf die Rinde, und der starke Ahorn begann zu ächzen und zu knarzen. Dann war es wieder still, nur ein wisperndes, aufgeregtes Rascheln ging durchs Unterholz.
J. R. R. Tolkien, »Der Herr der Ringe«, irgendwo im unendlichen Seitenmeer des zweiten Bands.

Ein Knacken in zehn Meter Entfernung, und alle erstarrten.

»Gehen wir weiter«, sagte Stengele. »Es war nur ein Tier.«

Trotzdem dachten alle nur an eines. Der Tunesier konnte in der Nähe sein. Der Tunesier konnte sie hier alle drei erledigen.

»Ist es möglich, dass er uns in den Wald gelockt hat?«, flüsterte Nicole.

»Möglich ist alles. Aber ich glaube, er verschwendet keine Zeit damit, uns aufzulauern. Er hat ein festes Ziel, und dorthin ist er unterwegs.«

»Er will den Bürgermeister ausschalten? Oder zumindest bedrohen? Ausgerechnet ihn?«

Stengele schüttelte den Kopf.

»Das glaube ich nicht. Er wird nicht so dumm sein, uns nach einer Adresse zu fragen und dann dort hinzumarschieren. Es ist eine Finte. Er will uns beschäftigen. Trotzdem ist es natürlich nötig, den Bürgermeister in Sicherheit zu bringen. Wir müssen jemanden zu seinem Schutz abstellen.«

Stengele riss im Gehen ein Blatt aus einem niedrigen Busch.

»Schauen Sie her: eine Spur.«

»Wir sehen nichts.«

Er hielt Nicole und Hölleisen das gezackte, dunkelgrüne Blatt mit dem unregelmäßigen Belag vor die Nase.

»Durch den Pollenflug lagert sich der Blütenstaub auf den Blättern ab. In diesem Fall ist es das Mehl der Brennnesselpollen. Die Wischspuren sind deutlich zu erkennen, sie beginnen breit und enden spitz. Das zeigt uns die Richtung, in der unsere Zielperson gelaufen ist. Dazu noch die Fußspuren und die abgeknickten Zweige. Ich habe vorher die Landkarte genau studiert. Und ich habe auch schon eine Idee, wohin er geflohen sein könnte. Folgen Sie mir.«

Stengele legte ein gutes Tempo vor. Ab und zu flatterte ein Vogel auf, oder ein Reh knatterte durch die Büsche. Dann klingelte Nicoles Mobiltelefon.

»Hallo, hier ist Maria. Wo sind Sie? Haben Sie seine Spur aufgenommen?«

»Wir sind im Wiedauer Wald, wir gehen in Richtung der alten Forststraße am Gsteig. Ist bei Ihnen alles in Ordnung?«

»Alles okay.«

Nicole gab das Telefon an Stengele weiter.

»Hallo, Frau Schmalfuß. Wir kreuzen gerade den aufgelassenen Forstweg, der früher von Mittenwald in den Kurort geführt hat. Wir gehen noch etwa eine gute Stunde, in der Dunkelheit lohnt es sich dann eh nicht mehr, weiterzusuchen. Wenn Sie nichts mehr hören, holen Sie uns mit dem Auto am Krankenhaus ab.«

»Wird gemacht.«

Stengele unterbrach die Verbindung.

»Wir gehen zum Krankenhaus?«, fragte Hölleisen. »Sind Sie sicher, dass unser Tunesier dorthin geflohen ist?«

»Seine Spuren führen in diese Richtung.«

»Meinen Sie, er ist verletzt?«

»Nein, das glaube ich nicht, das würde ich an den Fußabdrücken erkennen. Aber er ist ein Profi. Er geht zum Krankenhaus. Es gibt kaum eine Örtlichkeit mit mehr Betrieb, Hektik und Unachtsamkeit. Es gibt kaum einen Ort, wo ein zusätzlicher Hektiker weniger auffällt. Ich wüsste zehn Möglichkeiten, dort unterzutauchen und zwanzig, um unauffällig wieder zu verschwinden.«

»So, Johann, auch unterwegs?«

»Jaja, die Polizei ist immer unterwegs.«

Polizeiobermeister Johann Ostler hatte die Umgebung rund um den Mähdrescher sorgfältig abgesucht, er hatte keine weiteren Hinweise auf den Tunesier gefunden. Nachdem er sich über Funk bei Stengele gemeldet hatte, machte er sich auf den Weg. Er beschloss, mit öffentlichen Verkehrsmitteln zum Polizeirevier zurückzukehren. Eine Mitfahrerin, die Pallauf Conni, redete ihn an.

»Ostler, sag einmal: Das Spektakel in Wamberg, hat das eigentlich was mit der Wolzmüller-Alm zu tun?«

»Conni, du weißt es doch. Darüber kann ich keine Auskunft geben.«

»Es ist doch geschossen worden in Wamberg, oder?«

»Ja, es ist geschossen worden, aber warum –«

»Man kann ja nicht mehr auf die Straße gehen. Wenn jetzt schon in Wamberg geschossen wird!«

Ein paar Neugierige waren aufgestanden und näherten sich ihnen. Es war doch keine so gute Idee gewesen, mit dem Ortsbus zu fahren. Und die Wadenkrämpfe wüteten immer noch in seiner Beinmuskulatur.

»Conni, du weißt doch, dass ich nichts sagen darf.«

»Stimmt das, dass er mit Handgranaten geworfen hat?«

Ostler wollte zwar keine Panik in der Bevölkerung schüren, aber er wollte auch nicht sagen, dass lediglich mit vier Selterswasserflaschen geworfen worden war. Und die eigene unrühmliche Geschichte mit der Fesselung an einen Mähdrescher wollte er ihnen auch nicht auf die Nase binden.

»Ist der, der geschossen hat, derselbe, der die Frau umgebracht hat?«

Warum sollte er nicht nicken, dachte Ostler. Dann würde die Pallauf Conni Ruhe geben.

»Ist das ein Ja?«, fragte ein Reporter der örtlichen Zeitung, der in der Gruppe der Lauscher gestanden hatte. Das war schon wieder ein Nicken zuviel, dachte Ostler.

»Ja, der Bürgermeister ist schon informiert. Ich bitte um genaue Positionsmeldung!«

Jennerwein war über die Karte gebeugt, die Stengele vorbereitet hatte. Vom Klettergarten waren drei Fluchtwege eingezeichnet, Klettergarten-Bahnhof, Klettergarten-Autobahnende Eschenlohe und schließlich Klettergarten-Krankenhaus.

»Wir befinden auf der Eichenauhöhe«, gab Stengele durch. »Keine besonderen Vorkommnisse. Wir sind fast am Ziel. Wir können den Hubschrauberlandeplatz des Krankenhauses schon erkennen.«

»Seien Sie vorsichtig. Schärfen Sie das auch den anderen ein. Niemand soll vergessen, dass der Tunesier vermutlich für den Mord verantwortlich ist.«

»Geht klar. Ist der Bürgermeister schon in Sicherheit?«

»Seit ein paar Minuten. In absoluter Sicherheit. Keine weiteren Details über Funk.«

Jennerwein konnte sich ein kleines Lächeln nicht verkneifen. Der Bürgermeister war freiwillig mitgekommen. Es wäre ja nur für ein paar Stunden, hatte Jennerwein gesagt. Und der Bürgermeister wollte sowieso schon immer einmal die Verhältnisse in der örtlichen JVA studieren, die ja eine der kleinsten in Bayern war. Dort herrschten regelrecht familiäre Verhältnisse, und das Essen war auch nicht so schlecht. Die Gefangenen bekamen sogar das Gleiche wie die Bediensteten.

»Wenn es etwas Neues gibt, melden wir uns. Ende.«

Jennerwein funkte Maria an.

»Kontaktieren Sie Becker, und lassen Sie ihn den Bereich rund um den Klettergarten sichern.«

»Schon erledigt, Hubertus.«

»Gut gemacht, Maria.«

»Hier im Auto fehlt –«

»Ja, ich weiß«, unterbrach Jennerwein. »Ich habe das Handfunkgerät und die Dose Pfefferspray schon sichergestellt.«

»Aber woher –«

»Später, Maria, wir haben jetzt keine Zeit. Was ist mit den beiden Jungs? Und Herrn Kloß? Sind sie wohlauf?«

»Ja, ich habe grade mit den Sanitätern gesprochen. Bestens. Ich muss jetzt los, Hubertus. Ich hole Stengele vom Krankenhaus ab.«

»Hier sind natürlich keine Spuren mehr zu erkennen«, sagte Stengele, als sie auf das großflächig zubetonierte Krankenhausgelände zukamen.

»Was jetzt?«

»Wir gehen rein und fragen nach irgendwelchen Besonderheiten. Zuerst nehmen wir uns die Rezeption der Notaufnahme vor.«

Stengele hielt seinen Ausweis hoch und drängte sich durch eine Schlange mit vorwurfsvoll dreinblickenden Leuten.

»Ist in der letzten Stunde ein Hubschrauber von hier gestartet?«

»Ja, zwei.«

»Ich brauche die Namen von Pilot und Patient. Sofort.«

»Sehen Sie, wir haben hier –«

»Sofort.«

Stengele legte einen schneidenden Unterton in die Stimme. Es war eine Stimme zwischen Ausgangssperre und fünfzig Liegestütze. Einarmig. Es wirkte. Die Dame an der Rezeption sah nach.

»Zwei Verlegungen in andere Krankenhäuser«, sagte sie unfreundlich. »Seit Tagen geplant.«

»Keine Besonderheiten?«

»Nein, nicht dass ich wüsste.«

»Checken Sie das nochmals. Punkt für Punkt. Es ist durchaus möglich, dass ein polizeilich gesuchter Täter auf diese Weise entkommen ist.«

Maria Schmalfuß kam in das Krankenhausfoyer gelaufen und winkte mit den Autoschlüsseln.

»Hallo! Ich bin froh, dass Sie wohlauf sind.«

»Ich bleibe hier und sehe mich noch um«, sagte Stengele. »Sie beide fahren mit Maria aufs Revier.«

»Haben Sie eine Idee, wohin der Tunesier verschwunden ist?«, fragte Maria.

»Vielleicht ist er noch im Haus. Ich glaube es zwar nicht, dafür ist er zu ausgefuchst. Aber ich sehe mich trotzdem um. Verdammt nochmal! Höchstwahrscheinlich ist uns der Mörder von Luisa-Maria durch die Lappen gegangen. Und wir waren so nah dran!«

»Wir bleiben da und helfen Ihnen«, sagten Nicole und Hölleisen übereinstimmend.

»In Ordnung«, sagte Stengele schnell, als hätte er das ohnehin erwartet. »Maria, machen Sie Meldung auf dem Revier. Wir drei wechseln als Erstes die Kleidung. Wir sehen momentan aus wie Polizisten, die nach einem Verbrecher suchen. Wir müssen uns in Weißkittel verwandeln. Kommen Sie.«

Jennerwein hatte sich von seinem Anfall leidlich erholt. Er befeuchtete das Gesicht mit kaltem Wasser. Ostler und Maria kamen fast gleichzeitig wieder aufs Revier.

»Ich bin froh, dass Ihnen nichts passiert ist«, sagte er. Maria und Ostler berichteten kurz und knapp von der ergebnislosen Verfolgungsjagd und von Stengeles Plan, das Krankenhaus inkognito zu durchkämmen.

»Ja, wir müssen auf Nummer Sicher gehen. Ich schlage Folgendes vor. Wir drei lösen das Krankenhausteam in drei Stunden ab. Gut, ich weiß, wir alle sind seit den frühen Morgenstunden auf den Beinen. Wir sollten uns bis dahin ein wenig aufs Ohr legen. Ostler, informieren Sie bitte Stengele darüber, wann die zweite Schicht anrückt.«

»Ich kann Sie noch ein Stück mitnehmen, Hubertus«, sagte Maria beim Hinausgehen.

»Ja, gerne, Maria.«

Schweigend fuhren sie in den Abend hinein, Czárdásgeiger und wohlriechende abessinische Dienerinnen tauchten jedoch nicht mehr auf. Der Tunesier hatte sie alle verscheucht.

»Da vorne, an der St.-Martins-Kirche, da können Sie mich absetzen.«

Maria hielt den Wagen an. »Gehen Sie noch in die Kirche?«

»Ja, aber nicht zum Beten. Ich kann mich ganz gut konzentrieren, wenn ich da sitze. Ich kann ohnehin nicht schlafen, ich bekomme die Ereignisse heute nicht aus dem Kopf. Wollen Sie mich begleiten?«

Die Kirche war offen, im Inneren war niemand zu sehen. Laut einer Kreidetafel begann die Spätmesse in einer halben Stunde.

»Ein sonderbarer Fall, den wir da gerade haben«, sagte Maria, als sie auf einer der Holzbänke Platz genommen hatten.

»Ja, ein eigenartiges Verbrechen. Ein Schlachtfeld voller Nebelkerzen.«

Leise Orgelmusik erklang. Der Organist spielte ein paar Präludien. Jennerwein deutete mit dem Kopf zur Decke.

»Sehen Sie das Deckenfresko dort oben, Maria?«

»Ein Reiter mit Mantel, Schwert und Bettler, soweit ich das ohne Brille erkenne. Das dürfte der Heilige Martin sein.«

»Der Schutzpatron der Gemeinde, richtig. Ich bin als Kind hier in dieser Kirche Ministrant gewesen. Damals wurde gerade renoviert, und ich bin zwischen den Stützverschalungen auf den Dachboden der Kirchenkuppel geklettert.«

Jennerwein beschrieb mit den Fingern den Weg.

»Zwischen der eigentlichen Decke und der Kuppel gab es einen Hohlraum, in dem ich gerade Platz gefunden habe. Es war stockdunkel dort oben, staubig und muffig. Dann ist plötzlich ein paar Meter vor mir ein dünner Lichtstrahl aus dem Boden geschossen. Unten spielte schon die Orgelmusik zur nächsten Messe auf. Alle haben *Näher zu dir, mein Gott, zu dir* gesungen, und das hat irgendwie gepasst. Ich bin zu dem Loch in der Decke gekrochen, durch das man nach unten ins Kirchenschiff schauen konnte. Ich konnte die ganze Kirchengemeinde sehen, ich kann mich noch heute daran erinnern, wer wo gesessen ist. Es war eine Messe für den alten Kuhschnappel. Ich habe die ungewohnte Perspektive genossen.«

»Sie waren mitten im Paradies.«

»In gewisser Weise ja. Zwischen Adam und Eva, den ganzen Heiligen und Engeln. Ich beugte mich noch weiter aus dem

Guckloch hinaus. Ich erwartete irgendetwas Besonderes da unten, eine Entdeckung, irgendein Geheimnis, etwas Außergewöhnliches.«

»Wie meinen Sie das?«

»Zum Beispiel eine Person, die gar nicht da sein sollte. Jemand, der auf dem Chorgestühl beraubt, gewürgt, ermordet oder zumindest bedrängt wurde –«

»– und dem Sie zu Hilfe eilen konnten.«

»Ja genau«, sagte Jennerwein lächelnd. »So hatte ich es zumindest in den Abenteuerschmökern gelesen. Aber nichts dergleichen ist damals geschehen, es war eine ganz normale Messe, eine geräuschvolle Pumpermesse für den alten Kuhschnappel eben.«

Jennerwein massierte seine Schläfen.

»Haben Sie sich damals entschlossen, Polizist zu werden?«, fragte Maria.

»Vielleicht«, sagte Jennerwein. Beide erhoben sich. Sie verabschiedeten sich heiter. Ein kleiner Anflug von Czárdásgeigermusik vielleicht, die sich zwischen die sakralen Orgelklänge mischte – aber sie waren alle zwei zu müde, um diesen bittersüßen Klangspuren weiter nachzugehen. Sie verließen die Kirche.

Eines aber wusste Jennerwein nicht. Dass nämlich die Nussbein Monika unten im Kirchenschiff gesessen und hinaufgeschaut hatte zum Heiligen Martin, als der junge Hubertus damals dort oben herumgekrochen war. Sie war nicht eben tiefreligiös, die Nussbein Moni, eher so lala, sie war zur Seelenmesse des alten Kuhschnappel gegangen, weil es sich so gehörte. Ziemlich gelangweilt blickte sie hoch zur Decke und betrachtete den Heiligen Martin, der dem Bettler einen Mantel hinwirft. Der Kirchenchor war beim Jubilus, dem Kirchenjodler, angelangt. Da, plötzlich drehte sich der Kopf des Heiligen Martin herum. Und der Heilige Martin blickte die Nussbein Monika an. Und dann zeigte er, der ja auch schon zweitausend Jahre tot war, mit dem Finger auf sie. Er winkte ihr zu. Er bedeutete ihr, heraufzukommen, ins Paradies. Die Frau Nussbein ist nie wieder richtig im Kopf geworden, wie es hieß.

33

Wer im Unterholz lebt, soll nicht mit Macheten werfen.
Altes Sprichwort aus Goa

Der Himmel legte sich wie ein schwarzes Samttuch über das Werdenfelser Tal, und ein großer Tunichtgut pikste mit einer gigantischen Nadel Tausende von Löchern in den weiten Weltanzug. Eine Milliarde hatte er schon geschafft. Hoffentlich übertrieb er es nicht wieder wie in dem einen Fall, als er ein mondgroßes Loch herausgestochen hatte.

Auch die Inder betrachteten den Nachthimmel über dem Loisachtal.

»Schön ist es hier in diesem Kurort«, sagte Pratap Prakash. »Und was das Beste ist: Wir haben auch noch das Glück gehabt, ein Zimmer mit Blick auf die Alpen zu bekommen. Es ist ein Hauch von Himalaya, findet ihr nicht, liebe Freunde? Eine Spur von den Hochebenen der Provinz Uttarakhand.«

»Trotzdem ist es schade, dass das Seminar abgebrochen worden ist«, sagte Dilip Advani. »Ich hätte gerne etwas gelernt.«

Man lernt immer, schrieb der stumme Raj Narajan auf einen Zettel. *Selbst wenn man meint, man hätte nichts gelernt.*

»Seht nur den leichten Anflug von Abendrot! Wie wenn man auf das Nanda-Devi-Massiv blickten würde! Auf die Göttin der Freude!«

Wie jeder Inder liebte und verehrte auch Pratap Prakash das Gebirge. Als Indien vor Jahrmillionen noch eine riesige Insel war, hatte sie sich in das asiatische Festland gebohrt und so das Himalaya-Gebirge aufgeworfen. Immer noch bewegte sich der indische Riesenkeil in Richtung Norden – vergleichbar mit unserer Insel Sylt, die zwei, drei Zentimeter pro Jahr auf Niebüll zudriftet, um hinter dem Rickersbüller Koog vielleicht dereinst eine Art von nordfriesischem Himalaya aufzutürmen. Aber das ist eine andere Geschichte. Denn das große Himalaya-Gebirge mit seinen vielen Achttausendern, das ist den Indern im Lauf ihrer wechselvollen Geschichte in weite, unerreichbare Ferne gerückt worden. Deshalb liebten sie die Berge. Ein Film ohne Alpen war für einen Inder kein richtiger Film.

»Hier in der Pension Üblhör können wir eine Zeitlang bleiben«, fuhr Pratap Prakash fort. »Wenigstens so lange, bis sich der Trubel gelegt hat. Wenn wir gerufen werden, können wir unseren Auftrag in Köln schnell und präzise erledigen. Inzwischen haben wir Gelegenheit, die Sitten und Gebräuche der Einheimischen hier zu studieren.«

»Ich habe gelesen«, schrieb Raj Narajan, »dass der Tag eines Alpenländers folgende neun Dinge enthalten soll: Schuhplatteln, Jodeln, Fensterln, Fingerhakeln, Weißwurstzutzeln, Schmaischnupfen, Hallelujasingen –«

»Wir machen das alles noch. Wir verbinden Geschäftliches mit Vergnüglichem, das tun viele in diesen Gefilden. Es ist immerhin ein Kurort.«

»Und was ist mit der Polizei, die momentan in dieser lieblichen Kulisse ermittelt?«

»Das ist sogar ein Vorteil – wir haben die Polizei jederzeit im Blick. Wir befinden uns im Auge des Orkans, lieber gebildeter und beredsamer Freund. Darüber hinaus sind wir hier in der tiefsten Provinz. Die besten und edelsten Kräfte der Polizei sind in der Großstadt, das ist auf der ganzen Welt so. Bisher hat die Polizei keine Ergebnisse vorzuweisen.«

»Und der Pedell des Anwesens, Rainer Ganshagel?«

»Der hält dicht, davon bin ich fest überzeugt. Unser Überraschungsangriff war ihm Warnung genug.«

»Vielleicht sollten wir ihn nochmals besuchen. Er soll wissen, dass wir ihn jederzeit im Blick haben.«

»Eine gute Idee, schaden kann es nicht. Offenbar hat die Polizei keine Ahnung, was da droben wirklich los war.«

»Schade ist es trotzdem, dass das Seminar auf diese Weise unterbrochen wurde. Es ist wichtig für unseren Berufsstand, dass nicht jeder für sich alleine arbeitet, sondern dass wir organisiert sind und unsere Rechte durchsetzen können!«

Und genau deswegen waren sie zusammengekommen in dem idyllischen Kurort mit den herrlich schlechten Zu- und Abfahrtsmöglichkeiten. Genau das war das Hauptthema der Fortbildung gewesen. Ihr Berufsstand war in der Krise. Die Nachfrage war zwar riesengroß – immer mehr Menschen kamen unversehens in die Verlegenheit, die Dienstleistung der Pierres und Wassilis, der Lucios und Fabios dieser Welt beanspruchen zu müssen. Die Frauen mit den Meckifrisuren und die Tunesier mit den Tennisbällen mussten sich jedoch im Verborgenen bereithalten, im Halbdunkel zwielichtiger Organisationen, schikaniert von den Behörden, verachtet und angefeindet von der Gesellschaft, ausgeschlossen von den Segnungen der Zivilisation – kaum einer von ihnen war krankenversichert oder hatte Anspruch auf Rente, von einem geregelten Einkommen oder gar Mindestlohn ganz zu schweigen. Dieses alte und in vielen Kulturen hochgeachtete, wenn nicht sogar ehrbare Gewerbe war im Lauf seiner wechselvollen Geschichte immer gezwungen gewesen, im Bereich der Illegalität zu arbeiten. Das waren finstere Zeiten gewesen, gewiss. Aber ausgerechnet heutzutage, in einer Zeit, in der es für die absurdesten Dienstleistungen übersichtlich gestaffelte Angebote gibt, geregelte Internetauftritte, kundenfreundliche Vergleichspräsentationen bis in die entlegensten Regionen der Welt, ist der Auftragsmörder, der Berufskiller, der Hitman, der Tueur à gages, der Assassino immer noch gezwungen, sich in schmutzigen Bahnhofsvierteln, übelbeleumundeten Kaschemmen und schmierigen Vorstadtcafés herumzutreiben, um seine Dienste den Schultheissens dieser Welt anzubieten.

»Wie so oft denkt niemand an die Opfer!«, sagte Pratap Prakash nachdenklich. »Und zwar die Opfer, die durch Dilettanten und Sonntagstäter ums Leben kommen, die Opfer, die oft nicht einmal ein ordentliches Begräbnis erhalten, von einem schmerzlosen und schnellen Tod einmal ganz zu schweigen.«

Und wieder hatte Pratap Prakash die Situation richtig dargestellt. Heutzutage drängen sich sogenannte Profis und Experten für alles Mögliche ins Rampenlicht, zum kleinsten Pipifax gibt es einen funktionierenden internationalen Markt, und ausgerechnet hier, bei der letzten und erhabensten Kunst, pfuscht jeder so lokal, wie er es halt draufhat. Wir leben in ungerechten Zeiten.

»Ich bin mir sicher, dass das Treffen nachgeholt wird«, sagte Dilip Advani. »Jammerschade ist nur, dass wir die Äbtissin nicht mehr kennenlernen durften. Ihre Meisterschaft des schmerz- und spurlosen Tötens reicht an die unserer Kalarippayattu-Meister heran, so habe ich jedenfalls gehört.«

Alle drei verneigten sich, aktivierten ihre Chakren und sandten frische Energien an die Meisterin in ihrer neuen stofflichen Erscheinung. Kalarippayattu, so hieß die alte indische Kampfkunst, die meist vom Dorfarzt ausgeübt und gelehrt wurde. Diese Meister waren besonders im Behandeln von Knochenbrüchen, Quetschungen, Stauchungen und in der indischen Ayurveda-Heilkunst sehr gefragt, sie konnten jedoch auch kämpfen und ein Leben schmerzlos beenden. Sie waren berühmt dafür, in beiden Künsten keinerlei Spuren zu hinterlassen. Ein Kalarippayattu-Meister war im Dorf so hochgeachtet wie eine Hebamme. Nicht selten waren die beiden ein Paar.

»Wir sollten uns zur Ruhe begeben«, sagte Dilip Advani.

»Ach, eines noch: Wir sind beim Herweg an einer Fleischerei mit dem Namen Letzelberger & Söhne vorbeigekommen. Dort soll es wohlschmeckende Weißwürste geben. Ihr wisst schon: Die weichen Länglichkeiten, die verzehrt werden sollen, bevor die Sonne ihren höchsten Stand erreicht hat. Wollen wir dort morgen früh hingehen?«

Bitte da unter keinen Umständen hingehen! In der Metzgerei Letzelberger & Söhne gibt es die schlechtesten Weißwürste im ganzen Kurort! Metzgerei Kallinger, Metzgerei Moll – ja, durchaus empfehlenswert, aber niemals zu Letzelberger & Söhne, liebe weitgereiste Kurgäste!

Mitternacht wars. Zwei der Inder legten sich zu Bett, einer hielt Wache. All zwei Stunden war Wachablösung. Gleich bei der ersten Wache hörte der stumme, aber dafür umso hellhörigere Raj Narajan ein Geräusch an der Tür, ein rhythmisches Klopfen und Scharren. Raj Narajan weckte die anderen. Sie griffen zu ihren Waffen, schlichen zur Tür und lauschten. Das Klopfen und Scharren hörte nicht auf. Raj Narajan deutete pantomimisch an: die Polizei? Dilip Advani gestikulierte verneinend zurück: Die wird es wohl nicht sein. Ein Dieb? – Ebensowenig. Ein Tier? – Dafür ist das Klopfen zu systematisch und rhythmisch. Pratap Prakash holte ein Fläschchen Öl aus der Tasche und beträufelte damit den Schlüssel, der im Türschloss steckte. Auf ein Zeichen hin drehte Raj Narajan den Schlüssel unendlich langsam im Schloss herum. Das Klopfen und Scharren verstummte nicht, der draußen hatte nichts bemerkt. Auf drei öffnete Dilip Advani blitzartig die Tür, und Pratap Prakash schließlich packte die Gestalt an den Schultern, riss sie ins Zimmer und warf sie zu Boden. Innerhalb von wenigen Sekunden lag ein Bündel Mensch fast regungslos, nur leicht zuckend da, und drei Inder saßen darauf. Zum Schreien war das Bündel nicht fähig, sein Mund war vollgestopft mit Blumenerde.

Sie durchsuchten ihn nach Waffen. Sie fanden nichts. Sie ließen von ihm ab. Das Bündel Mensch entrollte sich langsam, erhob sich und spuckte reichlich Rhododendronwurzeln aus. Trotz des ungewöhnlichen Empfangs begrüßte der aufgerollte Mensch die Inder freundlich. Er hatte wohl nichts anderes erwartet. Er legte die Handflächen aneinander und hob sie in Brusthöhe. Er verneigte sich leicht.

»Namaste, Namaste, liebe Freunde aus dem großen Land, in dem die Kalarippayattus wirken und lehren. Ihr seid vermutlich die drei indischen Kollegen, die uns allen gestern angekündigt wurden. Ich bin übrigens Chokri, der Tunesier.«

Die Inder entspannten sich vorsichtig.

»Wie können wir dir trauen?«

»Ich war Seminarteilnehmer auf der Wolzmüller-Alm. Ich weiß, dass diese Pension hier eine sichere Anlaufstelle ist, die uns als Sonderservice zur Verfügung gestellt wurde.«

Die Inder warfen sich Blicke zu.

»Gut, wir trauen dir. Kommen noch mehr von den Seminarteilnehmern?«

»Ich denke nicht. Sie sind längst über alle Berge. Ich hatte vor, übers Krankenhaus zu entkommen. Das wäre mir auch fast gelungen. Aber eines muss ich euch sagen: Die Polizisten im Ort sind gar nicht so dumm, wie ich angenommen habe. Sie haben auch wesentlich mehr technische Möglichkeiten, als ich dachte. In diesem Punkt sind wir falsch informiert worden. Ich rate zur

Vorsicht. Wir müssen höllisch aufpassen. Einer der Polizisten hat meine Spur verfolgt. Ich habe ihn von einem Hügel aus beobachtet. Er und zwei seiner Kollegen haben in der Natur wie in einem aufgeschlagenen Buch gelesen.«

»Du bist nicht bewaffnet?«

»Doch, natürlich. Ich habe mein Päckchen draußen im Garten vergraben.«

»Dürfen wir dir etwas wohlschmeckenden Tee anbieten?«

»Gerne.«

Die drei Inder verhielten sich freundlich und schenkten Tee aus. Trotzdem blieben sie misstrauisch, denn auf ihre Frage, was er denn über den Tod der Äbtissin wüsste, hatte er seltsam ausweichend geantwortet. Nach dem Tee begaben sich alle vier zur Bettruhe. In die Stille hinein fragte Chokri Gammoudi:

»Hat einer von euch zufällig einen Tennisball?«

Nur ein paar Kilometer entfernt, am anderen Ende des Kurorts, saßen Ignaz und Ursel Grasegger auf der Terrasse. Auch sie hielten Nachtwache, aber wesentlich entspannter und sorgenfreier als die versprengten Auftragskiller. Sie vertrieben sich die Zeit mit einer exzentrischen Variante des Bleigießens: Sie gossen mit purem Gold. Für eine normale Silvestergaudi ist die Variante übrigens ungeeignet. Gold hat einen wesentlich höheren Schmelzpunkt (1064° C) als Blei (327° C) oder Zinn (232° C) – ein Fonduestövchen tuts da nicht mehr. Also hatten sie sich einen Schweißbrenner besorgt und das Edelmetall damit geschmolzen.

»Ich finde, das sieht aus wie ein Lasso!«, sagte Ignaz und hielt etwas hoch, das wie eine undefinierbare Mini-Skulptur von Curro Clandestino, dem neuen Stern am internationalen Skulpturenhimmel, aussah. »Kannst du mal nachsehen, was das bedeutet?«

Ursel hatte eine entsprechende Internetseite aufgerufen.

»Lasso heißt: Verfolgen Sie Ihr Ziel energisch, langfristig wird es gelingen.«

»Vielleicht ist es auch eine Krawatte.«

»Krawatte heißt: Ihre momentane Arbeit befriedigt Sie nicht. Denken Sie über einen Berufswechsel nach.«

»Diese Figur hier bedeutet wahrscheinlich gar nichts.«

»Für uns bedeutet sie drei- oder vierhundert Euro Verkaufswert. Mehr Bedeutung geht nicht.«

»Wenn der Goldpreis nicht noch weiter sinkt.«

»Dann sollten wir uns beeilen.«

Ursel blickte auf und wies auf einen gegenüberliegenden Berg.

»Aber da schau einmal rüber! Da, unterhalb der Törlspitze! Blinkt da nicht was?«

Ignaz hob den Kopf.

»Ich sehe nichts.«

»Doch, gleich unterhalb der Kante, weißt du, da, wo es so steil runtergeht.«

»Da hat halt jemand ein Bergfeuer gemacht. Kommt öfters vor.«

»Nein, das sind Zeichen. Drei kurz, drei lang, drei kurz. Das heißt doch SOS!«

»Schmarrn. Morsezeichen! Wer verwendet die denn heute noch? Und dann auch noch am Berg! Das ist doch ein Seezeichen.«

»Schon wieder!«

»Also gut, Ursel, ich glaube es zwar nicht, aber bloß, damit du Ruhe gibst: Dann melden wir es halt der Bergwacht.«

Mühsam quälte sich Ignaz hoch und schlurfte zum Telefon. Er hatte heute einfach zu reichlich zu Abend gegessen. Und Goldklumpen ins Wasser werfen ist auch nicht die Art Bewegung, die der Fitnesstrainer vorschreibt.

Um vier Uhr morgens schoben sich drei müde Gestalten durch die örtliche Klinik. Sie waren in weiße Kittel gehüllt, rotschläuchige Stethoskope umschlangen sie, und sie notierten kryptische Zeichen auf Klemmbretter. Es war wohl ein Ärzteteam auf Nachtvisite. Ein gutaussehender, aber unauffälliger Mann mittleren Alters ging voran, er schien der Chef zu sein, vielleicht ein Oberarzt. Eine schlaksige Frau mit Brille und ein knochiger jüngerer Mann folgten ihm. Assistenzärzte? Bestimmt. Das Team schien gut eingespielt zu sein. Einer öffnete die Tür zu einem Krankenzimmer, der Zweite trat vorsichtig hinein und erschien kurze Zeit darauf wieder, der Dritte blieb in der Zeit auf dem Gang stehen und sah sich nach allen Seiten um.

»Stengele hat recht gehabt«, sagte der Oberarzt, als er wieder auf den Gang trat. »Es gibt zig Möglichkeiten, sich hier zu verstecken. Ich teile aber auch Stengeles Vermutung, dass der Tunesier nicht mehr hier ist.«

»Wir haben es zumindest versucht.«

Nein, sie wurden nicht angesprochen und um eine Diagnose gebeten. Nein, Jennerwein, Maria Schmalfuß und Ostler mussten auch an keiner Operation teilnehmen. Aber sie beobachteten doch etwas äußerst Merkwürdiges. In der Notaufnahme gab es, kurz vor fünf Uhr morgens, Geschrei und Türenschlagen. Draußen hörte man kreischende Bremsen, ein Mann mit einer großen Schachtel stürzte herein.

»Reanimation!«, rief er. »Schnell.«

Der Mann in blauer Livree warf einen Fünfziger auf die Theke der Ambulanzrezeption.

»Für die Kaffeekasse.«

Die Notärzte lachten und bereiteten alles für eine Wiederbelebung vor.

Bestechlich vorgezogene Organtransplantation? Illegaler Handel mit inneren Organen? Noch Schlimmeres? Die drei Undercoverpolizisten beschlossen, der Sache nachzugehen, wenn dieser Fall hier vorbei war.

34

Andererseits heißt es auch:
Wer im Reisfeld lebt, soll nicht mit
Paellas werfen.
Spanisches Sprichwort

Der nächste Morgen begann gut für Rainer Ganshagel. Durch das halbgeöffnete Fenster drang liebliches Gezwitscher herein. Er konnte das ratternde *Trrrrt-t-t* der Sperbergrasmücke vom tscheckernden *Tsche-tsche-tsche* des Alpenbirkenzeisigs durchaus unterscheiden. Er lauschte eine Weile, er versuchte auch, den zarten Balzschrei des Zilpzalps (*Zilp-zalp-zelp-zilp-zalp*) zu erwidern, nur so aus Gaudi natürlich. Dann aber kamen die Erinnerungen an die dramatischen Ereignisse des gestrigen Tags wieder zurück. Das Bild dieser verfluchten Damenhandtasche tauchte vor Ganshagel auf. Er hatte sie vorgestern den ganzen Nachmittag über *nicht* am Tresen stehen sehen, aber irgendwann musste sie wohl dort hingestellt worden sein. Bloß wann? Er hatte nicht darauf geachtet. Es wurmte ihn sehr, dass er trotz aller geschärften Sinne das Wesentliche an diesem Fall nicht mitbekommen hatte. Weder die Episode mit Luisa-Maria vor dem kleinen Einkaufsladen in der Wettersteinstraße (die Erinnerung daran wurde immer unschärfer) noch die Sache mit der Handtasche. Irgendetwas stimmte mit dieser Tasche nicht! Aber er wusste nicht, was. Nochmals von vorn. Er hatte die Leiche der Frau um Mitternacht entdeckt. Dann hatte er sofort die Graseggers angerufen und war zur Rezeption gegangen. Dort hatte er die Tasche auf dem Tresen bemerkt, der Personalausweis war deutlich sichtbar in eine Seitentasche gesteckt worden. Zu deutlich? Zu offensichtlich? Aber warum? Den Ausweis hatte er an sich genommen. So hatte er die Geschichte auch der Polizei erzählt, nur um ein paar Stunden nach vorne versetzt und in umgekehrter Reihenfolge.

Tschak-tschak!, so klang es von draußen. Das war der Steinschmätzer, leicht zu verwechseln mit der Blaumerle *(Tschak-tschak-uip!)*, die sich in diesen Gefilden ebenfalls wohlfühlte. Das Getöne des Steinschmätzers war sein Signal, aufzustehen, so empfand es Ganshagel wenigstens. Er sprang aus dem Bett, kleidete sich an und setzte Teewasser auf. Ganshagel hatte dieses kleine Häuschen am Rande des Kurorts gemietet, es war sozusagen seine Stadtwohnung. Einen riesigen Gastronomiekühlschrank hatte er gekauft, um Lebensmittel wie zum Beispiel seine Sauren Knödel zwischenzulagern. Manchmal übernachtete er auch hier unten, meistens dann, wenn die Seminarteilnehmer droben unter sich sein wollten. Momentan war er ganz und gar unerwünscht auf der Alm, die lästigen Spurensicherer breiteten sich aus wie Schimmelpilze, sie stellten alles auf den Kopf und brachten alles durcheinander. Wochen könne es noch dauern, hatte es geheißen. Jennerwein hatte ihn getröstet: In wenigen Tagen bekäme er seine Alm wieder zurück, sauber in Plastiktütchen verpackt. Das Teewasser plodderte im Kessel, über der Küchenanrichte waren Ansichtskarten aus aller Welt gepinnt, von Gästen, die sich bei ihm für die schöne Betreuung bedankt hatten. Manche Seminarteilnehmer hatten sich nicht gescheut, etwas Persönliches zu schicken. Vom Knollennasigen zum Beispiel prangte ein Kärtchen aus feinstem Büttenpapier an der Wand, hergestellt in der päpstlichen Druckerei Tipografia Vaticana, mit den handschriftlichen Zeilen:

»Verehrtester Bruder Ganshagel,

gerade musste ich an Sie denken. Ich komme von einer Klausur mit ein paar Kardinälen. Ich habe jeden von ihnen gefragt, ob *sie* sich denn schon eine balkongeeignete Antrittsrede für den Fall der Fälle überlegt hätten. Die Antwort der Eminenzen war erstaunlich. Mehr beim nächsten Treffen bei Ihnen hoch droben auf der Alm –

Mit pontifikalen Grüßen –«

Ob es überhaupt ein nächstes Treffen geben würde? Konnte Kommissar Jennerwein ihm einen Strick daraus drehen, dass er die Anmeldungen so lasch gehandhabt hatte? Ganshagel verließ das Haus, um die örtliche Tageszeitung vom Laden um die Ecke zu holen. Wieder zurück, nahm er einen Schluck von seinem Beifußtee und überflog die Seiten des Blatts. Das Passbild der toten Frau war abgebildet, Tausende starrten es jetzt beim Frühstücksei an, und tausend wohlige Schauder liefen tausend Rücken hinunter. Wer kannte diese Frau? Niemand kannte sie. Auch Ganshagel nicht. Auf der Seite unten hatten sie sein eigenes Foto abgedruckt. Die Bildunterschrift lautete: *Betreiber Ganshagel (39) ratlos.* Das passte ihm eigentlich überhaupt nicht, so ans Licht der Öffentlichkeit gezerrt zu werden, aber ein kleines bisschen Stolz keimte doch in ihm auf. Im Hauptartikel war von einem *rührigen* Hüttenwirt die Rede. Auch der *unvergleichliche* Geschmack seiner Sauren Knödel wurde erwähnt, genauso wie seine *erstaunlichen* Fremdsprachenkenntnisse – sieben Sprachen sollte er angeblich fließend beherrschen. Ganshagel spürte das süße Gift des hochmütigen Stolzes in sich aufsteigen, der Knollennasige hätte ihn hierfür sicher getadelt. Aber trotzdem: Drohte nicht die Gefahr, dass viele seiner Kunden das Vertrauen zu ihm verloren? Er nahm noch einen großen Schluck Tee. Vielleicht war ja alles nicht so schlimm. Und wenn es knüppeldick kam, würde ihm der Bürgermeister doch sicherlich aus der Patsche helfen.

Doch immer und immer wieder kehrten Ganshagels Gedanken zu der toten Luisa-Maria zurück. Welcher Seminarteilnehmer hatte sie ermordet? Solch eine brutale Tat konnte er sich bei keinem so recht vorstellen. Und was zum Teufel war ihm an der Frau aufgefallen, als er sie lebend unten im Ort gesehen hatte? Ganshagel fasste einen Entschluss. Er wollte nochmals zu der Stelle gehen, an der er mit ihr zusammengestoßen war. Vielleicht hatte er Glück, und die Erinnerung kam in dieser Umgebung wieder zurück.

Ganshagel verließ das Haus. Das Lebensmittelgeschäft in der Wettersteinstraße, in dem er vorgestern eingekauft hatte, war keine zehn Minuten von seiner Wohnung entfernt. Alles in diesem Kurort war keine zehn Minuten entfernt. Als er an der bewussten Stelle angekommen war, versuchte er, mit den Lippen die Worte zu formen, die er vorgestern gesagt hatte. Vergeblich. – Noch ein Versuch. – Es ging einfach nicht. Es dauerte nicht lange, da wurde er angesprochen. Er war spätestens seit dem Abdruck seines Fotos im heutigen Morgenblatt eine bekannte Persönlichkeit im Ort.

»Hast du dein Bild in der Zeitung gesehen, Gansi?«

Einen kleinen Ratsch mit dem pensionierten Amtsrat Josef Gönnewein konnte er nicht abschlagen.

»Hast du dein Bild in der Zeitung gesehen, Gansi?«

Einem etwas längeren Ratsch mit der Sittl Elisabeth kam er ebenfalls nicht aus, das war so eine, zu der man nicht einfach sagen konnte: Lass mich in Ruh, ich muss mich konzentrieren!

»Hast du dein Bild in der Zeitung gesehen, Gansi?«

Das war der Berger Ottfried. Der erlöste ihn wenigstens von der Sittl Elisabeth.

»Ja grüß dich, Ottfried! Nein, das hab ich noch nicht gesehen, zeig her.«

»Gut bist du getroffen, Gansi!«

Er kam nicht dazu, sich zu konzentrieren. Rainer Ganshagel war, obwohl er eigentlich immer bloß zum Einkaufen herunterkam, ausgesprochen beliebt im Ort. Man verzieh ihm, dass er in keinem einzigen örtlichen Verein war – normalerweise war das der soziale Todesstoß. Man wusste, dass Ganshagel am Donnerstag immer einen festen Termin hatte. Da holte er seinen Sohn von der Schule ab, einmal in der Woche nahm er sein Besuchsrecht in Anspruch, und jedermann konnte sehen, wie er mit dem Kleinen freudig zum Spielplatz ging, wie er ihm liebevoll den Unterschied zwischen dem *Raaz-Raaz* eines Rallenspreizers und dem *Gu-ak! Gu-ak!* eines Purpurlöfflers erklärte. Wie er mit ihm durch den Ort schlenderte und wie er ihn schließlich, immer um fünf, zur Klavierstunde brachte, von der ihn dann, um sechs, seine Geschiedene wieder abholte. Der Klavierunterricht war sozusagen die soziale Schleuse zwischen einem aufgebrachten Ehepaar. In diesem speziellen Ganshagel-Fall schlugen sich viele auf die Seite des Vaters. Ein ganz furchtbar lieber Mensch wäre er, hieß es.

»Ja grüß dich Gott, Gansi«, sagte der Postbote Müllermeier, ehrenamtlich zweiter Vorsitzender des Volkstrachtenvereins. »Eines muss ich dir einmal sagen: Schön, dass einer wie du das alte Brauchtum noch aufrechterhält. Eine Alm nach der anderen macht doch zu! Bald gibt es keinen Almabtrieb mehr, keine geschmückten Kühe! Der Hüttenkäse: inzwischen ein Witz. Solche wie dich müsste es mehr geben. Hoffentlich fassen sie den Saubazi, den verreckten, bald. Und hoffentlich kannst du bald wieder rauf auf deine Alm!«

»Ja, das hoffe ich auch, Müllermeier.«

Ganshagel stand immer noch genau an der Stelle, an der er mit der Frau zusammengestoßen war. Und auf einmal kam ein winzig kleines Stückchen Erinnerung zurück. Die Frau hatte ihn natürlich nicht als Hüttenwirt erkannt, woher sollte sie auch. Sie hatte ihn, nach dem Zusammenstoß, lediglich als Fremden mit zwei Plastiktüten wahrgenommen. Sie war nicht direkt erschrocken, aber doch etwas verärgert, dass sie aufgehalten wurde. Sie war in Eile. Und nicht *sie* hatte etwas gesagt, sondern *er*! Das hatte er vergessen. Und was hatte er noch mal gesagt? – Freilich! Genau! Langsam, ganz langsam kam die Erinnerung zurück, langsam baute sich Pixel um Pixel des Bildes auf, das er gesehen hatte. Und plötzlich wusste er ganz genau, mit welchen Worten er sich entschuldigt hatte. Und diese Worte warfen ein ganz neues Licht auf die Ereignisse. Ein ganz neues Licht.

Ganshagel bekam einen Schweißausbruch. Sein Hemd klebte am Körper. Es hatte keinen Sinn, hier noch weiter stehen zu bleiben. Er wusste nicht, was er tun sollte, aber er musste weg von hier. Nervös lief er nach Hause. Er schaute nicht nach links und rechts, ein paar empörte Radfahrer klingelten, er senkte den Kopf und beschleunigte seine Schritte. Die Angst packte ihn am Schlafittchen. Die Angst betatschte ihn mit klebrigen Händen, sie kroch an ihm empor, sie schien seine Muskeln aufzuweichen. Sollte er mit dem, was ihm nun eingefallen war, nicht gleich zu Kommissar Jennerwein gehen? Er blieb kurz stehen. Nein, keine gute Idee, er hatte sich doch zur Verschwiegenheit gegenüber seinen Kunden verpflichtet. Und der Überfall der Inder im Wald – das war sicher eine Warnung gewesen! Eine Warnung, gerade über dieses Treffen Stillschweigen zu bewahren. Er lief weiter. Keuchend blieb er abermals stehen. Er setzte eine SMS an die Graseggers ab und steckte das Gerät wieder ein. Die Knie zitterten ihm, er musste sich an einem Gartenzaun festhalten.

»Ist dir nicht gut, Gansi?«, sagte die Hölzl Susi, die vorbeikam. »Du bist ja ganz blass!«

»Geht schon«, sagte er und hastete weiter. Als er sich umblickte, bildete er sich ein, jemanden hinter einer Hausecke verschwinden zu sehen. Er wählte einen anderen Weg. Er beschleunigte seine Schritte. Und als er von der Zirbelkopfstraße in die Hindenburgstraße einbog, da wusste er ganz sicher, dass ihn jemand verfolgte. Er sah niemanden, er spürte es einfach. Er verfiel in Laufschritt. Sollte er doch die Polizei rufen? Am besten war es sicherlich, einfach heimzugehen, sich einzuschließen und den Mund zu halten. Es war nicht mehr weit zu seinem Häuschen. Vielleicht drei oder vier Minuten. Als er das Haus sah, überrollte ihn eine Welle der Erleichterung. Er fand das Schlüsselloch nicht gleich. Hastig und fluchend öffnete er die Tür. Er verriegelte sie von innen. Schließlich setzte er sich auf einen Küchenstuhl. Er stürzte eine Schale mit kaltem Beifußtee hinunter. Er schnaufte durch. Geschafft.

Und dann ging alles ganz schnell. Er spürte einen Stich am Hals, der Schmerz war kleiner, als eine Mücke ihn verursacht. Es war gar kein Schmerz, es war ein winzig kleiner Stich, der ihm vielleicht gar nicht aufgefallen wäre, wenn er nicht kurz danach ein taubes Gefühl in den Beinen verspürt hätte. Auch seine Arme und Hände gehorchten ihm nicht mehr. Mühsam drehte er den Kopf in die Richtung, aus der der Schuss gekommen war. Und jetzt fügte sich alles zusammen, lächerlich spät fügte sich alles zusammen. Ganshagel wusste, wen er dort unten gesehen hatte und was er selbst gesagt hatte und warum da oben eine Frau ohne Gesicht gelegen hatte. Er erkannte, dass Jennerwein gleichzeitig auf der richtigen *und* auf der falschen Spur war. Aber lächerlich spät erkannte er das, und er hätte fast noch einmal aufgelacht. Aber er konnte nicht auflachen, das Zeug, das in seine Halsschlagader eindrang, war jenseits von Ernst und Lächerlich. Es war endgültig. Fünf Sekunden waren Ganshagel geblieben, um die Wahrheit zu erkennen. Fünf Sekunden – das war die Variante KURZ UND SCHMERZLOS. Das kostete normalerweise 3000 Euro plus Spesen. Aber in diesem Fall war es ja Eigenbedarf.

35

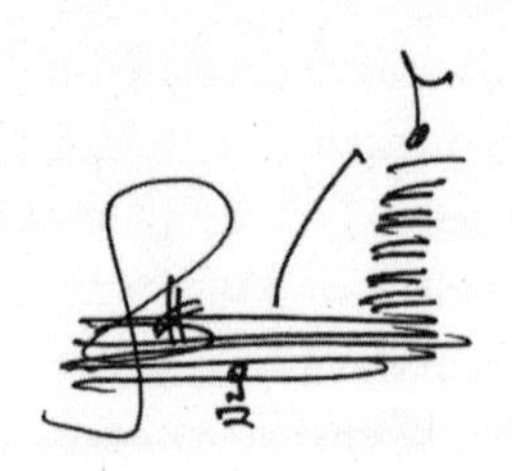

tschak-uip! *(Schrei der Blaumerle im Unterholz, leicht zu verwechseln mit dem Schrei des Steinschmätzers)*

»Sie erkennen also die Frau in der Zeitung wieder?«

»Ja freilich. Die war einmal Kurgast in meiner Pension. Nicht hier im Ort. Ich habe damals Gästezimmer am Tegernsee gehabt.«

»Wann?«

»Das ist natürlich schon lange her, vielleicht zwanzig Jahre.«

»So lange?«

»Ich kann auch nichts dafür, dass das schon so lange her ist.«

»Sind Sie sich sicher?«

»Ja, ganz sicher. Die Frau ist natürlich älter geworden, damals war sie ein junges Mädchen. So eines wie Sie, Fräulein.«

»Kommissarin Schwattke, wenns recht ist.«

»Ist denn der Hubertus nicht da?«

»Sie meinen den Ersten Leitenden Kriminalhauptkommissar Jennerwein?«

»Ja, den meine ich. Wissen Sie, ich kenne ihn ja noch von früher. Da war er bloß der Hubsi. Hat ja kein Mensch ahnen können, dass aus dem Hubsi noch was wird.«

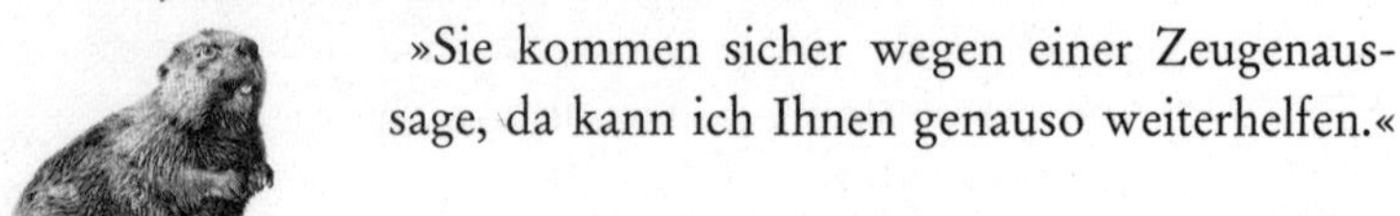

»Sie kommen sicher wegen einer Zeugenaussage, da kann ich Ihnen genauso weiterhelfen.«

»Ich möchte es ihm aber gern selber sagen. Wissen Sie, bei uns gibt es das Sprichwort: Geh nicht zum Schmiedel, wenn der Schmied da ist.«

»Sie meinen, weil ich eine –«

»Ja, nicht deswegen. Ich bin ja ebenfalls eine Frau. Aber Sie sind so jung. Und eine Frau. *Und* dann noch eine Preußin. Da kommt halt viel zusammen.«

»Der Schmied, wie Sie ihn nennen, der ist nicht da.«

»Ich hab ja bloß gemeint. Weil ich den Hubsi von klein auf kenne.«

»Da kann ich natürlich nicht mithalten. Aber mein niedriges Alter hat ja vielleicht einen Vorteil. Sehen Sie her, ich habe hier eine App.«

»Eine was?«

»Eine Applikation auf meinem iPhone, die ich aus dem Netz heruntergeladen habe. Sie rechnet die gesichtsbiometrischen Daten grafisch um zwanzig Jahre zurück.«

»Was! Sie können die Frau auf dem Bild also so ausschauen lassen wie damals?«

»Werfen Sie einen Blick auf den Screen: Hat die Frau damals so ausgesehen?«

»Das gibts ja gar nicht! Genau so!«

»Haben Sie einen Namen?«

»Gusti Halfinger.«

»Ich meine nicht Ihren Namen, sondern den Namen der Frau!«

»Ach so. Nein, an einen Namen in dem Sinn kann ich mich nicht mehr erinnern. Gesichter kann ich mir merken, ja; aber mit Namen habe ich meine Schwierigkeiten.«

»Können Sie sich an etwas Auffälliges erinnern?«

»Sie ist viel gewandert, sie war viel draußen, sie ist müde heimgekommen. Aber das gilt ja eigentlich für alle.«

»Aber zum Gesichtermerken hat es schon gereicht?«

»Ja, dazu schon.«

»War sie allein da?«

»Ich weiß nicht recht. Es ist lange her. Also, wenn dann weiter nichts ist, dann gehe ich. Und sagen Sie dem Hubsi einen schönen Gruß.«

»Das werde ich machen. Auf Wiedersehen.«

36

Ein nassforscher Bursch aus Bad Tolz
kroch im Wald herum ganz ohne Stolz.
Auch mit Stiefeln aus Juchte
fand er nicht, was er suchte,
denn es lag dort versteckt unterm Holz.
Limerick aus Bad Tolz

Kopfschüttelnd kehrte Nicole Schwattke ins Besprechungszimmer zurück. Kommissarin Schmiedel – so was! Franz Hölleisen und Johann Ostler glühten die Ohren, sie hatten eine Stunde Telefondienst mit Dutzenden von aufmerksamen Bürgern hinter sich. Alle waren vollkommen übermüdet. Der Nachtdienst im Krankenhaus hatte sie ziemlich geschlaucht.

»Irgendein Hinweis aus der Bevölkerung?«, fragte Jennerwein.

Die beiden Polizeiobermeister schüttelten den Kopf.

»Nun ja«, sagte Nicole. »Bei mir war eine Dame, die behauptete, Luisa-Maria schon einmal gesehen zu haben. Vor zwanzig Jahren. Am Tegernsee. Die Frau kann sich jedoch an keine Einzelheiten erinnern, sie weiß weder Namen noch Adresse.«

»Was war denn das für eine aufmerksame Bürgerin?«, fragte Ostler skeptisch.

Nicole sah in ihren Notizen nach.

»Eine gewisse Gusti Halfinger.«

»Ja mei, oh mei! Die kenne ich! Wie oft die schon da war! Nicole, Sie armes Würstel! Da haben Sie sich eine eingefangen. Eine Ratschkathel und Geschichtenerfinderin vor dem Herrn! Frau Schmalfuß, Sie wissen sicher, wie das heißt, wenn jemand zwanghaft Geschichten erzählen muss.«

»So etwas nennt man Pseudologie. Das ist die

Angewohnheit, auf Schritt und Tritt und ohne besonderen Grund zu lügen.«

»Gusti Halfinger?«, fragte Jennerwein erstaunt. »Eine Gusti Halfinger ist in meine Klasse gegangen. Sie war damals meine Banknachbarin. Pseudologie? Ja, das könnte hinkommen.«

»Also, Chef, entschuldigen Sie, aber die sah nicht wie Ihre Banknachbarin aus.«

»Zwanzig Jahre verändern viel.«

»Die Nase rümpft oft vor verblühten Rosen, wer einstmals vor den Knospen kniete«, zitierte Maria Schmalfuß.

»William Shakespeare, *Wie es euch gefällt*«, sagte Ludwig Stengele trocken. »Dritter Akt, zweite Szene.«

Maria blickte ihn verwundert an.

»Gehen Sie der Spur nach, Nicole«, sagte Jennerwein. Er drehte sich wütend im Bürosessel herum. »Menschenskinder! Jemand, der so wenig in der Gesellschaft verankert ist wie diese Luisa-Maria, muss entweder Kaspar Hauser sein, oder es ist einer, der seine Netzwerke ausschließlich in perfekt abgeschotteten Organisationen hat. Das Einzige, was wir bisher wissen: Es war ein Treffen eines kriminellen Vereins, die Frau war eines der Mitglieder, irgendetwas ist schiefgegangen, die Frau ist tot, der Mordverdächtige ist entkommen. Wir haben überhaupt nichts in der Hand. Wir haben einen falschen Personalausweis und eine mysteriös gefüllte Damenhandtasche. Wir sollen hier in die Irre geleitet werden. Aber was genau wird damit bezweckt?«

Niemand erwiderte etwas auf diese Frage. Stengele zeigte auf die Landkarte an der Wand.

»Wir haben schon etwas. Wir haben *ihn*. Jedenfalls theoretisch. Er ist noch im Ort, da bin ich mir sicher. Er hat sich irgendwo im Talkessel verkrochen. Er ist ein Profi.«

Maria wiegte zweifelnd den Kopf.

»Das zerstörte Gesicht dieser Frau spricht allerdings wieder gegen einen Profi. Das spricht meiner Meinung nach für eine emotional hoch aufgeladene, spontan durchgeführte Tat. So etwas plane ich nicht, so etwas fällt mir erst vor Ort ein. Ich habe zwar einen Spaten mit scharfer Kante dabei, aber ich entscheide mich dann doch dafür, das Opfer voll und ganz auszuradieren, indem ich es gesichtslos mache. Ich will dadurch vielleicht auch das Entsetzen vergrößern –«

»Bei wem?«, fragte Stengele. »Bei uns, den Ermittlern?«

»Bei den anderen Seminarteilnehmern. Es ist eine Warnung. Soviel ich weiß, arbeitet die Mafia so, oder?«

»Aber die Teilnehmer haben das abgefressene Gesicht doch gar nicht gesehen«, sagte Stengele.

»Woher wissen wir das eigentlich?«, sagte Jennerwein. »Ich bin mir inzwischen nicht mehr ganz so sicher. Wir dürfen uns nicht so uneingeschränkt auf Ganshagels Aussage verlassen.«

»Dann nehmen wir ihn uns nochmals vor.«

»Machen Sie das, Stengele, das kann nicht schaden. Aber der Punkt ist der: Die Handtasche ist nach Marias Meinung ein Fake. Wenn das aber so ist, dann könnte das Passfoto doch ebenfalls ein Fake sein! Wissen wir wirklich, ob die Tote genauso ausgesehen hat wie die Frau auf dem Passfoto? Jemand hat doch anscheinend ein Interesse daran gehabt, dass das Gesicht nicht mehr erkennbar ist! Natürlich arbeitet die Mafia mit solchen Leichenverstümmelungen, aber vielleicht ist die Frau auf dem Foto nicht die Frau unter der Zirbe. Es ist doch äußerst merkwürdig, dass genau an der Stelle so viele von diesen Silphen auftauchen –«

Jennerweins Mobiltelefon klingelte. Er nahm ab und stand auf.

»Sie entschuldigen mich einen Augenblick –«

Jennerwein hörte mehr zu, als er sprach, nebenbei machte er Notizen. Er legte auf und setzte sich wieder.

»Das war ein Kollege vom BKA, den ich um Rückruf gebeten

habe. Es war keine offizielle Information, eher eine auf dem ganz kleinen Dienstweg. Jedenfalls hat der Kollege meine vage Vermutung bestätigt. Eine Frage an Sie alle: Welche Täter sind geradezu spezialisiert darauf, schnell zu verschwinden, ohne die geringsten Spuren zu hinterlassen?«

»Diebe? Terroristen?«

Jennerwein schüttelte den Kopf.

»Auftragsmörder! Bei einem Auftragsmord bereitet der Anschlag selbst in den meisten Fällen weniger Schwierigkeiten als die An- und Abfahrt, das überraschende Erscheinen aus dem Nichts und das ebenso plötzliche Verschwinden ins Nichts. Das wird jahrelang geprobt und hart trainiert. Die sind darauf programmiert, bei der kleinsten Unregelmäßigkeit einen Plan B und C und D aus dem Hut zu zaubern, um schnell und unerkannt vom Tatort weg und aus dem Land zu kommen. Alle Indizien, die wir bisher gesammelt haben, deuten auf ein Treffen von Auftragsmördern hin. Der Kollege vom BKA hat sich genau in diese Materie eingearbeitet. Und er hat die Vermutung, dass sie sich in unregelmäßigen Abständen treffen.«

»Um Seminare abzuhalten? Seminare für Profikiller?«

»So etwas in der Art, ja. Und das entlastet Ganshagel endgültig – wenn wir ihn überhaupt je ernsthaft in Verdacht hatten. Solche Leute würden nie einen Amateur einweihen, das wäre ihnen viel zu riskant. Ich bin sicher, dass Ganshagel nichts von alledem wusste. Deswegen bringt es vielleicht gar nichts, ihn nochmals zu befragen.«

»Luisa-Maria war dann ebenfalls eine Killerin?«, hakte Maria nach.

»Ja, zumindest deutet alles darauf hin«, sagte Jennerwein ohne rechte Überzeugung. »Sollen wir in dem Glauben gewiegt werden, dass Luisa-Maria eine Killerin war? Aber was hätte das für einen Sinn?«

Hansjochen Becker, der Spurensicherer, hatte bisher geschwiegen. Aus spekulativen Diskussionen hielt er sich meist heraus.

»Ich weiß nicht so recht, aber vielleicht kann ich dazu ein kleines Puzzlesteinchen beitragen. Ich meine: zu dieser Killerthese. Sie erinnern sich doch an meinen Fund im Wald: zwei Augen, nämlich ein Frosch- und ein Rattenauge.«

»Igitt«, stöhnte Maria. »Geht das schon wieder los!«

»Die Gerichtsmedizinerin hat die Augen noch mal genauer untersucht. Bei beiden Präparaten ist die Fovea centralis beschädigt worden, das ist ein Teil der Sehhirnrinde, also sozusagen der Bildschirm, auf dem die optischen Informationen im Auge landen und von da aus weiterverarbeitet werden. An beiden Augen sind Untersuchungen durchgeführt worden, die auf Optographie hindeuten.«

»Optographie?«, fuhr Stengele dazwischen. »Ist das nicht der Hokuspokus mit den letzten Bildern, die ein Mensch in seinem Leben sieht? Und die man dann sichtbar machen kann? Ist da vielleicht doch was dran?«

»Neueste Forschungsergebnisse gehen in diese Richtung«, fuhr Becker fort. »Wie auch immer: Wenn es wirklich funktioniert, dann wäre das eine Katastrophe für alle Mörder.«

»Vor allem für Auftragsmörder.«

»Jemand könnte also darüber ein Referat gehalten haben?«, fragte Nicole.

»Es ist eine Spekulation, aber es würde in das Szenario passen. Natürlich sind die Herrschaften es gewohnt, nie etwas Schriftliches zu hinterlassen –«, sagte Becker. »Und jetzt kommt noch ein Puzzlesteinchen.«

Er hob eine weitere Tüte hoch, in der lediglich ein winziges Fuzzelchen Papier steckte. Mit viel Mühe konnte man ein paar französische Wörter erkennen. Beckers Gesichtsausdruck zeigte, dass er sehr stolz war.

»Das habe ich unter der Lärche mit den schönen großen Wurzeln gefunden.«

»Ein Zeitungsausriss?«, fragte Stengele spöttisch. »Und vielleicht irgendwo noch eine dazu passende Zeitung, mit einem doppelt umkringelten Artikel, der uns direkt zu unseren Tätern führt?«

Becker lachte auf.

»Nein, es ist kein Zeitungspapier, dazu ist es zu dick. Die kleine abgerissene Ecke ist aus einem Buch. Einem französischen Buch. Meine kriminaltechnische Assistentin hat einen halben Tag recherchiert: Es heißt *Perdu dans le sous-bois*, also *Verloren im Unterholz*, ein französisches Sachbuch über Gedächtnistraining. Vielleicht hat es nichts zu bedeuten, aber es würde unsere Killerseminarthese stützen.«

»Warum das denn?«, fragte Nicole.

»Na ja, wenn die sich alles merken müssen, dann brauchen sie ein Buch über Gedächtnistraining.«

Jennerwein schüttelte besorgt den Kopf.

»Wenn das wirklich so ist, dann können wir den Fall vermutlich bald zu den Akten legen. Die Seminarteilnehmer sind mit großer Sicherheit schon im Ausland, und wenn nicht, dann sind sie so perfekt abgetaucht, dass wir sie mit unseren rechtstaatlich-polizeilichen Möglichkeiten kaum fassen werden. Und dann erst der Tunesier! Wir haben es mit einem Mörder zu tun, der imstande war, einen Superprofi auszuschalten.«

»Wie sieht es mit einem Hilferuf ans BKA aus?«, fragte Nicole.

»Ist schon abgelehnt. Die wollen sich nicht blamieren.« Jennerwein entkam eines kleines, bitteres Lächeln. »Dafür haben sie ja uns, die Kriminalpolizei. Ich habe noch einen einzigen Joker.«

»Ganshagel.«

»Ja. Er hat mit der Sache nichts zu tun, da bin ich sicher. Aber unsere letzte Chance ist, dass er etwas weiß, *ohne* dass er weiß, dass es wichtig ist.«

»Ja, dann werde ich am besten gleich mal –«, begann Ostler.

»Nein«, unterbrach Jennerwein und erhob sich. »Ich will ihn selbst zur Befragung abholen. Ich werde ihn auf dem Weg hierher auf die Dringlichkeit und Brisanz der Sache hinweisen. Machen Sie inzwischen eine Rauchpause. Ich bin gleich wieder da.«

Die Truppe verteilte sich auf der sonnenbeschienenen Terrasse, um die berühmte rauchlose Rauchpause abzuhalten. Niemand griff zu einer Zigarette.

»Sei dir selbst Droge genug!«, zitierte Hölleisen einen Slogan der Abteilung Suchtprävention. Alle vertraten sich die Beine und machten Freiübungen. Stengele machte drei einarmige Liegestütze. Dann gab auch er auf. Der gestrige Tag und die darauffolgende Nacht hatten ihre Spuren hinterlassen.

»Wie sollen wir am besten vorgehen?«, fragte Maria. »Am besten ist es, wir gehen nicht alle zusammen auf ihn los, sondern wir befragen ihn einzeln.«

»Das ist gut«, sagte Ostler. »Alpler sind menschenscheu. Sie sind so viel Gesellschaft nicht gewohnt.«

»Der ist ganz andere Gesellschaft gewohnt«, spottete Maria.

»Wir werden ihm die volle Wahrheit erzählen müssen«, sagte Nicole. »Auch wenn wir dabei keine sehr glanzvolle Rolle spielen. Der Chef hat recht: Ganshagel muss die Brisanz der Situation begreifen. Dann werden wir mit ihm den ganzen vorgestrigen Tag, den Abend und die Nacht nochmals genau durchgehen. Wir alle zusammen.«

37

im frühling zwitscherts im wipfel
doch im nassen unterholz
nagt und schmatzt der biber
Haiku

Der Fall eines Klappspatens kann sehr tief sein. Von einem der gesuchtesten Tatwerkzeuge zu einem bedeutungslosen und überflüssigen Stück Eisen, das ziemlich verloren zwischen verrosteten Gartengeräten lehnt – dieser Abstieg ist bitter.

Legen Sie sich einmal einen Tag in ein Supermarktregal und lassen sich betatschen, anglotzen, herauszerren und wieder zurückwerfen – dann erst wissen Sie, wie ich mich gefühlt habe! Da lag ich nun zwischen dem ab-so-lut unnützen Nippes, mit dem ein Baumarkt angefüllt ist bis unter die Decke. Keines der Dinge, aber wirklich keines davon taugt zu einem Tatwerkzeug! Ein Gartenschlauch. Ein Setzeisen. Eine Flasche Brennspiritus. Alles vollkommen ungeeignet zum Würgen, Stechen, Hauen, Drosseln. Ich höre Einspruch? Klar kann man jemanden mit einer Dose Katzenfutter erschlagen. Aber sagen Sie ganz ehrlich: Wie zuverlässig ist das? Und darüber hinaus: Hätte das Stil? Wäre das nicht eine Beleidigung für Opfer, Täter – und nicht zuletzt für die staatlich ermittelnden oder frei schnüffelnden Detektive?

»Heute in unserer Gartenabteilung: 1a Klappspaten! Mit doppelt verzinkter Kante! Nur noch wenige Stück auf Lager!«

Das war das einzig Angenehme im Baumarkt – diesen Satz hat eine warme, erotische (quasi ebenfalls verzinkte) Frauenstimme in die Lautsprecheranlage des Baumarkts geflötet. Aber dann hat mich ein mürrisch dreinblickender Mann herausgegriffen – und das nicht einmal gezielt und erfreut über das sensationelle Glück, mich entdeckt zu haben. Es ging ihm wahrscheinlich eher darum, bei soundso viel Euro Mindesteinkauf irgendwelche Herzchen zu ergattern. Der alte Miesepeter legte mich auf das Kassenfließband, zahlte und trug mich zusammen mit einigem billigen Gerümpel ins Auto. Bei ihm zu Hause hat er mich in einen schlecht gelüfteten Gartenschuppen geworfen, in dem nachts die Mäuse die Tüten mit Saatgut leer fraßen. Daneben stand das Gift, das für sie bestimmt war, und ich war schon ganz gespannt, wie das ausgeht – aber sie schnupperten lediglich daran. In aller Herrgottsfrühe wurde dann die Tür aufgerissen, der grantige Mann fluchte lautstark über das leergefressene Saatgut, er nahm mich aus der Verpackung und hantierte ungeschickt an mir herum. Fast hätte er dabei eine Stellschraube an meiner ausgeklügelten Mechanik abgebrochen. Nebenbei gesagt war das eine Zylinderschraube mit Innensechskant, niedrigem Kopf und Schlüsselführung nach DIN 6912 – aber hallo! Er hat das Prinzip meiner Teleskopstangen einfach nicht verstanden. Gebrauchsanweisung lesen, Idiot! Liegt noch in der Originalverpackung! Da, in dem geriffelten Karton! Vor deiner Nase, Mensch! Es gibt Leute, die lesen keine Gebrauchsanleitungen. Aus Prinzip nicht. Weil sie meinen, das hätten sie nicht nötig. Er hat es weiter versucht, roh hat er mein feines Teleskopgestänge aufgebogen und hat mich mit Gewalt auseinandergezogen. Am Ende hat es schließlich mehr schlecht als recht funktioniert.

Sonst ist wenig passiert. Draußen auf der Straße lief ein einsamer Jogger vorbei. Schlechter Laufstil, geschmacklose Kleidung. Herrjessas, das wäre doch nicht so schwer, jetzt da hinzugehen, mit einem Klappspaten auszuholen und den niederzuschlagen.

Nein, er hat es nicht gemacht, der phantasielose Miesnickel, maulend schlich er auf dem Rasen herum, klopfte da und dort an einen Begrenzungsstein, suchte einen Platz für einen hässlichen und kümmerlichen Obstbaum, den er ebenfalls in der Gartenabteilung erstanden hatte und nun mit meiner Hilfe einsetzen wollte. Oder da! Eine joggende Frau mit Walkman! Die wäre doch was! Der eins überbraten! Nein, er ruft ihr etwas zu:

»Grüß Gott, Frau Schmelz! Sportlich, sportlich! Aber was hören Sie denn da Schönes?«

»Andrea Berg, wie immer beim Joggen!«

Ich sage Ihnen ganz ehrlich: Wer so eine Musik hört, verdient auf jeden Fall den Tod. Er ließ also diese Frau Schmelz weiterlaufen, mit mir tat er ein paar Stiche, geschmeidig glitt ich ins feuchte Erdreich, meine Schnittkante fraß sich durch allerlei Gehölz und – da war die Arbeit auch schon wieder zu Ende. Das hässliche Bäumchen wächst jetzt im Rasen, ich gebe dem mickrigen Stürfel keine zwei Monate.

Wie war das schön, droben auf der Wolzmüller-Alm! Es ist erst zwei Tage her – trotzdem kommt es mir vor wie eine Ewigkeit. Unter dem T-Shirt schmiege ich mich an die gespannte Bauchdecke meines Schattens. So schleichen wir zusammen an dem bewussten Nachmittag durch den sonnendurchfluteten Wald, zur Alm hinauf. Es riecht nach Jagd, Macht und Tod. Es riecht nach dem Endgültigen. Ich weiß zu dem Zeitpunkt noch nicht, wer es sein sollte – wir Tatwerkzeuge sind offen für alles und jeden. Ist es die Frau mit der Meckifrisur? Der Glatzkopf? Das Mannsbild in Lederhose und kariertem Hemd, das dauernd mit seinen blöden Sauren Knödeln angibt? Wer wird es sein? Der Schatten hatte mit mir schon im Zimmer geübt. Schnelles Montieren, Ausfahren der Teleskopstange – am Ende haben wir für alles nur knappe vier Sekunden gebraucht. Dann wurde der

Schlag selbst trainiert. Zuerst das zügige und trotzdem präzise Hochheben des Spatens über die Schulter, fünfzigmal und mehr. Wie bei einem Golfspieler muss das ausgesehen haben, so elegant wie bei Tiger Woods. Mit dem würde ich übrigens gerne einmal zusammenarbeiten. Ob der aber einen Spaten in die Hand nimmt, um zu töten? Würde er nicht eher einen Golfschläger bevorzugen? Nein, Tiger Woods würde niemals mit seinem eigenen Sportgerät töten, das wäre – irgendwie zu naheliegend, finden Sie nicht?

Soweit ich das verstanden habe, war es sehr wichtig, dass der Schlag schnell und flach geführt wurde, nicht mit der scharfen und extra gehärteten Schnittkante, wie man das erwarten würde, sondern mit dem flachen Blatt ins Gesicht. Auch gut. Ich bestehe aus verzinktem Eisen, ich habe sozusagen nur gute Seiten, ich bin mehrfach einsetzbar. Und so kam es dann auch. Es war eine herrlich idyllische Alm, das muss ich schon sagen. Glockengeläute, Vogelgezwitscher, die Ruhe vor dem Sturm, die Unruhe vor der Windstille. Geruch von wildem Schnittlauch und Bärenklau, da tötet es sich schon anders als hinter einer schmutzigen Mülltonne irgendwo in der Großstadt. Die Frau lag an den Baum gelehnt, völlig entspannt, und ich wusste gleich, das ist ein typisches Opfer, das ist die unsere!

Sie hat etwas gelesen. Was? Keine Ahnung, irgendein Buch. Ich konnte den Titel nicht erkennen, ich war auch viel zu aufgeregt dazu.

»Hallo«, flüsterte der Schatten.

»Hallo«, erwiderte die Frau und lächelte.

Aha, sie kennen sich also, Täter und Opfer, das ist immer gut, das führt zu keinen Komplikationen. Da geht es schnell, da geht es glatt. Da funkt es auf hoher Ebene.

»Du hast deinen Hut vergessen«, sagte der Schatten. »Ich habe ihn dir mitgebracht.«

»Oh, danke, das ist lieb. Schön ist es auf so einer Alm. Wirklich eine gute Idee, ein paar Tage hier zu verbringen.«

Dann konnte ich die Veränderung im Gesicht der Frau sehen. Eine Sekunde lang Verwunderung, dann das plötzliche Verstehen, das blanke Entsetzen, die weit aufgerissenen Augen, der halbgeöffnete Mund, der zu keinem Schrei mehr fähig war. Darum musste es so schnell gehen. Kein Schrei, keine Abwehrbewegungen, kein Wegdrehen, nichts. Und ich schwöre es: So etwas gelingt im Endeffekt nur mit einem Klappspaten der Marke Gartenfreund.

Und jetzt hier, im Gegensatz dazu: stumpfsinnige Plackerei, Ausstechen von Rasenstücken. Ich werde als Mistschaufel missbraucht, stellen Sie sich das vor! Der Typ hat noch weitere hässliche Bäume für den Garten gekauft. Das einzig Prickelnde geschah heute Mittag. Die Tür wurde plötzlich aufgerissen, und herein kam nicht etwa der Miesnitzdorfer, der mich aus dem Baumarkt geholt hat, sondern seine Ehefrau. Sie hatte einen anderen Mann dabei, mit dem sie sich erst ein wenig unterhielt. Dann ging das Gespräch plötzlich in den Ehebruch über. Das brachte immerhin ein bisschen Abwechslung in meinen ereignislosen Klappspatenalltag. Aber auch das wurde mit der Zeit langweilig. Da war es noch interessanter, den Mäusen beim Grassamenfressen zuzuschauen. Die Frau starrte während des Ehebruchs die ganze Zeit nach oben auf die Glühbirne. Ich versuchte, auf mich aufmerksam zu machen. Ich glitzerte mit dem blanken Blatt, ich zwinkerte und spiegelte. Die Frau warf einen kurzen Blick nach unten, und tatsächlich: Ihr Blick blieb an mir hängen. Irgendein böser Gedanke stieg in ihr auf, das konnte ich in ihrem Gesicht lesen. Ein Mordgedanke? Ehebruch und

Mord sind ja zwei Felder, die nicht weit auseinanderliegen. Ich finde sogar, es sind die zwei Hälften eines einzigen Fußballfeldes. Da gibt es ja auch nicht die linke Seite davon extra. Dann war Schluss mit dem Ehebruch, denn der Grantler tauchte wieder auf, die beiden stoben rechtzeitig auseinander. Oder hatte er doch etwas bemerkt? Der Grantler betrat jedenfalls den Schuppen und holte mich wieder aus der Verpackung.

»Wo ist denn die verdammte Gebrauchsanleitung!?«, schrie er. »Ich krieg die Sperre nicht ganz rein.«

»Sieh doch in dem Karton nach!«, rief die Ehebrecherin, die inzwischen nach oben in die Wohnung gegangen war.

»In welchem Karton?«

»In dem Originalkarton, in dem der Spaten eingepackt war. Da muss doch die Gebrauchsanweisung drin sein.«

»Ich habe keine Gebrauchsanweisung gesehen.«

Ein schlimmer Verdacht stieg in mir auf. Sollte mein geschätzter Mörder vergessen haben, den Karton wieder original zu verpacken? Solch ein Anfängerfehler bei einer international hochangesehenen Koryphäe?

38

Als **Kompostomantie** (von lat. compositum, »Zusammengesetztes« und altgriech. μαντεία, »Vorausschau«) wird eine Form der Wahrsagung bezeichnet, bei der die Zukunft aus dem Komposthaufen gelesen wird. Die Lage der hineingeworfenen Obst- und Gemüsestücke spielt hierbei eine entscheidende Rolle. Aus den Mustern, die sich während des Fäulnisprozesses gebildet haben, werden Rückschlüsse auf bevorstehende Ereignisse gezogen.

»Na endlich, da bist du ja«, sagte Wassili Wassiljewitsch, der Russe mit den Schweinsäugelchen und der piepsigen Stimme. Er schloss die Beifahrertür und schnallte sich an. »Ich dachte, du kommst gar nicht mehr.«

»Ich habe alten Freunden noch einen Gefallen getan«, sagte Swoboda und fuhr los. »Es handelt sich um ein Bestattungsunternehmerehepaar im Kurort. Sie haben mich schon aus mancher Schlamastik herausgehauen.«

»Schlamastik?«

»Ja: Affenzirkus, Durcheinander, Bredouille – ein Wort aus der Zeit, wo Russland und Österreich noch Verbündete waren. Napoleonische Kriege, verstehst. Mein Großvater war da dabei – hat er jedenfalls erzählt. Aber jetzt müssen wir erst mal den Wagen loswerden. Es tut mir leid für den rührigen Ganshagel, aber der Jeep wird mir langsam zu heiß, trotz falscher Nummernschilder.«

Swoboda hatte Wassili zunächst in einem norditalienischen Kaff zwischengelagert, das zu einem großen Teil unter dem Einflussbereich der Familie stand. Er wurde herzlich aufgenommen und in einem eleganten Gästezimmer einquartiert. Dann hatte Swoboda das Ehepaar Grasegger mit dem heißersehnten goldenen Semmerl bedacht. Nachdem er den Kurort verlassen hatte, fand er Unterschlupf in einer alten Jagdhütte, die ihm schon seit Jahren als todsicherer Rückzugsort diente. Und jetzt war er wieder zurück, in dem norditalienischen Kaff. Der Mann in der Kfz-Werkstatt wusste Bescheid. Er nahm den Jeep in Empfang und zog die Stoffhülle von einem anderen Fahrzeug. Es wurde nicht viel geredet. Der Russe und der Österreicher saßen ziemlich bald in einem gebrauchten Opel. Auf der Rückbank war ein Kindersitz befestigt, allerlei Entchen und Stofftiere lagen herum. Sogar der Polstersitz war kunstvoll und glaubhaft versaut: Nussschokolade. Es war ein Familienauto, Marke harmlos.

»Chapeau!«, sagte Swoboda. »Dieser Wagen ist wieder einmal hervorragend präpariert worden!«

Sie fuhren in Richtung Süden.

»Der Plan ist folgender, Flassi: Ich fahre dich jetzt nach Toreggio, da kannst du eine Zeitlang bleiben. Vielleicht bekommst du dort auch neue Aufträge. Jedenfalls bist du in dem Dorf sicher. Ich selbst muss noch einmal zurück in den Kurort. Ein paar Pfuscher haben es nicht geschafft, wieder rauszukommen. Da muss natürlich wieder der gute alte Swoboda herhalten!«

»Wen musst du rausholen?«

Swoboda zögerte einen kurzen Augenblick.

»Man hat mir gesagt, dass es drei Inder sind. Einer davon wird der Zungenlose genannt. Ein anderer heißt komischerweise Schiller. Den Namen von dem Dritten weiß ich nicht.«

»Ach, die! Die drei Inder! – Die kenne ich nicht. Die haben

sich verspätet, die waren gar nicht droben auf der Alm. Ich habe nur von ihnen gehört.«

Nachdenklich und beunruhigt beugte sich der Russe zu Swoboda.

»Sag einmal, meinst du, die haben was mit dem Tod der Äbtissin zu tun?«

»Keine Ahnung, um so etwas kümmere ich mich nicht.«

Der Russe schlug sich mit der Hand vor die Stirn.

»Aber klar, das ergibt einen Sinn! *Nur* das ergibt einen Sinn! Die drei sind nicht zu spät gekommen, weil sie den Flieger versäumt haben. Sie haben unten im Kurort alles vorbereitet, um den Angriff dann am Nachmittag zu starten. Und das Ganze ergibt auch deswegen einen Sinn, weil man gehört hat, dass sich die Inder auch in Europa ausbreiten wollen.«

»Das tun sie in anderen Branchen genauso.«

»Das wäre aber ganz schlecht fürs Geschäft, Swoboda. Ganz schlecht. Wir haben ohnehin Probleme mit den Billiglohnländern.«

Swoboda schwieg dazu. Irgendetwas am Ton des Russen machte ihn nachdenklich. Irgendetwas gefiel ihm nicht daran. Normalerweise hätte er einen harmlosen Schmäh abgeschoben wie *Spinnst du, Flassi! Die Inder sollen es gewesen sein? Gibs doch zu, dass du es warst!* Aber er behielt den Scherz für sich. Er hatte in dem Geschäft auch deswegen überlebt, weil er vieles für sich behalten hatte. Vor allem Scherze.

»Was hast du eigentlich in deinem früheren Leben gemacht, Wassili?«, sagte er leichthin. »Russische Literatur?«

»Biathlon«, sagte der Russe.

»Wie: Biathlon?«

»Ich war Biathlonsportler, du kennst mich vielleicht sogar unter meinem bürgerlichen Namen. Ich war nämlich ein sehr guter Biathlet. Habe immer vorne mitgemischt. Weltmeisterschaften, Olympiamedaillen, das ganze Programm eben. Wenn man dann aber mal dreißig und fünfunddreißig wird, dann häufen sich auf einmal die vierten Plätze, und die siebten, und die siebenundzwanzigsten – und irgendwann steht ein Mann im Maßanzug und mit Lederköfferchen vor der Tür.«

»Ein Mann vom IOC?«

»Noch schlimmer.«

»Gibts was Schlimmeres?«

»Die Bruderschaft.«

»Du hättest aber doch Biathlon-Experte bei uns im ORF werden können.«

»Entschuldige mal: Mit Doping habe ich nichts zu tun!«

Im Hintergrund tauchten die Gebirge auf, die den Gardasee umgaben. Der Monte Baldo ragte in den Sommerhimmel, die Atmosphäre wandelte sich langsam vom würzigen Südtirolerischen ins mediterran Weiche.

»Und so ist aus dir ein Knipser geworden, Flassi!«, sagte Karl Swoboda, als sich Malcesine vor ihnen ausbreitete. Die Luft strich warm und weich durchs offene Fenster, wolkenlos spiegelte sich die blaue Glocke im See. *Oh Himmel, strahlender Azur! Enormer Wind die Segel bläh!*

»Ja, so ist es«, sagte Wassili. »Ich bin ein Knipser geworden. Es gibt viele Leistungssportler, die diese Laufbahn eingeschlagen haben. Fußballer haben gute Chancen, genommen zu werden. Aus naheliegenden Gründen auch Biathleten.«

»Das glaube ich gerne: Hinlaufen, Schießen, Weglaufen. Aber sag einmal: Wie haben sie dich eigentlich von der bürgerlichen Bildfläche verschwinden lassen?«

»In meinem Fall musste ich offiziell sterben. Das ist für einen Leistungssportler gar kein Problem. Die Sportverbände geben diese Nachrichten heraus, und die Sportverbände sind –«

»Ich weiß schon«, sagte Swoboda. »Ich habe mich oft gewundert, wie früh manche aufhören. Da ist jemand erfolgreicher Biathlet, schießt und rödelt in der Weltspitze herum – und dann geht er mit fünfundzwanzig in Rente.«

»Oder sie.«

»Oder so.«

»Rate mal, wie viele von den Seminarteilnehmern ehemalige Sportler gewesen sind?«

»Zwei, drei?«

»Mehr als die Hälfte.«

Sie fuhren natürlich nicht an der Uferstraße des Gardasees entlang, auf der Gardesana gab es viel zu wenig Ausweich- und Fluchtmöglichkeiten – für den Fall eines Falles. Ihre Art der Fortbewegung ging deshalb sehr langsam voran. Für eine Strecke, die der gemeine Münchner in dreieinhalb Stunden hinter sich lässt, hatten sie mehr als das Doppelte gebraucht. Dafür waren sie auf der ganz sicheren Seite. Sie fuhren oben herum, zum Teil auf verwilderten Forststraßen – belohnt wurden sie dafür mit verboten schönen Perspektiven auf den Gardasee.

»Irgendwann gebe ich einen Reiseführer heraus«, sagte Swoboda. »Die schönsten abgesperrten Forststraßen in Europa.«

Sie hielten an und machten Pause.

»Bist du ganz sicher, dass wir keine Spuren auf der Alm hinterlassen haben?« fragte der Russe.

»Habt ihr nicht«, sagte Swoboda. »Ich habe alles vollständig gecheckt. Ich weiß ganz genau, wonach die Kieberer suchen. Blöd sind sie nicht, aber sie haben nun einmal ziemlich eingeschränkte Möglichkeiten. Sie haben das Polizeiaufgabengesetz. Wenns das nicht gäbe, würde ich auch zur Polizei gehen.«

»Zur österreichischen?«
»Machst du Witze?«

Swobodas Mobilfunkgerät klingelte. Er nahm ab und sprang auf.
»Was soll ich? Das auch noch!«
»Was ist los?«, fragte Wassili, als Swoboda aufgelegt hatte.
»Sakra, sakra. Dieser Tunesier, der Chokri Gammoudi mit dem Tennisball, der hat es auch nicht geschafft, den Kurort zu verlassen. Er wäre beinahe gefasst worden. So ein Pfuscher, so ein tunesischer.«
»Vielleicht ist er gar kein Pfuscher, sondern ganz im Gegenteil ein besonders raffinierter Hund«, murmelte Wassili.
»Ich soll ihn jedenfalls auch rausholen. Solche Gfraster! Seminare veranstalten, aus der ganzen Welt Referenten einfliegen lassen, und schließlich haut hinten und vorn nix hin.«
»Und was willst du jetzt genau machen?«
Das verriet Swoboda Wassili nicht. Er hatte zum Beispiel vor, die Familie Grasegger einzubeziehen.

39

Bei uns im Ebersberger Forst ist die Dichte der esoterischen Feng-Shui-Spaziergänger oft so groß, dass kein Baum mehr frei ist, den man umarmen könnte. Was soll ich tun?

Umarme die Büsche des Unterholzes. Dein Feng-Shui-Berater.

Im Gegensatz zum milden Klima des Gardasees herrschte im Werdenfelser Tal die gewisse germanische Kühle. Im Polizeirevier wartete das versammelte Team ungeduldig auf die Rückkehr von Kommissar Jennerwein.

»Woher kennen Sie sich so gut mit Shakespeare aus, Stengele?«, fragte Maria.

»Ein reiner Zufallstreffer«, winkte Stengele ab.

»Das glaube ich Ihnen nicht.«

»Es gab einen Abschnitt in meinem Leben, da hatte ich genug Zeit zu lesen«, sagte der Allgäuer einsilbig und beugte sich wieder über eine Landkarte.

Alle horchten auf und dachten über diese Bemerkung nach. Das war einmal ganz etwas Neues, dass Stengele von sich selbst erzählte. Doch er führte den Gedanken nicht weiter. Damit ließ er den Spekulationen freien Lauf. Was sollte das nun wieder bedeuten: Knast? Wehrdienst? Priesterseminar? Seefahrt? Apollo-Programm? Doch niemand fragte nach. Stengele hätte ohnehin nicht geantwortet. Er murmelte etwas von Fluchtwegen und Rückzugsräumen und zeichnete Kringel auf die Landkarte.

Jennerwein klingelte an der Haustür von Ganshagels Ausweichquartier im Kurort. Er fühlte sich hochkonzentriert und hellwach, keine Spur von Müdigkeit, auch von seinem gestrigen Akinetopsie-Anfall gab es keine Nachwirkungen mehr. Doch seine Besorgnis wuchs mit jeder Sekunde, die verging. Ganshagel war sich ganz bestimmt nicht bewusst, mit was für Leuten er dort oben zu tun gehabt hatte. Jennerwein klingelte ein zweites Mal, diesmal schon ungeduldiger. Sein Blick fiel auf das kleine, abgegriffene Pappschild im Fenster. *Komme gleich wieder.* Jennerwein zückte sein Mobiltelefon und wählte Ganshagels Nummer, doch nur die Mailbox sprang an. Jennerwein klingelte ein drittes Mal. Hier war etwas ganz und gar nicht in Ordnung. Jennerwein ging langsam und vorsichtig um das Haus herum.

»Ignaz, ich weiß wirklich nicht, was der Gansi diesmal von uns will!«

»Wir sollten uns da raushalten, Ursel. Außerdem können wir ihm so oder so nicht helfen.«

Ein seltenes Bild war das schon: Das Ehepaar Grasegger saß auf der Terrasse vor einem leeren, vollkommen ungedeckten Tisch. Nicht einmal ein klitzekleines Gustoschälchen mit Knabberzeug war da zu finden. Der Appetit war ihnen gründlich vergangen.

»Wenn das so weitergeht, bringt uns der Depp noch in Teufels Küche«, sagte Ursel ärgerlich.

»Ich habe auch kein gutes Gefühl. Wer weiß, in was der alles verwickelt ist. Wir hätten uns schon vorgestern nicht darauf einlassen dürfen, nachts zu ihm auf die Alm zu schleichen.«

»Sapperlot! Wir haben ihn doch ausdrücklich gebeten, keinen Kontakt mehr aufzunehmen. Und jetzt schreibt er uns eine SMS! Warum macht er das? Es muss schon sehr dringend sein. Irgendetwas ist da faul.«

»Aber seinen Hilferuf können wir auch nicht unbeantwortet lassen. Sollen wir den Hölleisen anrufen?«

»So weit kommts noch! Bei der Polizei um Hilfe betteln!«

»Du hast recht. Dann würde ich aber vorschlagen, wir schauen nach, was los ist. Am helllichten Tag werden wir ja wohl nichts zu befürchten haben.«

»Weiß mans. Wir rufen zuerst an.«

Ursel wählte Ganshagels Nummer. Niemand hob ab.

Jennerwein ging vorsichtig um das Gebäude herum, immer dicht an der Hauswand entlang. Er spähte durch ein Fenster, im Inneren konnte er kaum etwas erkennen. Nur ein Telefon klingelte. Erst nach dem zehnten Mal hörte es auf. Jennerwein warf einen kurzen Blick zu den Nachbarhäusern, dort war jedoch niemand zu sehen. Schließlich gelangte er auf die Rückseite des Hauses. Sofort fiel Jennerwein auf, dass die Terrassentür nur angelehnt war. Er öffnete sie vorsichtig. Er spähte hinein und trat in die Wohnung. Er schaltete sein Mobilfunkgerät aus. Wenn jemand im Haus war, wollte er ihn nicht aufschrecken. Leise zog er die Waffe aus dem Holster, nur feine Katzenohren hätten das ffffft gehört, als das Stahlrohr aus dem Leder glitt. War da nicht noch ein Geräusch gewesen? Nein, nichts. Das unregelmäßige Surren des Verkehrs draußen, das Gezwitscher der Vögel im Garten, sonst nichts. Er durchsuchte das kleine Haus langsam und gründlich. Im Wohnzimmer war niemand. Auch Schlafzimmer und Bad waren leer. Einen zweiten Stock oder einen Keller gab es nicht. Er musste sich getäuscht haben. Er öffnete die Tür zur Küche. Strenger Beifußgeruch schlug ihm entgegen, ein Wasserhahn tropfte. Jennerwein senkte die Waffe.

»Wir hätten ihn einsperren sollen, das ist meine Meinung«, sagte Ludwig Stengele im Polizeirevier.

»Am besten ist, wir packen ihn während der Befragung bei seiner Ehre als Wahrer der alten Sitten und Gebräuche«, sagte Maria. »Sein Leben dreht sich um den Erhalt dieser Alm, das ist sein einziges Interesse.«

Ganshagel war nirgends mehr zu packen, Ganshagels Leben drehte sich um gar nichts mehr. Ganshagel saß in der Mitte der Küche, auf einem Stuhl, sein Kopf war nach hinten gefallen, die Augen waren weit geöffnet. Jennerwein trat schnell einen Schritt näher. Er steckte die Pistole wieder zurück ins Holster und fühlte den Puls des Leblosen. Er griff an die Halsschlagader. Er war zu spät gekommen. Auf den ersten Blick waren keine äußeren Verletzungen zu erkennen. Ein kurzer Rundblick: Im Zimmer gab es keine Kampfspuren. Jennerwein wollte noch den Pupillenreflex prüfen, um ganz sicherzugehen, dass Ganshagel tot war, und dann das Team rufen. Er hatte die Hand schon ausgestreckt, da fiel sein Blick auf das Waschbecken hinter der Leiche von Ganshagel. Es war bis über den Rand hinaus voll, jedoch nicht mit Geschirr, wie er das erwartet hätte, sondern mit Milchtüten, Gemüse, halbvollen Flaschen und Lebensmittelboxen aus Plastik. Merkwürdig. Er trat einen Schritt näher. Zwei Flaschen waren zerbrochen. Er beugte sich über das Chaos –

Ein Lichtblitz, ein beißender, stechender Schmerz am Hinterkopf, automatisch hob Jennerwein die Hände, um sich zu schützen. Es folgte kein weiterer Schlag, doch der eine Schlag genügte, um ihn taumeln zu lassen, um ihn zu Boden zu schicken. Er wollte sich am Rand des Spülbeckens festhalten, doch er glitt ab. Ein Schlag mit einem schweren, stumpfen Gegenstand, kein Faustschlag, dachte Jennerwein während des Falls. Er konnte im Fallen zwei Beine erkennen, die an ihm vorbeihuschten, zu den Beinen gehörte eine Gestalt, die etwas in der Hand trug. Er wollte sich aufrappeln, sein Körper gehorchte ihm nicht. Das Telefon klingelte, zehnmal, zwanzigmal. Jedes Klingeln verstärkte den dumpfen Schmerz zu einem beißenden Stechen. Jennerwein versuchte, sich zu konzentrieren.

»Da vorn ist sein Haus«, sagte Ursel Grasegger und deutete auf den kleinen, gelben, einstöckigen Würfel, der einmal ganz allein auf der Wiese gestanden hatte und den jetzt schicke alplerische Zweitwohnungen im Landhaus-Stil umgaben. Ignaz klingelte, einmal, zweimal, dreimal.

Jennerwein hörte Stimmen, es waren bekannte Stimmen, jemand rüttelte ihn an den Schultern.

»Um Gottes Willen … Was ist denn hier los?! … Jennerwein, sind Sie in Ordnung? … Jetzt reden Sie doch, was ist denn passiert?«

Es waren mehrere Stimmen. War die von Maria darunter? Er hatte keine Ahnung, wo er sich befand. Und was mit ihm geschehen war.

»Herr Kommissar, kommen Sie zu sich!«

Die Schmerzen am Kopf ließen etwas nach, sie waren aber immer noch stechend und pulsierend. Im Hintergrund hörte er eine entsetzte Männerstimme:

»Um Gottes willen, da schau her: Den Ganshagel hat es erwischt! Ich rufe den Krankenwagen.«

Jennerwein griff sich an den Hinterkopf. Er betrachtete seine Hand, sie war voll Blut. Und wer rüttelte ihn da an den Schultern?

»Kommissar Jennerwein! Geht es Ihnen gut?«

Langsam hob er den Kopf und sah auf.

»Was machen Sie denn hier?«, sagte er zu der Frau, die sich über ihn gebeugt hatte. Es war nicht Maria. Es war Ursel Grasegger.

»Was wir hier machen? Der Ganshagel hat uns eine SMS geschickt. Er hat es ziemlich dringend gemacht. Ein Hilferuf. Wir sind hierhergekommen, und dann haben wir Sie beide gefunden. Ihnen gehts ja anscheinend gut, aber der arme Rainer Ganshagel –«

»– ist tot, ich weiß.«

Jennerweins Stimme war kratzig und rau. Er musste sich mehrmals räuspern. Ursel und Ignaz zogen ihn hoch, so dass er in eine sitzende Haltung kam. Ein komisches Gefühl war das schon, dass ausgerechnet diese beiden an ihm herumhantierten. Er fühlte sich überhaupt nicht wohl dabei.

»Einen Krankenwagen haben wir schon gerufen. Sollen wir noch was machen?«

Beide blickten sich im Raum um.

»Sie rühren hier nichts an, verstanden«, warnte Jennerwein.

»Was sollen wir denn anrühren? Wir wollen Ihnen doch nur helfen.«

In erstaunlich kurzer Zeit kam der Notarzt, um den Kommissar zu untersuchen.

»Platzwunde mit tiefen Wundtaschen, wie bei einem Décollement, leichte Gehirnerschütterung«, sagte er. »Da kann ich Sie gleich mal drei Wochen krankschreiben.«

»Tun Sie mir ein Pflaster drauf, Sie Witzbold«, sagte Jennerwein.

»Und der da hinten?«, fragte der Notarzt.

»Für den brauchen wir bloß einen Leichensack.«

»Verstehe.«

»Rühren Sie hier nichts an. Ich muss sofort die Spurensicherung anrufen. Danke für Ihre Hilfe, jetzt komme ich schon allein zurecht.«

»Habe ich Sie nicht heute Nacht noch in der Notaufnahme gesehen?«, fragte der Notarzt. »Im Arztkittel?«

»Das ist mein Zweitberuf«, sagte Jennerwein. »Und jetzt raus, raus! Es eilt.«

Kurz darauf saß der leitende Kommissar im Besprechungszimmer des Polizeireviers, er trug einen Druckverband am Kopf.

»Schauen Sie mich nicht so mitleidig an«, sagte er knurzig. »Ich weiß, dass ich aussehe wie ein Großwesir. Es ist nichts weiter als eine Beule am Hinterkopf. Ich vermute mal, durch eine Taschenlampe.«

»Sie haben großes Glück gehabt, Hubertus«, sagte Maria.

»Ich mache mir schwere Vorwürfe wegen Ganshagel. Wir hätten ihn schützen sollen. Aber andererseits: mit welcher Begründung? Aber er muss etwas gewusst haben, was so wichtig war, dass der Täter ihn umbringen musste. Und das wiederum muss etwas mit der Toten auf der Alm zu tun haben.«

»Sie waren sich hundertprozentig sicher, Chef, dass sonst niemand im Raum war?«, fragte Nicole Schwattke.

»Ja, ganz sicher. Ich habe das ganze Haus abgesucht. Schließlich habe ich in der Küche Ganshagels Leiche entdeckt. Dabei ist mir aufgefallen, dass das Waschbecken mit Flaschen, Dosen und Lebensmittelschachteln vollgestopft war. Ich habe es nicht gleich begriffen, eine Sekunde zu spät geschaltet. Dann habe ich auch schon den Schlag gespürt. Die Erkenntnis, wo sich der Angreifer versteckt hat, hat mir nichts mehr genützt.«

»Machen Sie sich keine Vorwürfe, Chef.«

»Er hat den großen Gastronomiekühlschrank ausgeräumt und sich dort drinnen versteckt. Ich könnte mich ohrfeigen, dass ich nicht eher darauf gekommen bin.«

»Vielleicht hat die Sache mit dem Kühlschrank ja auch etwas Positives«, sagte Stengele. »Er hat sicher Spuren im Inneren hinterlassen. Außerdem haben wir einen Anhaltspunkt bezüglich der Größe des Täters. So geräumig das Ding ist – ich würde da zum Beispiel nicht reinpassen! Jemand in der Größe von Kommissarin Schwattke schon.«

»Als wir aber am Tatort eintrafen«, sagte Becker, »da war die Kühlschranktür zu. Hat sich der Täter tatsächlich die Zeit genommen, sie wieder sorgfältig zu schließen?«

»Ja, das war ich«, sagte Ursel Grasegger im Nebenraum, im sogenannten ›Verhörzimmer‹, zu Ostler und Hölleisen. »Ich bin als Erste reingekommen und habe sie zugestoßen. Ich habe einen Blick reingeworfen, der Kühlschrank war leer. Mir ist nur aufgefallen, dass jemand die Gitter herausgenommen hat.«

»Was denkst du dir denn, Graseggerin! An einem Tatort machst du gleich als Erstes die Kühlschranktür zu!?«

»Erstens: Woher sollten wir wissen, dass das ein Tatort ist? Zweitens haben wir weder den Kommissar noch Ganshagel gesehen. Der Blick auf beide ist uns eben durch diese Kühlschranktür versperrt gewesen. Und drittens ist das eine automatische Bewegung – wenn man eine geöffnete Kühlschranktür sieht, dann macht man sie eben zu.«

»Ich dachte, bei euch ist es eher umgekehrt«, sagte Ostler. »Wenn ihr zwei eine geschlossene Kühlschranktür seht, dann müsst ihr sie zwanghaft aufmachen und etwas herausnehmen.«

Zwei Augenbrauenpaare zogen sich pikiert nach oben.

»Der Chef hat das Gefühl, dass ihr einiges verschweigt«, sagte Hölleisen streng. »Also, raus damit! Sonst behalten wir euch gleich hier. Zwei Zellen haben wir schon noch frei.«

»Viel können wir euch nicht erzählen. Vielleicht eines – aber das ist eine inoffizielle Information.«

»Ihr seid nicht in der Position –«

»Ein bisserl Dankbarkeit für die Rettung von eurem Chef –«

»Also gut, gehen wir in den Garten hinaus. Wenns gar so inoffiziell ist«, sagte Ostler leicht genervt.

»Da, schauen Sie sich das an«, sagte Nicole und deutete auf die kleine Blumenwiese hinter dem Polizeirevier, die sich der Rauchpausen-Terrasse anschloss. »Jetzt knöpft sich Joey die beiden vor.«

»Haidabimbam, ist das ein Hin und Her!«, fluchte Stengele. »Am einfachsten wäre es doch, die Herrschaften einzusperren! Ich hätte gute Lust dazu. Die können Sie auch niedergeschlagen haben, Chef! Und mit Ganshagels Tod haben sie bestimmt was zu tun.«

»Warten Sie, Stengele. Ostler macht das schon. Ich glaube nicht, dass die Graseggers etwas mit dem Tod von Ganshagel zu tun haben. Die schlottern selber vor Angst –«

»Angst haben wir nicht, Ostler«, sagte Ursel. »Das nicht. Aber wir sind eben auch keine Polizeispitzel. Dafür müsst ihr Verständnis haben. Wir haben dir alles gesagt. Dass da oben ein Killerseminar abgelaufen ist, das haben wir zuerst auch nicht gewusst. Dass die tote Frau eine Killerin war, vermuten wir nur.«

Ursel log, ohne rot zu werden. Aber sie log ja auch nur ein bisschen.

»Habt ihr einen Hinweis, wer das sein könnte? Woher sie kommt? Was sie schon auf dem Kerbholz hat?«

»Wir haben gehört, dass es eine Frau gibt, die die ›Äbtissin‹ genannt wird. Sie ist in der Szene berühmt dafür, keine Spuren zu hinterlassen. Arbeitet absolut perfekt, ohne jeden Fehler, eine Zierde ihrer Zunft. Sie wird nirgendwo gesucht, weil sie nirgends erfasst ist. Ihr Trick soll es sein, falsche DNA-Spuren am Tatort zu hinterlassen –«

»Zum Beispiel Spuren von Konkurrenten?«

»Ja, könnte sein. Was wissen wir schon von dieser Szene? Wir sind sauber, das kannst du uns glauben. Wir möchten nur unsere Ruhe haben. Den Ganshagel allerdings, den hätte man nicht so brutal abservieren müssen. Das war kein Schwerverbrecher.«

»Wir sind ganz bestimmt keine Polizeispitzel«, fuhr Ignaz fort. »Aber es ist so, dass der, der die Äbtissin erledigt hat, schon ein ganz großes Kaliber sein muss. Normalerweise verschwindet so einer sofort. Aber der arme Gansi muss einen Fehler gemacht haben.«

»Genau«, bestätigte Ursel. »Oder er muss irgendwas gewusst haben, was auf die Identität von diesem Großkalibrigen hindeutet. Aber was? Pfff! Keine Ahnung.«

Alle Beamten im Besprechungszimmer sahen nun unauffällig aus dem Fenster, sie hatten den Eindruck, dass sich etwas rührte bei der inoffiziellen Befragung des Ehepaares.

»Ich traue ihnen trotzdem nicht«, sagte Stengele.

»Da geht es Ihnen wie mir«, sagte Jennerwein. »Aber wenn man so wenig in der Hand hat wie wir, dann muss man auf solche Hilfstruppen zurückgreifen.«

»Ich finde, das sind keine Hilfstruppen«, sagte Nicole. »Das sind eher zwei Trojanische Pferde.«

»Schaut, dass ihr den Mörder aus dem Kurort vertreibt«, sagte Ignaz. »Fassen könnt ihr ihn sowieso nicht.«

»Mal schaun«, sagte Ostler.

»Und droben auf der Alm braucht ihr schon gar nicht weiterzusuchen. Das sind Profis. Die hinterlassen keine Spuren. Können wir jetzt gehen?«

»Was habt ihr mit der Wolzmüller-Alm zu tun? Warum kennt ihr euch da so gut aus?«

»Wir kennen uns überhaupt nicht gut aus. Wir wissen auch nicht mehr als ihr. Damals haben wir den alten Wolzmüller da oben beerdigt, den Andreas, den armen Almbauern, der überraschend zu Reichtum gekommen ist. Das war vor knapp zwanzig Jahren. Wir sind dann nie wieder hinaufgekommen.«

»Das Grab vom Andreas ist da droben?«

»Ja, mit Sondergenehmigung. Der damalige Bürgermeister hat das erlaubt.«

»Aber sein Grab auf dem Friedhof –«

»Das ist leer.«

»Und der junge Wolzmüller? Das Maler-Genie? Wisst ihr über den was?«

Grasegger'sches Schulterzucken in sonnendurchfluteter Natur.

»An was ist der Alte überhaupt gestorben?«

»Darüber gibt es nur Spekulationen. Die harte Feldarbeit droben auf der Alm. Die kalten Nächte in der zugigen Almhütte. Die einseitige Ernährung. Was weiß ich. Ein zufällig anwesender Doktor hat einen Herzinfarkt festgestellt. Natürliche Todesursache, basta. Wir sind gerufen worden. Dann haben wir ihn halt beerdigt.«

Herzinfarkt, das stimmte schon irgendwie, aber Herzinfarkt, das war auch bloß die halbe Wahrheit. Ursel und Ignaz hatten Ostler nicht alles erzählt, was damals droben geschehen ist, auf dem Höhepunkt des Reichtums der Familie Wolzmüller. Und auf welch exzessive und gleichzeitig peinliche Weise der alte Wolzmüller gestorben ist. Aber über den jungen Wolzmüller Michl, über das stinkfaule Genie – da wussten sie tatsächlich nichts. Über den wusste aber kaum jemand etwas

Genaues. Eigentlich nur, dass er der Spross einer uralten Almwirte-Dynastie war, seinem Namen allerdings keine Ehre gemacht hatte, weil er in irgendeine wilde Geschichte hineingeraten war.

40

Ein »Unterhölzchen« (auch Blankscheit oder Planchette) ist ein hartes, aber elastisches Plättchen zur Versteifung von Miedern und Korsetts. Das Unterhölzchen ist ein Vorläufer des Wonderbras, daher auch die Wendung: »Holz *statt* der Hütte haben« (Und nicht, wie meist fälschlich gebraucht: »Holz *vor* der Hütte haben«.)

Wer war es, der gesagt hatte, im Nichtstun und in der Faulheit läge der eigentliche Sinn des Lebens? Marx? Kant? Engels? Schopenhauer? Sartre? Camus? Augustinus? Spinoza? Feuerbach? Nietzsche? Wittgenstein? Platon? Aristoteles? Kierkegaard? Leibniz? Hegel? Descartes? Rousseau? Hobbes? Diogenes? Euler? Heidegger? Konfuzius? Locke? Popper? Russell? Epikur? Beckenbauer? Jaspers? Schelling? Sokrates? Voltaire? Fichte? Kopernikus? Herder? Galilei? Newton? Heraklit? Marcuse? Horkheimer? Pythagoras? Adorno? Paracelsus? Montaigne? Seneca? Foucault? Priestley? Chomsky? Wolff? Bergson? Weber? Empedokles? Zarathustra? Freud? Bacon? Kepler? Cicero? Plutarch? Schleiermacher? Berkeley? Husserl? Machiavelli?

Alle ein bisschen und niemand so richtig. Ja, wenn die alle den Wolzmüller Michl gekannt hätten! Dieses stinkfaule Genie ging gerade die Bahnhofstraße des Kurortes entlang. Was heißt ging: Der Michl schlurfte dahin. Seine Kleidung und überhaupt sein Äußeres wirkten abgerissen.

Noch eine Rasur weniger, und er wäre als unheimlicher Clochard durchgegangen. Er war harmlos, aber er verbreitete auf den ersten Blick etwas Bedrohliches. Trotzdem hatte man sich an ihn gewöhnt, er war ein Teil des Straßenbilds, nur noch Fremde und Zugereiste warfen einen verstohlenen Blick auf diesen Mann mit dem Zimmermannsbleistift hinter dem Ohr, der trübäugig geradeaus vor sich hin starrte und kein rechtes Ziel zu haben schien.

Heute hatte er aber durchaus ein Ziel. Heute war nämlich der Tag, an dem der Wolzmüller Michl Geld von der Bank abhob. Er hob nicht viel ab von seinem prall gefüllten Bankkonto – wozu auch. Seine Lebenshaltungskosten gingen auf null zu. Er hatte sich schon vor langer Zeit eine efeuumschlungene Holzhütte am Rand des Kurorts gekauft, dort hauste er. Schulkinder, die vorbeigingen, zeigten auf das verwitterte Ding, im Winter warfen sie Schneebälle, im Sommer gefüllte Luftballons auf die Terrasse des ersten Stocks. Um sie zu verscheuchen, genügte es, wenn der Michl heraustrat. Das Mannesalter hatte ihn noch hässlicher gemacht, er hatte jetzt etwas phlegmatisch Verwegenes angenommen. Nicht nur Kinder liefen schreiend davon.

Der Michl betrat jetzt ein Schreibwarengeschäft. Er blickte in irgendeine Ecke. Ganz selten schaute er jemanden direkt an.

»So, Michl, brauchst wieder Papier?«

Keine Antwort. Nicht einmal ein Nicken oder ein kleines Zucken im Auge. Warum antworten, dachte er, wenn es ohnehin klar war, dass er, wie schon seit Jahren, zwei Blöcke à fünfzig Blatt Zeichenpapier mit einer ganz bestimmten Dicke und Oberflächenstruktur brauchte, dazu fünf extra grobe Zimmermannsbleistifte, die eigens für ihn in Übersee bestellt werden mussten. Der Michl zahlte, das heißt, er warf einen Schein auf den Tisch, den er aus der Tasche zog. Er verzichtete auf das Wechselgeld.

»Dankschön, Wolzmüller. Der Herrgott wird dirs lohnen. Im späteren Leben.«

Keine Antwort, keine Abschiedsfloskel, nicht einmal ein kleiner höflicher Nickerer. Man sagte trotzdem Dankschön. Er war ein harmloser Spinner, einer, der nicht ganz richtig im Kopf war. Er hatte noch nie jemandem etwas getan. Aber wusste mans?

Er ging in die Metzgerei Kallinger. Man stellte ihm eine Tüte mit Brotzeit hin. Die Brotzeit war schon vorbereitet, nichts Billiges, alles nur vom Feinsten. Man erwartete ihn, einmal in der Woche an einem bestimmten Tag, immer um die gleiche Zeit. Er nahm die Tüte, und auch hier legte er wortlos einen Schein hin, auch hier drehte er sich grußlos um und verzichtete auf das Wechselgeld. Einmal war eine neue, uneingeweihte Verkäuferin im Laden gewesen, die ihn nicht kannte. Die lief ihm, aufgeregt mit dem Schein wedelnd, nach.

»Moment, der Herr kriegen noch was zurück!«

Sie wurde von der Chefin, der Kallingerin, sofort zurückgepfiffen.

»Mensch, Maderl, das ist doch der Wolzmüller Michl! Der mag es gar nicht, wenn man ihm nachruft. Mach das bloß nicht noch einmal!«

»Aber er kriegt noch was raus!«

»Der hat genug Geld, das kannst du mir glauben. Der ist bloß zu faul, um den Geldbeutel nochmals aufzumachen.«

Der Michl hatte das Mädchen, das ihm nachgelaufen war, zu Hause gemalt. Aus dem Gedächtnis, wie er meistens aus dem Gedächtnis malte. Er hatte ihr Unwohlsein gezeichnet, in solch einem unvorteilhaften blauen Kittel zu stecken, er hatte ihre Verärgerung gezeichnet, einem offensichtlich Geistesgestörten nachlaufen zu müssen. Das alles hatte er in ihre Körperhaltung, in ihre Mimik, in ihre Fingergestik hineingezeichnet. An diesem Bild arbeitete er mehrere Stunden. Er zerriss ein Blatt nach dem anderen. Als er endlich damit zufrieden war, musste er lächeln. Das war selten, aber diesmal musste er einfach lächeln. Die Zeichnung gefiel ihm. Das war eine Zeichnung, die der unselige Möbius wieder einmal als echten, fünf- oder gar sechsstelligen Kai Fuselitz ausgegeben hätte: *Fleischfachverkäuferin in Aufruhr.*

Mit einem Wort: Der Michl hatte also das Zeichnen nicht aufgegeben. Er malte regelmäßig, mindestens einmal in der Woche, und es kamen immer ein oder zwei Bilder dabei heraus. Diese Angewohnheit hatte sich die ganzen Jahre über gehalten. Es wäre nicht nötig gewesen, denn einen Möbius, der ihn dazu gedrängt hätte, gab es nicht mehr. Frank Möbius, der Manager und Menschenschinder, war kurz nach dem Tod von Michls Vater ums Leben gekommen. Und dann war der ganze Schwindel nicht etwa aufgeflogen, sondern im Sande verlaufen. Der Michl hätte wirklich nicht mehr zum Zimmermannsbleistift greifen müssen. Auch einen künstlerischen Drang verspürte er nicht. Er malte und zeichnete einfach aus Gewohnheit.

Der Michl schlurfte jetzt langsam nach Hause. Die Kinder machten einen großen Bogen um ihn. In der Badgasse sprach ihn jemand an. Er gab keine Antwort. Dann bemerkte er eine Frau mit kurzen, dunklen Haaren und Sonnenbrille. Sie hatte etwas Getriebenes, Gespanntes. Ihm schien, dass sie sich etwas vorgenommen hatte. Sie ging schnurstracks auf ein Ziel zu. Sie war wie eine Sprungfeder. Im Kopf begann der Michl schon zu skizzieren. Er würde diese Frau als Sprungfeder zeichnen. Und genau das ahnten die Einwohner des Kurortes nicht: Er zeichnete sie alle. Sein Vorteil war, dass er sich die Gesichter genau merken konnte, dass er die Posen im Gedächtnis behielt. Er starrte einen Einwohner scheinbar geistesabwesend an, er studierte dabei das Gesicht, er studierte die Körperhaltung, er studierte die Marotte. Jeder hatte eine Marotte. Das machte ihn aus. Und dieses Charakteristische erkannte der Michl sofort. Dann schlurfte er heim und zeichnete zum Beispiel die Sprungfederfrau. Oder die Moser Gundi. Oder die Herbrechtsmeier Karin. Den Harrigl Toni. Den Bürgermeister. Den Vorsitzenden des Volkstrachtenvereins. Er zeichnete einen Kurgast aus Köln. Einen Knollennasigen. Dann den Kommissar Jennerwein. Und sein spindeldürres Klughaferl, diese Maria. Er zeichnete den groben Klotz von Allgäuer, ihm zeichnete er schroffe Felswände ins Gesicht. Er hatte sie alle gezeichnet. Wenn er ein Bild fertig hatte, dann nahm er es mit zwei spitzen Fingern und trug es hinunter in den Keller, wo die anderen Tausende Bilder lagen. In diesem Punkt glich er den anderen Malern: Malen, ja gerne, aber mit den fertigen Produkten konnte er nichts mehr anfangen. Seit Jahren ordnete er die Bilder schon nicht mehr, er warf sie einfach die Kellerstiege hinunter. Der Möbius kam ja sowieso nicht mehr, um sie abzuholen. Schon lange nicht mehr. Gott sei Dank.

Ab und zu ging der Michl hinauf zur Wolzmüller-Alm, auf verschlungenen Wegen natürlich, auf geheimen Schleichpfaden, auf ausgetretenen Rinnen, die er schon als Bub benutzt hatte, wenn er sich von der Arbeit abgeseilt hatte. Er besuchte das Grab seines Vaters, das inzwischen ganz zugewachsen war, weil nur der Wind es pflegte.

Du alter, gieriger Rackerer, dachte der Michl. Das hast du jetzt davon. Vom ewigen Rackern. Anstandshalber ging er manchmal auch auf den Friedhof am Fuße der Kramerspitze, wo das etwas zu pompös geratene Scheingrab seines Vaters lag. Es wäre irgendwie komisch gewesen, wenn er dort nicht hingegangen wäre. Auch dort wurde er angesprochen. Es war die Naumann Babette mit Gießkanne und Rechen.

»So, Michl, das ist jetzt auch schon bald zwanzig Jahre her mit deinem Vater! Wie die Zeit vergeht.«

Schweigen.

»Ja, der alte Wolzmüller Andreas. Wenn der das noch erlebt hätte, was da droben jetzt los ist!«

Die Naumann Babette knirschte den Kiesweg hinunter. Sie war oft hier. Er hatte sie schon hundertmal gezeichnet, sie hatte etwas Interessantes. Sie kam ihm vor wie eine Botin des Todes. Sie trug keine Sense, sondern eine Gießkanne und einen Rechen.

Heute hatte der Michl keine Lust zu zeichnen. Er ging heim und machte Brotzeit. Er aß, was ihm die Kallingerin zusammengestellt hatte, aus der Tüte, das ersparte ihm jegliche Art von Küchenarbeit. Er ging hinunter in den Keller. Diese Blätter müsste man einmal ordnen, dachte er. Früher waren noch Interessenten gekommen, gleich nach dem Tod von Möbius, die wollten noch was kaufen, sie wollten noch einen Bilderauftrag geben, ein Portrait, einen Akt, so Schmarrn eben. Er hatte immer abgelehnt. Warum sollte er was verkaufen? Es reichte doch, wenn er die Blätter die Kellerstiege hinunterwarf. Als sie ganz lästig geworden sind, hatte er sich blöd gestellt. Dann war niemand mehr gekommen.

41

Die Gemeinden Grainau, Mittenwald, Oberammergau, Farchant, Hammersbach, Ettal und Wamberg sind deutschlandweit die größten Lieferanten von Unterholz. (10 000 m³ jährlich)
Quelle: unbekannt

Jennerwein stand auf. Kampfbereit. Er stützte sich mit den Fingerspitzen auf der Tischplatte auf. Das tat er nur, wenn er einen weitreichenden Entschluss gefasst hatte.

»Wir sind uns alle darüber einig, dass es sich bei beiden Morden um ein und denselben Täter handelt. Wir sind uns auch einig, dass sich der Täter noch im Kurort befindet. Darum ist jetzt Eile geboten. Wir müssen ihn einkesseln. Nur so haben wir eine Chance, ihn zu fassen und von weiteren Angriffen abzuhalten. Stengele und Hölleisen, Sie leiten solch eine Umklammerungsaktion ein. Wir kontrollieren die Ausfahrtsstraßen, den Zugverkehr und die wichtigsten Wanderwege. Und das alles möglichst auffällig, mit viel Getöse. Er soll alles mitbekommen, er soll unseren Aufmarsch sehen, er soll in der Zeitung davon lesen. Ewig kann er nicht hierbleiben, er wird handeln müssen. Vielleicht macht er einen Fehler.«

»Solch eine Umklammerung können wir allein nicht durchführen«, gab Hölleisen vorsichtig zu bedenken.

»Ich weiß. Schalten Sie die Bergwacht ein, die Bahnpolizei, die Forstverwaltung, alle an den Ort gebundenen Institutionen eben. Einheimische Kräfte zu mobilisieren ist in diesem Fall sinnvoller, als auswärtige Hilfstruppen wie das BKA heranzuziehen. Das wird zwar ein poröser

Ring werden, den wir um den Kurort legen, aber besser als gar keiner. Stengele und Hölleisen, ich möchte, dass Sie die Zusammenarbeit mit Bergwacht, Feuerwehr, Technischem Hilfswerk und so weiter so schnell wie möglich in die Wege leiten.«

»Ich sage Ihnen gleich, dass diese Kontrollen auf keine große Begeisterung stoßen werden«, sagte der Polizeiobermeister. »Es gibt Verkehrsstaus, blinden Alarm, Menschenaufläufe, Versorgungsschwierigkeiten, Ärger mit der Hotellerie –«

»Ich weiß. Wir machen es trotzdem. Das müssen wir riskieren. Halten Sie eventuellen Sturköpfen die große Brisanz der Sache vor Augen. Wir haben jetzt zwei Morde und einen Angriff auf einen Polizeibeamten. Der Täter ist flüchtig und hochgefährlich. Ob es der Tunesier ist oder ein anderer, es ist auf jeden Fall ein Profikiller.«

Hölleisen und Stengele erhoben sich.

»Wird gemacht, Chef«, sagte der Allgäuer. »Innerhalb der nächsten zwei Stunden müsste so ein elektrischer Weidezaun, wie er Ihnen vorschwebt, aufgerichtet sein.«

Draußen auf der Terrasse des Reviers verlor Polizeiobermeister Johann Ostler langsam die Geduld.

»Ja, Menschenskinder! Wenn ihr sonst nichts mehr wisst von der Sache, dann geht halt in Gottes Namen heim. Los, verschwindet!«

»Ja, ja, schon verstanden. Wir werden uns zur Verfügung halten«, sagte Ignaz Grasegger mit einer seltsamen Melange aus Gutmütigkeit und Genervtheit. »Wir verlassen das Land nicht, nicht einmal zum Schwammerlsuchen nach Österreich.«

»Solange ihr nicht zum Schwammerlsuchen nach *Italien* fahrt«, sagte Ostler spitz. »Aber sagt einmal: Was ist eigentlich dran an dem Gerücht, dass ihr euch als Bürgermeisterkandidaten aufstellen lassen wollt?«

»Das ist nicht unsere Idee«, sagte Ursel. »Wir werden von allen Seiten gedrängt zu kandidieren. Wir überlegen uns das noch. Es hätte schon seinen Reiz. Dann wären wir ja quasi eure Vorgesetzten. Aber bringt *ihr* erst einmal eure Ermittlungen zu Ende –«

»Nicht unverschämt werden, gell. *Und jetz schaugts, dassds weiterkommts!*«

Dieser Abschiedsgruß mag für außerbayrische Ohren roh klingen, dem Werdenfelser ist es jedoch der Wunsch für ein gutes Gelingen der weiteren Schritte. Die Graseggers verneigten sich freundlich, Ostler ging wieder hinein ins Revier und berichtete von seinem Gespräch mit dem widerspenstigen Ehepaar.

»Viel hat es nicht gebracht. Die beiden sind der Ansicht, dass unsere Tote die berüchtigte ›Äbtissin‹ sein könnte. Hat jemand von Ihnen diesen Namen schon einmal gehört?«

Alle schüttelten den Kopf. Nicole suchte im Netz, Jennerwein telefonierte mit seinem BKAler. Er schaltete auf laut.

»Äbtissin? Noch nie gehört«, knarzte eine Stimme. »Der Schakal, der Hammer, die Zange, der Mexikaner – alles auf meiner Liste. Aber Äbtissin – nein. Was folgt daraus? Entweder gibt es sie gar nicht, oder sie muss in der Hierarchie ganz oben stehen beziehungsweise gestanden haben. Wir kommen eigentlich immer nur bis zum Mittelbau, weiter nicht. Aber ich höre mich mal um.«

Jennerwein bedankte sich und trennte die Verbindung.

»Ob sie jetzt ›Äbtissin‹ heißt oder anders – das bringt uns auch nicht weiter. Und einer Information, die von diesen beiden Gaunern kommt, der traue ich schon einmal prinzipiell nicht.«

»Glauben Sie, dass es der Tunesier war, der Sie angegriffen hat?«, fragte Nicole.

»Ich weiß nicht so recht«, antwortete Jennerwein. »Ich selbst habe ihn ja im Wald bei Wamberg nicht gesehen. Ich habe deshalb keinen Vergleich. Und in der Küche von Ganshagel ging alles viel zu schnell. Ich kann mich nur noch an das Bild von weglaufenden Beinen erinnern. Unglaublich leichtfüßig, richtig sportlich. Die Beine steckten in engen, dunkelblauen Jeans. Dann kann ich mich noch an eine Hand erinnern, die einen schwarzen Gegenstand fest umklammert hielt. Es könnte eine Taschenlampe gewesen sein. Mehr ist beim besten Willen nicht drin in diesem Schädel.«

Er tippte sich auf die Stirn. Wenn heute Vormittag doch nur das Bild der weglaufenden Beine vor seinen Augen stehengeblieben wäre! Da wäre ihm ein Anfall so nützlich gewesen. Das Bild war aber nicht stehengeblieben. Es war alles viel zu schnell gegangen.

»Welche Nachrichten geben wir raus?«, fragte Nicole.

»Alle, die wir haben«, antwortete Jennerwein. »Was spricht schon dagegen?«

»Also etwa folgendermaßen –«

Nicole formte mit den Fingern die Schlagzeilen in die Luft.

»Die ›Äbtissin‹ … eine international gesuchte Auftragsmörderin … ist im hochkriminellen Milieu internen Auseinandersetzungen zum Opfer gefallen … Der Hüttenwirt Rainer Ganshagel ist ein weiteres Opfer … Der Täter, der auch einen Polizeibeamten angegriffen hat, ist flüchtig … Es handelt sich mit großer Wahrscheinlichkeit um den Tunesier Chokri Gammoudi …«

»Gut, Nicole, geben Sie das an die Presse, stellen Sie es ins Netz, twittern Sie es, wie auch immer. Und achten Sie auf die Reaktionen.«

»Mach ich. Ist in ein paar Minuten online.«

Nicole war schon dabei, ihre drei Notebooks zu bearbeiten.

Maria hatte sich eine Tasse Kaffee gemacht und rührte unendlich lange in ihr herum. Jennerwein überlegte ebenfalls. Er massierte die Stirn mit Daumen und Mittelfinger. Keiner unterbrach ihn dabei. Irgendetwas an Nicoles Schlagzeilenentwürfen hatte Jennerwein stutzig gemacht. … *Auftragsmörderin … im hochkriminellen Milieu internen Auseinandersetzungen zum Opfer gefallen …* Ein kleiner, misstrauischer Gedanke stieg in Jennerweins Kopf. Gehörte es am Ende zum Plan des Täters, dass genau diese Informationen in Umlauf gelangten?

Er wollte dem Gedanken nachgehen, da kam Becker herein.

»Chef, ich habe die Resultate ausgewertet.«

»Im Fall Ganshagel?«

»Ja. Das war ein Profi, vollkommen klar. Da bin ich Ihrer Meinung, Chef. Er hat keinerlei Spuren hinterlassen. Aber! Auf dem Boden lag ein einzelnes Haar. Es lag so offensichtlich da, dass es direkt ins Auge stach. Es war derselbe Effekt wie bei der Handtasche. Sie haben mich da auf eine gute Idee gebracht, Frau Schmalfuß. Ich wette, dass uns dieses Haar in eine völlig andere Richtung führen soll.«

»Swapping?«

»Sieht so aus.«

»Was ist denn jetzt wieder Swapping?«, fragte Ostler kopfschüttelnd.

»Swapping ist das gezielte und systematische Legen von falschen Spuren«, antwortete Becker. »Ich kenne ein paar Fälle, da hat jemand Haare von richtig seriösen und ausnahmsweise einmal unbescholtenen Politikern gesammelt, die hat man dann an Tatorten gefunden. Sie können sich vorstellen, was da los war! In unserem Fall aber ist der Täter vermutlich beim Swappen gestört worden. Er ist professionell vorgegangen, er hat professionell getötet, er hatte einen Plan B mit dem Kühlschrank, er hatte vielleicht eben begonnen, Haare auszulegen, da kamen Sie, Chef, und haben ihn gestört.«

»Was sagt die Gerichtsmedizinerin zum Tod von Ganshagel?«

»Todesursache: Injektion von Gift. Aber nicht mit einer Spritze, sondern mit einem Projektil, aus einer Entfernung von vier bis fünf Metern abgeschossen. Der Täter hat sich in diesem Fall keine große Mühe gemacht, etwas zu verbergen.«

Jennerwein nickte.

»Warum hat er mich nicht –?«

»Liquidiert? Das spricht ebenfalls für einen Profi. Der tötet nicht einfach ziellos. Vor allem keinen Polizisten. Das gibt viel zu viel Wirbel.«

»Wenn wir doch eine Ahnung gehabt hätten! Ganshagel muss auf der Alm etwas gesehen oder gehört haben, was er nicht sehen oder hören sollte. Wir hätten ihn retten können!«

»Und warum hat er sich an die Graseggers gewandt? Und nicht an die Polizei?«

»Zu den beiden hatte er wohl mehr Vertrauen – wenn das überhaupt stimmt, was die Graseggers ausgesagt haben.«

Es klopfte, und die Gerichtsmedizinerin rollte herein.

»Schön, dass es Ihnen gutgeht, Herr Kommissar«, sagte sie. »Ich will aber gleich zur Sache kommen. Ich habe den Mageninhalt untersucht, den Mageninhalt der Äbtissin – oder wie immer wir die Frau ohne Gesicht nennen wollen.«

»Hat das nicht noch Zeit?«, fragte Jennerwein. »Die Fahndung nach dem Täter läuft auf Hochtouren –«

»Ja, aber ich finde, es ist wichtig. Nur ganz kurz: Ich habe etwas außergewöhnlich Merkwürdiges entdeckt. Die Äbtissin ist vorgestern Abend getötet worden. Irgendwann im Laufe der vierundzwanzig Stunden davor hat sie etwas gegessen, was in diesen Gefilden hier überhaupt nicht angeboten wird: Grünkohl mit Pinkel. Ich habe einige Zeit dazu gebraucht, das herauszufinden.«

»Grünkohl mit Pinkel?«, sagte Nicole. »Das ist in Ostfriesland das, was hier Weißwürste sind.«

»Richtig«, sagte die Frau im Rollstuhl. »Dieses Gericht wird nur im Nordwesten Deutschlands gegessen. Woanders bekommt man solche Würste gar nicht.«

»Sie ist am Nachmittag angekommen«, spekulierte Jennerwein nachdenklich. »Sie ist, sagen wir, morgens früh in Oldenburg oder Bremen losgefahren. Sie hat dort noch gefrühstückt –«

»Gefrühstückt?«, lachte Nicole, ohne den Blick von ihren drei Rechnern zu lassen. »Haben Sie schon mal Grünkohl mit Pinkel gegessen?«

»Nein.«

»Das sind Würste mit zwanzigtausend Kalorien pro Stück, die können Sie nicht zum Frühstück essen.«

»Nein«, sagte die Frau im Rollstuhl. »Das ist ja das Merkwürdige. Da bleibt nur die Vermutung übrig, dass sie diese Würste im Ort gegessen hat.«

»Unmöglich«, sagte Ostler. »So was gibts nirgends hier.«

»Trotzdem«, sagte Jennerwein. »Das ist ein kleiner Strohhalm. In der Handtasche von Luisa-Maria hat sich auch ein Prospekt mit hiesigen Gaststätten befunden. Ostler, hängen Sie sich mal ans Telefon.«

42

Ein Clochard im Unterholz eines städtischen Parks. Man sieht nur einen Fuß herauslugen. Ein zweiter Clochard kommt und lüftet den Vorhang aus Zweigen.

Erster Clochard Hau ab, du Sau!

Zweier Clochard (dreht sich traurig um) Bin ja schon weg.

Rainer Werner Fassbinder, erste Skizzen zu ›Der Müll, die Stadt und der Tod‹

Es dauerte nicht lange, da hörte man in der Ferne schon kreischend helle Feuerwehrsirenen, die sich in das dunkle Wummern von mehreren Bergwachthubschraubern mischten. Johann Ostler hatte sich in den kleinen Nebenraum zurückgezogen, der als Telefon- und Funkzentrale genutzt wurde, um seinen Auftrag durchzuführen. Ein bunter Prospekt des Fremdenverkehrsamts lag vor ihm. Er wählte die erste Nummer.

»Hier Polizeiobermeister Johann Ostler. Bin ich da richtig beim Restaurant Pfaffkugl?«

»Nicht nur das. Hier ist sogar *Toni* Pfaffkugl.«

»Der Chef persönlich!«

»Ja freilich, immer zu Diensten. Und wie kann ich Ihnen weiterhelfen? Brauchen Sie einen Tisch für heute Abend? Gibts was zum Feiern bei der Polizei? Haben Sie den Mörder endlich geschnappt?«

»Nein, wir haben noch keinen Grund zum Feiern. Wir ermitteln noch, und deswegen rufe ich

auch an. Herr Pfaffkugl, eine Frage: Haben Sie in den letzten Tagen Grünkohl mit Pinkel auf der Speisekarte gehabt?

»Grünkohl mit was, bitte?«

»Mit Pinkel! Das ist eine fette Wurst. Aus Ostfriesland.«

»Pah! Mir in Bayern haben selber genug fette Würste.«

»Das weiß ich. Aber haben Sie denn so was auf der Speisekarte?«

»Kontrolliert die Polizei jetzt schon, was mir für Würste verkaufen?«

»Ein einfaches Ja oder Nein täte mir –«

»Aber wirklich nicht! Wir haben Schweinsbraten, Dampfnudeln, Kalbshaxen, alles frisch, alles gschmackig, alles fett. Aber das sind die guten, rechtsdrehenden Fette! Warum sollen wir so einen Schmarrn, so einen preußischen, servieren? Da müssen Sie sich schon an andere Restaurants wenden. An den Schmollinger Hansi von den Schmollinger Schützenstuben vielleicht, der macht so Krämpf. Der hat so was auch nötig, der –«

»Ja, ist ja schon gut, Herr Pfaffkugl. Dankschön. Wiedersehen.«

Die Abriegelung des Kurortes war in vollem Gange. Jeder musste es mitbekommen. Zwei riesige Zwölftonner des Technischen Hilfswerks donnerten vorbei. Diese Ungetüme wartete Ostler ab, dann wählte er die nächste Nummer auf der Liste.

»Hier Polizeiobermeister Ostler. Spreche ich mit Herrn Schmollinger, von den Schmollinger Schützenstuben? Ich will nicht weiter stören, ich ruf an wegen –«

»Ja servus, Ostler! Johann Ostler? Joey? Joey, bist du es? Wir sind doch über ein paar Ecken verwandt miteinander. Der Joey, das ist ja eine Gaudi!«

»Aber –«

»Du, Joey, sei so nett, sag dem Hubsi einen schönen Gruß von mir. Der Hubsi, der kommt öfters zu uns zum Essen. War schon lang nicht mehr da, sagst ihm einen schönen –«

»Ja, mach ich, aber weswegen ich anrufe, ist, ob du Grünkohl mit Pinkel im Angebot gehabt hast in den letzten Tagen.«

»Geh zu, Joey! Wie kommst du denn ausgerechnet auf Grünkohl mit Pinkel! Da sprichst du nämlich ein ganz heikles Thema an, einen dunklen Punkt in meiner Ehe, weißt du. Meine Frau ist doch aus Oldenburg. Die Birte, die kennst du doch auch! Oder nicht? Wir sind schon vierzig Jahre verheiratet, aber sie sagt immer: Das Einzige, was mir hier unten in den Alpen fehlt, sind diese Würste. Moin, Moin – und Grünkohl mit Pinkel – diese Würste.«

»Ja, und in deinen Schützenstuben, verkaufst du die Würste da?«

»Geh zu, die würd doch niemand essen. Bei uns geht nur Schweinsbraten, Dampfnudeln, Kalbshaxen. Alles gscheid fett, richtig bayrisch eben.«

»Also nicht?«

»Nein, nicht. Und sag dem Hubsi einen schönen Gruß. Soll wieder einmal vorbeikommen! Moin, Moin!«

»Ja, auch Moin, Moin.«

Als er die nächste Nummer gewählt hatte, schlug Ostler ein volltönendes – ♫ *daramm* … entgegen. Er hörte Gelächter und Gejohle, er hörte Gesang und laute Stimmen. Die Party war in vollem Gang. Aber schon vormittags? Dann ein riesiges Geschepper – anscheinend war dem Ober gerade ein Stapel Teller heruntergefallen.

»Hallo, hier Gyrospalast Dimitrios. Entschuldigung, ich habe hier Hochzeit.«

»Ich höre schon, ich rufe ungelegen an.«

»Ist ein bisschen laut hier. Hochzeit von Tochter. Hat geheiratet. Wir tanzen gerade Sirtaki. – ♫ *daramm* … Bin ein bisschen außer Atem.«

»Eine Frage nur. Gibt es bei euch zufällig Grünkohl mit Pinkel – so als Gag?«

»Grünkohl mit Pinkel – was soll das sein? – ♫ *daramm* … Sirtakis Tanz, kennst du, oder?«

»Ja, kenne ich. Gibts denn so was bei euch?«

»Doch, hab ich schon mal gehört. Aber gibts nicht bei uns. Der Italiener nebendran, der Giuseppe, der macht solche Gags. Eventgastronomie nennt er das. Pizza mit Weißwürsten, Pizza mit Schweinsbraten, Pizza mit Curry. Vielleicht auch Pizza mit Grünkohl und Pinkel, weiß nicht.«

»Gut, servus dann, Dimitrios. Viel Spaß bei der Hochzeit.«

»Kommst du vorbei? – ♫ *daramm* … Vielleicht mit Kollegen?«

»Wenn du die Musik weiter so laut machst, kommen wir eh vorbei.«

Ostler legte auf. Er schüttelte den Kopf wie nach einem Tauchgang. Das bekam man nun wirklich nicht so schnell aus dem Ohr.

– ♫ *daramm …*

Ostler bemerkte jetzt erst, dass es ein Martinshorn draußen auf der Straße war, und nicht dieser verdammte Sirtaki. Im nächsten Restaurant war keine laute Musik, dafür eine heillose Hektik. Ostler glaubte einen Augenblick, dass er in Babel angerufen hatte. Er brachte sein Anliegen öfters vor, wurde weitergereicht, wurde liegengelassen, schließlich war der richtige Mann am Apparat.

»Wer bist du? Ostelere? Ostelere!? Ah, freilich, Capitano Ostelere! Kannst du nicht später anrufen? Während wir reden, laufen mir die Gäste massenweise davon, laufen hinüber zu Pedro, verderben sich den Magen mit seiner schlechten Pizza. Oder laufen heim, machen sich selbst Pampf von Tiefkühlpizza. Und was willst du mit deinem Grünkohle mit Pinkele?«

»Gibts bei dir so was?«

»Ja, ich schau mal nach in unserer Liste. Wir bieten hunderte verschiedene Pizze an, mit allen möglichen Belägen. Eventgastronomie eben. Ostelere, da musst du mal zu uns kommen! Wir machen Pizza mit Bratewürste – Pizza Norimberga; Pizza mit Käsespatze – Pizza Svenvia; einmal ist der Bürgermeister mit indischer Delegation gekommen, da haben wir Pizza Yogi gemacht, da war ein Tandoori-Hühnchen drauf, Reis und ein Glas Mango-Lassi. Aber nein, Grünkohl und Pinkel, nein. Aber wäre eine Idee. Muss weiter. Ciao, Colonello Ostelere, ciao.«

»Ja, dann arrivederci! Tschau. Servus. Depp.«

Die Motorengeräusche entfernten sich langsam. In einer halben Stunde war der Ring um den Kurort vermutlich schon geschlossen. Das war auch ganz gut so, dass es jetzt leiser wurde, denn die nächste Adresse auf seiner Liste war etwas Piekfeines, es war ein Spitzenrestaurant am Rande des Orts, etwas höher gelegen, mit Blick auf den Stürfelsee: das Luxushotel *Zum Alten Sägewerk*. Ostler brachte sein Anliegen vor. Beim Chef de cuisine. Der Chef de cuisine näselte stark.

»Ich habe Sie eben schon richtig verstanden, Herr Ostler: Sie wollen Grünkohl mit Pinkel?«

»Nein, ich will das ja nicht. Ich habe gefragt, ob Sie das haben!«

»Aber warum fragen Sie dann, ob wir das haben, wenn Sie es nicht wollen!«

»Ich frage ja nur theoretisch.«

»Theoretisch, bitte sehr. Natürlich bieten wir im *Alten Sägewerk* auch extravagante Sachen an, aber –«

»– Grünkohl mit Pinkel in den letzten Tagen eben nicht?«

»Eine Sterneküche, und dann Grünkohl mit Pinkel. Das ist ein Scherz, Herr Ostler. Jahrzehntelange Tradition, und dann vielleicht noch eine Wurstsemmel. Ich als Spitzenkoch, und dann Leberkäs. Machen wir alles! Wartens einmal, Grünkohl mit Pinkel, wie heißt denn das französisch? Aha: Chou frisé. Avec – pipi.«

»Klingt nicht so gut. Wiedersehen.«

Auf der anderen Leitung blinkte es.

»Hier ist nochmals Toni Pfaffkugl. Jetzt kommts mir erst!«

»Was kommt Ihnen erst?«

»Was für eine Unverschämtheit das ist! Grünkohl mit Pinkel! Haben Sie nichts anderes zu tun! Fassen Sie lieber den Grattler, der da oben auf der Alm alles durcheinandergebracht hat! Haben Sie bei dem Schmollinger schon angerufen?«

»Ja, das habe ich auch schon.«

»Schauns einmal bei dem in der Küche nach, da sollen die Ratzen umeinanderlaufen –«

»Herr Pfaffkugl, ich muss dann wieder –«

»Die ganze Küch voller Ratzen! Haben Sie jetzt einen Einsatzwagen hinübergeschickt?«

»Nein! Hörns auf! Ich hab was anderes zu tun!«

»Da geht nämlich grade eine Reisegruppe hinein. Wenn Sie jetzt einen Streifenwagen hinschicken, dann kommt die Reisegruppe vielleicht zu mir –«

»Legen Sie auf!«

»Ja, so ist es mit die Kriminaler! Da, wo es wirklich kriminell wird, da kneifn sie.«

»Hier ist Ostler. Ich möchte den Giuseppe nochmals sprechen.«

»Ostelere! Was gibts?«

»Ja, Giuseppe –«.

»Ostelere! Du störst schon wieder. Ich mach keine Pizza mit Grünkohl –«

»Nein, nix Grünkohl, zefix. Acht Pizza Regina, zu uns ins Revier. Und pronto, sonst werd ich züntig!«

43

Das Hauptwerk von Ludwig Ganghofer (1855 – 1920) ist *Das Schweigen im Walde*. Zwischen mehreren Seiten des handschriftlichen Manuskripts fanden sich getrocknete Blätter des *Gemeinen Wild-Efeus*, der nur im Wald von Oberammergau vorkommt. Ganghofer hat sich also ins Unterholz gelegt und dort seine Romane geschrieben. Das erklärt einiges.

Gib einem Inder irgendwo auf der Welt ein Zimmer, er wird es innerhalb von wenigen Minuten in eines verwandeln, in dem der allumfassende Geist von Tara Bodhisattvi schwebt. Kaum öffnet er seinen Reisekoffer, da duftet es auch schon nach Patschuli und kunstvoll angekokeltem Sandelholz. An die Wand wird er als Erstes ein paar merkwürdige Bilder aus dem Kamasutra pinnen, dazwischen prächtige Farbdrucke aus der indischen Mythologie – nie fehlt zum Beispiel die Abbildung des bösen, zwanzigarmigen Dämons Rakshasa, des großen Beschädigers. Tische und Schränke quellen über von handgeschlagenen Kupferschalen, in denen Räucherstäbchen stecken. Innerhalb einer Stunde ist das Zimmer vollständig verindelt. Es brennen orangefarbene Nārangī-Meditationskerzen, und auf dem Tisch liegt eine leicht gekürzte Ausgabe der Upanishaden. Sind das alles Klischees, sind das alles kolonialistische Vorstellungen? Ja, das sind Klischees.

In Wirklichkeit war der Raum karg und schmucklos eingerichtet. Pratap Prakash, Dilip Advani und Raj Narajan saßen im Zimmer 23 der Pension Üblhör, im zweiten Stock, mit bester Aussicht auf die Berge.

»Der Chef hat gerade gesimst«, sagte Pratap Prakash. »Morgen ist Freitag, und da wäre eine gute Gelegenheit, unseren Auftrag in Köln zu verrichten.«

»Wohlauf, dann frisch ans Werk«, sagte Dilip Advani.

Der Tunesier, der sich Chokri Gammoudi nannte, hielt seinen Nachmittagsschlaf, er lag auf dem spartanischen Klappbett, das hinter dem Vorhang stand. Davon wusste die Wirtin natürlich nichts. Es klopfte, aber es war ein anderes Klopfen, als man es in der Nacht vernommen hatte. Es hörte sich wesentlich harmloser an. Pratap Prakash öffnete.

»Ich möchte nicht stören«, sagte Rosalinde Üblhör.

»Sie stören nicht, verehrteste Wirtin«, sagte Dilip Advani. »Sie bringen herrlichen Glanz in unsere Bleibe.«

»Ich habe ganz vergessen, Ihnen die Anmeldebögen zu geben«, sagte sie.

Die Inder blickten sich kurz und beunruhigt an.

»Natürlich, unsere Anmeldungen, die haben wir ganz vergessen. Unsere Namen genügen doch wohl?«

»Nein, meine Herren, ich bräuchte schon Ihre Ausweise. Neue Vorschrift: Die Ausweisnummern sind einzutragen. So leid es mir tut, das ist jetzt Pflicht. Es ist jahrelang ohne gegangen, und dann auf einmal so ein Trara! Aber da kann man nichts machen. Das ist halt die EU-Bürokratie. Mich kleines Würstel zwingen sie dazu. Wohingegen da droben, die feinen Herrschaften, die brauchen keine Anmeldung. Da kümmert sich kein Schwein drum. Da hält der Bürgermeister seine schützende Hand drüber.«

»Welche Herrschaften wohingegen da droben meinen Sie, verehrte Hausbesorgerin?«, fragte Pratap Prakash möglichst unverfänglich und harmlos.

»Ja, haben Sie denn nichts gehört? Lesen Sie keine Zeitung? Schauen Sie nicht ins Internet? Die Gaudi, die auf der Wolzmüller-Alm passiert ist!«

»Gaudi?«

»Ein Mord! Ein richtig fetter Mord. Mit einer richtigen Leich. Alle Gäste sind abgehauen, und von keinem hat man die Adresse gehabt. Sie können sich vorstellen, dass es da natürlich schwer ist, den Mörder zu fangen. Ohne Adresse. Na, zumindest hat man Bilder von allen, sogenannte Phantombilder. Warten Sie, meine Herren, ich zeige sie Ihnen.«

Die Wirtin eilte und brachte die Computerausdrucke der Phantomzeichnungen. Pratap Prakash, Dilip Advani und Raj Narajan konnten auf diese Weise sehen, wer sonst noch zu dem Fortbildungsseminar eingeladen worden war. Der anonyme Veranstalter hatte ihnen lediglich den Treffpunkt genannt sowie die Themen der Referate, die gehalten werden sollten. Die Seminarteilnehmer selbst lernte man immer erst vor Ort kennen. Die Inder betrachteten die Bilder schweigend. Sie kannten alle. Es gab nicht so viele professionelle Auftragskiller auf der Welt. Wenigstens nicht in ihrer Kategorie. Sie gehörten der Weltspitze an, sie waren das Beste vom Besten, und davon gab es vielleicht fünfzig oder sechzig. Sie waren berühmt dafür, blitzartig aufzutauchen, um dann genauso schnell und spurlos wieder zu verschwinden. Die Ausbildung war hart und entbehrungsreich. Es war schwer, und es wurde immer schwerer, Nachwuchs für diesen uralten Handwerksberuf zu finden. Früher gab es weitverzweigte Familien, die ihre Kenntnisse von Generation zu Generation weitergaben. Italien war dafür bekannt, aber auch China und vor allem Indien. Aber heute? Kaum jemand war zu dem Risiko bereit. Kaum jemand war für diese hingebungsvolle Art der Arbeit noch zu gewinnen.

»Und Sie meinen, einer von denen ist der Mörder?«, fragte

Pratap Prakash. Er legte ein angstvolles Tremolo in seine Stimme, ließ auch die Finger leicht zitternd über die Bilder wandern. »Die sehen doch alle harmlos aus.«

»Das ist wahrscheinlich der Trick«, sagte Rosalinde Üblhör wissend. »Der Mörder tarnt sich als ganz normaler Mensch, und dann auf einmal – zack! – hast du ein Messer im Rücken. Oder kein Gesicht mehr.«

»So wird es wohl sein, Frau Beschließerin. Aber was meinen Sie mit ›kein Gesicht mehr‹?«

»Ja, die Tote hat doch ein völlig zerfressenes Gesicht gehabt! Von diesen Aaskäfern.«

Pratap Prakash blickte gespielt überrascht auf.

»Ja, Aaskäfer!«, sagte die Herbergsmutter angeekelt. »Pfui Teufel! Auf solche Viecher kann man gut und gerne verzichten!«

»Sagen Sie so etwas nicht, Frau Herbergsmutter. In manchen Kulturen werden Aaskäfer zutiefst verehrt. Es sind Geschöpfe, die die ewige Wiederkehr in Gang halten.«

»Gehns zu!«

»Es gibt die Geschichte von Kaiser Jojpratsh, der den Körper seiner verstorbenen Frau an Aaskäfer verfüttert hat. Er gab die Tiere dann in ein wohltemperiertes Insektarium und konnte seine Kaiserin auf diese Weise immer besuchen.«

»Das ist ja furchtbar!«, stöhnte die Wirtin auf.

Dilip Advani gab ihr die Phantomzeichnungen wieder zurück.

»Ich kann mir das gar nicht mehr anschauen. Stellen Sie sich vor: Einer von denen ist ein Mörder. Ich werde nicht gut schlafen können heute Nacht.«

»Ja, wirklich schlimm ist das«, sagte die Wirtin. »Aber kann ich jetzt bitte Ihre Ausweise –«

Seufzend erhob sich der stumme Raj Narajan und fischte drei abgegriffene Papiere aus dem Koffer. Er reichte sie der Wirtin.

»Ah, die Herren sind Amerikaner!«, rief Rosamunde Üblhör erfreut. »Das hab ich mir schon gedacht. Alle drei?«

Dumme Frage. Natürlich alle drei. Alle drei aus Springfield/Illinois, Geschäftsreisende der gleichen Firma. Jeder wusste, wann sein Großvater geboren worden war und wann die Großmutter Masern bekommen hatte. Man musste ein verdammt gutes Gedächtnis in diesem Job haben. Der Tunesier hatte von einem Franzosen namens Pierre erzählt, der ein lesenswertes Buch über Gedächtnistraining sein Eigen nannte. Die drei Inder gaben sich professionell, doch selbstverständlich stieg auch bei ihnen ein ungemütliches kleines Prickeln hoch. Der zwanzigarmige Dämon Rakshasa, der große Beschädiger, war im Raum, ohne dass ein Bild von ihm an der Wand hing. Ihre Ausweise stellten zwar sehr gute Fälschungen dar, sie waren das Beste, was man auf dem Markt bekommen konnte, die Polizei würde ein paar Tage brauchen, um sie als Fälschung zu identifizieren – aber trotzdem. Das Prickeln war da. Aufreizend langsam schrieb Rosalinde Üblhör die Ausweisnummern ab.

»Und was machen die Herren so?«, fragte sie interessiert.

Alle drei hatten perfekte Legenden einstudiert. Falls sie auf jemanden trafen, der ebenfalls aus Springfield stammte.

»Wir sind Handelsvertreter«, sagte Pratap Prakash.

»Hygienischer Bedarf«, sagte Dilip Advani.

Raj Narajan nickte.

»Kennen Sie Springfield?«

»Nein.«

Schade. Sie hätten so viel von Springfield erzählen können.

»Frau Üblhör«, sagte Pratap Prakash so beiläufig wie möglich. »Wir wollen morgen einen Ausflug mit dem Mietauto machen. Ganz früh. Können Sie uns eine Autovermietung empfehlen?«

»Wohin wollen Sie fahren?«

»Ins Rheinland.«

»Ins Rheinland?!«, kreischte Rosalinde. »Ja, wissen Sie nicht, was hier bei uns los ist! Nein, das können Sie ja gar nicht wissen: Nirgends kommt man mehr durch. Eine Sauerei ist das. Eine Riesensauerei. Wie soll denn da der Tourismus funktionieren. Aus dem Ort kommt niemand mehr raus. Der Gemeinderat Harrigl hat schon recht: Diesem Kommissar Jennerwein, der das alles verursacht hat, dem gehört einmal der Zahn gezogen.«

Pratap Prakash runzelte die Stirn.

»Kommissar Jennerwein?«

»Das ist der sogenannte Kommissar, der alles mögliche durcheinanderbringt, der aber keinen Mörder findet. Jedenfalls können Sie das mit dem Rheinland vergessen. Bleiben Sie da, das ist gescheiter. Die Polizei hat die Autobahn gesperrt, die Hauptstraßen, die nach Österreich führen, ebenfalls. Wir sind von der Außenwelt komplett abgeschnitten. Überall haben sich kilometerlange Schlangen gebildet. Im Radio haben sie von chaotischen Zuständen berichtet. Da kommen Sie mit dem Auto nicht mehr durch.«

Raj Narajan machte eine fragende Handbewegung: Sollen wirs trotzdem riskieren? Pratap Prakash schüttelte unmerklich den Kopf.

»Dann bleiben wir eben«, sagte er. »Dann warten wir die nächste Gelegenheit ab.«

»Freilich, machen Sie das«, sagte Rosalinde Üblhör dienstbeflissen. »Bleiben Sie noch ein paar Tage da. Schauen Sie sich ein paar Sehenswürdigkeiten im Ort an! Dass Sie nicht gar so einen schlechten Eindruck von unserem schönen Kurort mit nach Springfield nehmen müssen. Das Geschäft läuft ja nicht davon.«

»Können Sie uns etwas empfehlen? Etwas Typisches? Etwas Authentisches?«

Natürlich konnte sie das. Das war ihr Spezialgebiet. Sie empfahl eine schwindelerregende Führung auf die berühmte Skischanze, auch einen Spaziergang durch die gischtsprühende Höllentalklamm. Sie empfahl, die Weißwürste unbedingt in der Metzgerei Kallinger zu kaufen, nirgends sonst.

»Versprechen Sie mir das: Nur beim Kallinger, gehen Sie auf keinen Fall zu Letzelberger & Söhne!«

Sie empfahl Schuhplattellehrgänge, VHS-Kurse für Bayrisch, sie wies auf eine Kräuterwanderung hin, historische Kutschenfahrten, auf ein Richard-Strauss-Konzert und eine Demonstration der Wamberger Alphornbläser. Den Indern rauchten die Köpfe.

»Schön ist auch eine Beerdigung«, sagte Rosalinde begeistert. »Das müssen Sie erlebt haben! Eine Beerdigung von einem Einheimischen, mit Blasmusik, Leichenschmaus und so schönen alten Bräuchen wie dem Ins-Grab-Nachjodeln.«

»Wir werden sehen.«

Frau Rosalinde verabschiedete sich schließlich und verließ das Zimmer. Die drei warfen einen Blick hinter den Vorhang. Der Tunesier schien immer noch zu schlafen, sicher waren sie sich nicht.

»Wir könnten ihn natürlich opfern«, flüsterte Pratap Prakash.

»Wie meinst du das?«

»Wir geben der Polizei einen Tipp, wir lenken diesen Kommissar Jennerwein auf ihn, und wir nützen die Verwirrung, um die Gegend zu verlassen.«

Sie betrachteten Chokri. Auch wenn sie ihn aufgenommen hatten, trauten sie ihm nicht. Sie hatten Blicke von ihm aufgefangen, die ihnen überhaupt nicht gefielen.

Der stumme Inder reichte einen Zettel herum.

»Der Kaiser Jojpratsh, der seine Gattin an Aaskäfer verfüttert hatte, starb schließlich auch, und niemand wagte es, das Insektarium aufzulösen. Madhva schrieb, dass die Kaiserin das Reich noch sechshundert Jahre regiert hätte, ohne dass es jemand bemerkte.«

»Er wieder mit seinem Madhva«, sagte Pratap Prakash augenrollend.

44

Maigret stand schweigend am Waldrand. Maigret rauchte Pfeife. Aus dem niederen Unterholz ragte eine Hand. Maigret starrte auf die Hand. Die Hand bewegte sich nicht. Nachdenklich zog Maigret an der Pfeife.

Georges Simenon, »Maigret und der Verdacht«

Die aufeinandergestapelten Pizzaschachteln dampften auf dem Besprechungstisch. Ostler zog eine Pizza Regina zu sich her, er hob erwartungsvoll den Deckel, da klingelte es. Stengele war am Apparat.

»Ich glaube, wir haben es geschafft!«, rief der Allgäuer. »Wir haben jetzt einen ziemlich undurchdringlichen Ring um den Kurort gelegt. Die drei Ausfallstraßen sind vollständig unter unserer Kontrolle. Wir machen von jeder Person im Alter zwischen fünfzehn und fünfundsiebzig, die raus will, ein Foto und nehmen die Personalien auf.«

Maria schaltete sich ein.

»Fotos? Warum denn Fotos? Der Einzige, der einen der Seminarteilnehmer identifizieren könnte, wäre doch Ganshagel gewesen.«

»Das mit den Fotos ist ein strategisches Manöver«, erklärte Stengele.

»Sehr gut«, sagte Jennerwein. »Das macht ihn vielleicht noch nervöser.«

»Alle anderen kleineren Straßen und Wege«, fuhr Stengele fort, »alle Steige und Trampelpfade sind von unseren Hilfstruppen besetzt. Der ganze Kurort ist umzingelt. Ich wusste gar nicht, wie unendlich viele Mitglieder die Freiwillige Feuerwehr hat. Eines muss ich allerdings noch sagen, Chef: Die Empörung der Bevölkerung ist riesengroß. Da werden wir noch einiges zu hören bekommen.«

Nicole kam aus der Funk- und Telefonzentrale, die sie den *kleinen* Medienraum nannten – es gab allerdings keinen großen.

»Ich habe jetzt einige Rückmeldungen auf unsere Berichte über die Äbtissin. Etwas Brauchbares ist allerdings noch nicht dabei. Nur so am Rande: Eine Frauenzeitschrift hat gefragt, ob wir nicht einen Lebenslauf von dieser Äbtissin haben. Und Bilder, möglichst farbig. Sie wollen eine große Story draus machen.«

»Wir können ihnen ja Bilder von der Leiche schicken«, sagte Maria süffisant. »Die Silphen-Maske ist mal was anderes als eine Gurkenmaske.«

Jennerwein mahnte zum Ernst.

»Nicole, machen Sie weiter und trennen Sie die Spreu vom Weizen. – Und nehmen Sie Ihre Pizza mit, bevor sie kalt wird.«

Ostler, Jennerwein und Maria setzten sich wieder an den Konferenztisch.

»Eines muss uns klar sein. Unendlich lang können wir diese Aktion nicht durchhalten. Wir müssen uns also beeilen. Wir haben ihn eingekesselt, wir haben ihn – hoffentlich – nervös gemacht. Jetzt müssen wir versuchen, ihn anzulocken. Ich bitte um Vorschläge.«

Ostler ruckelte auf seinem Stuhl hin und her.

»Nur zu, raus damit!«, munterte Jennerwein ihn auf.

Johann Ostler war grottenstolz, dass er als einfacher Polizeiobermeister in strategische Überlegungen mit einbezogen wurde.

»Ganz direkt gefragt: Wie sieht es mit unserem Bürgermeister aus? Ob man dem trauen kann oder nicht, das sei einmal dahingestellt. Natürlich hat – oder hatte – er auf der Wolzmüller-Alm was am Laufen, ich glaube aber nicht, dass das etwas mit unserem Fall zu tun hat. Jetzt habe ich mir gedacht: So ein Politiker ist doch immer ganz froh, wenn er als Retter dastehen kann. Sie wissen schon: Helmut Schmidt, 1962, Sturmflut in Hamburg, dann Bundeskanzler.«

»Sie meinen, dass wir den Bürgermeister als Lockvogel einsetzen? Also, Ostler, wenn das schiefgeht, dann können wir uns alle neue Jobs suchen, das versichere ich Ihnen. Nein, das ist mir zu riskant. Und ob er mitspielen würde, ist auch unsicher.«

»Ich glaube schon, dass er mitspielt. Ich habe gehört, dass er in die Landespolitik will. Da käme ihm doch so ein Katastrophen-Sprungbrett ganz recht.«

»Trotzdem ist mir das zu riskant. Der Sturkopf läßt sich ja nichts sagen, der handelt bei so einem Einsatz auf eigene Faust, und wir haben die Verantwortung. – Wie gehts ihm eigentlich in seiner Zelle?«

»Der Gefängnisdirektor sagt: ganz gut. Er hat sich einiges zum Lesen mitgenommen.«

»Ostler, die Idee ist nicht schlecht, aber das können wir nicht riskieren. Nächster Vorschlag.«

»Wie sieht es mit der Familie Grasegger aus?«, sagte Maria. »Die beiden schienen mir beim letzten Treffen doch auffällig nervös. Nach dem Ganshagel-Mord war gar nichts mehr übrig von der souveränen Pollenflugallergie-Arie von gestern. Ich vermute, sie haben Angst, dass ihnen das gleiche Schicksal wie Ganshagel blüht. Und sie wissen mehr, als sie zugeben. Das könnten wir ausnützen.«

»Meine Meinung hierzu steht unverrückbar fest«, sagte Jennerwein. »Ich arbeite nicht mit verurteilten Straftätern zusammen. Nennen Sie mich meinetwegen einen Prinzipienreiter, aber ich mache es nicht. Nächster Vorschlag.«

Ostler meldete sich nochmals.

»Ich weiß, das ist eine verwegene Idee, eine ganz abseitige, und eine, die nicht im Polizeiaufgabengesetz vorgesehen ist, aber –«

Die Tür wurde aufgerissen. Nicole winkte allen, in den Nebenraum zu kommen. Jennerwein, Ostler und Maria sprangen auf und folgten ihr.

»Ich habe zwei Wanderer in der Leitung, die irgendwo in den Bergen unterwegs sind. Ein Mann und eine Frau. Sie rufen jedenfalls von ihrem Handy an. Die Verbindung ist nicht sehr gut.«

Nicole stellte das Telefon auf Lautsprecher.

»Hallo? Sind Sie noch dran? Prima.«

Eine aufgeregte Frauenstimme mit deutlich hamburgischem Einschlag erklang.

»Wir haben gerade erfahren, dass auf der Wolzmüller-Alm etwas passiert ist. Vorgestern, um sieben Uhr. Und genau um diese Zeit haben wir mit dem Fernglas rübergeguckt, vom gegenüberliegenden Berg aus.«

»Ja, genauso war es!«, schaltete sich ein Mann ein, dessen Wurzeln tief im Sächsischen verankert zu sein schienen. »Punkt sieben haben wir rübergeguckt.«

»Bitte nennen Sie uns Ihre Namen!«

»Bt... sch... verbindung schlecht.«

»Und was haben Sie gesehen?«, fragte Jennerwein.

»frg ... eigentlich nichts. Aber wir haben jetzt Ang...ft b.r...«

»Wo sind Sie?«

»Auf dr...alm...«

»Sie sind in höchster Gefahr! Kommen Sie bitte sofort aufs

Polizeirevier. Auf schnellstem Weg. Haben Sie mich verstanden?«

»fg … rrr … fg«

»Probieren Sie, uns von unterwegs nochmals anzurufen.«

Es war nichts mehr zu machen. fg … rrr … fg … Das hätten auch die vier Windburschen sein können, die da in das Handy pfiffen.

»Rufen Sie Becker an, Nicole. Der soll das Mobiltelefon sofort orten.«

»Chef, es geht schneller, wenn ich das selbst mache«, sagte Nicole. »Die modernen Kommunikationsanlagen sind schon mit einer entsprechenden Software ausgerüstet. Aber wenn Sie meinen, dass ich Becker trotzdem –«

»Nein, nein«, sagte Jennerwein. »Machen Sie das. Wir müssen die beiden schnell aufspüren. Und dann schicken wir am besten die Bergwacht hin.«

Nicole war schon dabei, mit der linken Hand die entsprechenden Befehle einzutippen. Sie murmelte etwas von Stealth Ping und Silent SMS. Auf einem ihrer Schirme erschien eine Karte, die das Werdenfelser Tal zeigte.

»Und?«

»Es wird noch ein paar Minuten dauern.«

»Wie war das mit Ihrem Vorschlag, Ostler?«

»Ich weiß nicht, aber die Wolzmüller-Alm, die hat doch so einen Fluch, so einen Unstern, der jetzt sozusagen wieder aufgelodert ist. Von der ganzen Familie Wolzmüller lebt ja nur noch der Michl. Der ist allerdings, mit Verlaub gesagt, nicht ganz richtig im Kopf. Er ist ein armer Tropf, ist an nichts interessiert, macht nur das Nötigste, obwohl er genug Geld hätte, in Saus und Braus zu leben. Manchmal malt er ein bisschen. Man sieht ihn immer mit einem Zimmermannsbleistift hinter dem Ohr.

Jetzt bedrängen uns die Presseleute doch schon so, dass wir mehr Informationen rausgeben sollen. Man könnte fallenlassen, dass der Michl etwas gemalt hat, dort droben, zur fraglichen Zeit, weil das doch einmal sein Elternhaus war.«

»Geht der Michl denn noch ab und zu rauf?«

»Nein, das glaube ich nicht, vielleicht war er auch seit dem Tod seines Vaters nie mehr oben, der ist viel zu faul zum Wandern oder Bergsteigen – aber man könnte es behaupten.«

»Wie bitte? Ich höre wohl nicht richtig! Ein offensichtlich psychisch Gestörter als Lockvogel?«

»Nein, so meine ich es nicht. Jemand von uns schlüpft natürlich in seine Rolle.«

Jennerwein überlegte.

»Wie alt ist er denn?«

»Na, so Ende vierzig. In Ihrem Alter. Oder in Stengeles Alter.«

»Gibt es Ähnlichkeiten?«

»Vom Gesicht her? Nein. Aber die könnte man in diesem Fall leicht herstellen. Der Michl ist eine ziemlich abgerissene Erscheinung. Unrasiert, trägt immer einen viel zu großen Lodenmantel. In seine Rolle kann man leicht hineinschlüpfen. Und man könnte das Ganze sehr, sehr schnell inszenieren.«

Der Michl Wolzmüller schaute durch sein Küchenfenster. Er sah schon von weitem, dass er Besuch bekam. Er bekam selten Besuch. Eigentlich nie. Manchmal vom Postboten, das war es dann auch schon. In einiger Entfernung fuhr ein Auto vor und parkte ein. Es parkte so langsam und sorgfältig ein, dass es dem Michl auffiel. Trübe Augen hatte er, aber mit seiner Beobachtungsgabe war nicht zu spaßen. Ihm entging nichts. Nach einiger Zeit stieg ein Mann aus, den er gut kannte. Er hatte ihn schon oft im Ort gesehen. Michls Hand hob sich langsam, fuhr hinters Ohr und griff sich den Zimmermannsbleistift. Ein Blatt lag irgendwo in der Nähe. Er zeichnete die Gestalt, die da gerade aufs Haus zukam. Die Gestalt ging langsam, wie ein Cowboy, der auf der staubigen Westernstraße zu einem Duell schreitet. Der Mann sah sich verstohlen um, er musterte die Fenster, die aber blind und stumm blieben. Was wollte der Mann? Dem Michl war nicht wohl. Aber halt! Da rührte sich was im Auto! Die Türe öffnete sich, und ein zweiter Mann stieg aus, mit einem Handy am Ohr. Der Michl zeichnete auch diesen Mann schnell aufs Papier. Er zeichnete die Worte, die aus dem Telefonhörer quollen. Doch nun trennte der Mann die Verbindung, und beide kamen auf sein Haus zu. Schließlich standen sie vor der Haustür und klingelten. Er ließ sie eine Zeitlang warten und skizzierte weiter. Wartende Menschen zu zeichnen, das war eines der herrlichsten Dinge auf der Welt. Mit nichts konnte man den Charakter eines Menschen besser studieren. Der zweite Mann war sehr gut im Warten, der erste Mann nicht. Sie klingelten nochmals. Der Michl zerknüllte das Blatt und schob es in die Hosentasche. Dann öffnete er.

Der Michl sagte nichts. Die Männer sagten nichts. Er machte den beiden Platz, so dass sie in den Gang treten konnten. Er zeigte mit einer unmerklich kleinen Handbewegung ins Wohnzimmer. Die Besucher setzten sich schweigend. Ihre wachsamen Blicke glitten durch den schmucklosen Raum. Unendlich viel Zeit verstrich.

»Habs mir eh gedacht, dass ihr irgendwann zu mir kommt«, sagte der Michl schließlich zu Ostler und Jennerwein.

45

In bestimmten Gegenden der Karpaten ist es Brauch, im Wald Münzen ins Unterholz zu werfen. Einem alten Volksglauben nach hat man pro Münze eine Lüge frei.

Das Ehepaar Grasegger war auf dem Heimweg.

»Ich frage mich schon die ganze Zeit, wo die vielen Knöcherlputzer hergekommen sind«, sinnierte Ignaz.

»Was hast du denn immer mit diesen Viechern!«, sagte Ursel. »Die gehen mir langsam ganz schön auf die Nerven.«

»Weißt, ich habe noch ein paar Experimente mit ihnen gemacht.«

»Das habe ich schon bemerkt. Die halbe Speisekammer ist leer.«

»Sie stürzen sich ziemlich schnell auf was Fressbares, dann ziehen sie sich zurück ins Nest, das sie meistens in Bäumen oder Sträuchern bauen. Die Äbtissin ist unter einer Zirbe gelegen, ich habe raufgeschaut in der Nacht, wenn du dich erinnerst. Ich habe aber keine Silphen in dem Baum gesehen.«

»Es war dunkel, wir haben nur eine schwache Taschenlampe dabeigehabt – du hast das Nest vielleicht übersehen.«

»Kann sein. Aber ich hätte wenigstens eine Pheromon-Straße mit den Silphen sehen müssen, am Baumstamm rauf und runter. Irgendwie komisch ist das schon.«

»Ich bin natürlich keine Biologin«, sagte die Gerichtsmedizinerin im Labor des Instituts für Pathologie und Forensische Medizin. Sie hatte das Telefon unter dem Kinn eingeklemmt und wühlte mit beiden Händen in den

Papieren auf ihrem Schreibtisch. »Wir haben uns bezüglich der Rothalsigen Silphen bisher nur darum gekümmert, was sie uns über den Todeszeitpunkt der Frau sagen. Wo sie herkommen, das weiß ich natürlich nicht. Am Boden hat Becker Reste von Stinkmorcheln gefunden. Durch diese wurden die Silphen anscheinend angelockt. Dann haben sie aber, wie wir wissen, etwas Schmackhafteres gefunden.«

»Danke«, sagte Jennerwein am anderen Ende der Leitung. »Den Baum hat Becker doch ebenfalls untersucht. Könnten Sie mal nachsehen, ob in den Protokollen etwas darüber steht, ob die Silphen im Baum ein Nest hatten?«

»Das kann ich Ihnen so auch beantworten, nämlich mit einem klaren Nein.«

»Danke, Frau Doktor.«

Jennerwein beendete die Verbindung und wandte sich wieder dem Wolzmüller Michl zu.

Als Ignaz und Ursel Grasegger nach Hause kamen, bemerkten sie, dass eine Taube auf dem Vordach saß. Das Tier war erschöpft, sie fütterten es. Sie wussten, dass die Taube sehr weit geflogen war. Sie nahmen ihr das Bändchen mit der Kapsel vom Fuß. Ignaz entzifferte die verschlüsselte Nachricht von Padrone Spalanzani aus Italien.

»Und?«, fragte Ursel.

»Wir sollen sofort Kontakt mit Swoboda aufnehmen.«

Ignaz nahm ein fabrikneues Mobiltelefon aus der Verpackung, bestückte es mit einer Prepaid-Karte und wählte die Nummer, die er auswendig wusste. Swoboda war sofort am Apparat.

»Und? Wie weit seid ihr denn mit eurer Bleigießerei?«, unkte der Österreicher.

»Was willst du, Swoboda?«, fragte Ignaz ungeduldig.

»Ich habe den Auftrag bekommen, noch einmal ein paar Leute aus eurem Kurort zu schleusen.«

»Das ist momentan schwierig, das sage ich dir gleich. Eigentlich unmöglich. Der Jennerwein hat ganze Arbeit geleistet.«

»Ich weiß, man hört es ja in den Nachrichten. Sogar von einem Hexenkessel ist die Rede. Ziemlich martialisch, findet ihr nicht?«

»Du hast also einen Transport. Wir sind aus dem operativen Geschäft ausgestiegen, das weißt du doch. Außerdem sind alle Zufahrtsstraßen gesperrt. Die Feuerwehr ist ausgerückt. Das Technische Hilfswerk. Die Bergwacht. Das sind drei überwältigende Hilfstruppen!«

»Konfuzius sagt: Es gibt immer Wege.«

»Und Ignazius sagt: Nimm nicht alle Wege.«

Ignaz gab das Telefon an Ursel weiter.

»Wo sind denn diese Leute, die du rausschleusen sollst, untergebracht?«, fragte sie.

»Ich dachte, ihr seid aus dem operativen Geschäft ausgestiegen?«

»Ich sag dir gleich, wir nehmen keine Gäste, bei uns sind alle Fremdenzimmer belegt. Wir wollen sauber bleiben. Wir wollen ins politische Geschäft einsteigen.«

»Was bitte wollt ihr?«

»Wir wollen uns als Bürgermeisterkandidaten aufstellen lassen, wenn die Bewährungsfrist abgelaufen ist.«

»Das sind ja g'spaßige Nachrichten! Ihr sollt aber gar nicht operativ arbeiten. Ihr sollt nur ablenken. Kennt ihr die Pension Üblhör?«

»Da befinden sich die Zielpersonen?«

»Genau. Ich werde euch heute Abend noch ein Zeitfenster zukommen lassen. In dieser Zeit taucht ihr im Revier auf und lenkt die Haberer ab. Ihr gebt ihnen ein kleines, unwichtiges Detail zu dem Fall, dem sie aber nachgehen müssen. Lasst euch was einfallen. Sie müssen ganz und gar abgelenkt sein. In der Zeit greife ich zu.«

»Gut, das können wir machen«, sagte Ursel. »Aber nur aus einem Grund. Um die Äbtissin tuts mir nicht leid. Nach allem, was ich von Padrone Spalanzani gehört habe, hat die bei ihren Aufträgen Kinder eingesetzt, um abzulenken. Da hört für mich der Spaß auf. Wir machen es bloß wegen dem Gansi. Der Ganshagel, der hat niemandem etwas zuleide getan. Und ich will wissen, wer den erledigt hat.«

So wurden die Graseggers Teil einer taktischen Finte. In der Kriegskunst gibt es dafür einen Fachausdruck: Parthisches Manöver. Dabei sammeln sich starke Verbände an einer bestimmten Stelle und binden dadurch feindliche Kräfte. Cannae – 216 v. Chr., Chattahoochee River – 1864, Tobruk – 1941. Wer es nicht ganz so kriegerisch will, kann es an einem Beispiel aus der Welt des Fußballs studieren. Der sehr gute Spieler, der Weltklassefranzi, täuscht einen genialen Pass an, er führt ihn zwar nicht aus, aber die anderen glauben, dass er es macht, sie rennen zu ihm, und dadurch bindet er Kräfte. Oder, wer Fußball jetzt auch langsam satthat: Der Leser eınes Textes lıest gemütlıch dahın, soll aber eıne bestımmte Informatıon nıcht bekommen, obwohl er sıe vor der Nase hat. Dıe Aufmerksamkeıt des Lesers wırd woanders hıngelenkt, zum Beıspıel auf dıe fehlenden ı-Punkte, dıe den Text plötzlıch zerfressen haben. Dann verschwındn ımmr mhr Bchstbn. Abr da ıst e schon zu spät. Man kann nıcht mhr wıtrlsn, schlıßlıch gs ıch lsı sth. gh ıs tr ını mı. dl fg rrr fg btıssın.

»Weißt du was«, sagte Ursel, »wir gehen jetzt zur Törlspitze.«

»Was, jetzt noch zur Törlspitze? Und unser Abendessen?«

»Nein, nicht rauf auf den Gipfel, sondern unten zur Prattinger-Wiese. Das dauert nur eine knappe Stunde. Zur Fünfuhrjause sind wieder zurück. Denn das mit den SOS-Blinkzeichen, das lässt mir nämlich keine Ruhe.«

»Ach, Ursel, lass es, da war nichts!«

»Ich bin mir aber sicher, dass ich sie gesehen habe.«

»Na gut, wenn du unbedingt meinst!«

Sie nahmen noch einen kleinen Imbiss auf der Terrasse, dann brachen sie auf. Die Prattinger-Wiese breitete sich unter der Törlspitze aus. Es war ein unzugängliches, borstiges Stück Land, ein wildes Gewirr von Sträuchern und Gestrüpp. Ursel und Ignaz kämpften sich ächzend und fluchend durch das Unterholz. Ein kleiner Bach bahnte sich seinen Weg durch das Gewirr, und ein aufgeschreckter Biber blickte verdutzt hinter einem gefällten Baumstamm hervor.

»Was erwartest du denn? Dass wieder einer abgestürzt ist?«, fragte Ignaz.

In den Sechzigern hatte man einmal nach einem vermissten Bergsteiger gesucht, der zuletzt auf der Törlspitze gesehen worden war. Man hatte die Prattinger-Wiese durchkämmt, den Vermissten zwar nicht gefunden, dafür aber mehrere andere Bergopfer, sogar einen amerikanischen GI, den die U. S. Army schon längst abgeschrieben hatte. Die Eheleute gingen den Bergfuß entlang.

»Da sind die meisten gelegen«, sagte Ursel.

Sie gingen die Strecke zweimal auf und ab. Sie machten jedoch keine grausige Entdeckung. Ignaz fand lediglich eine Karte des Werdenfelser Landes im Maßstab 1 : 10000, ferner ein Handy, das am Boden lag und das wohl von oben heruntergefallen sein musste. Es schien einigermaßen unbeschädigt, vielleicht war es an einen Baum hängen geblieben. Ignaz steckte es ein.

»Trotzdem, ich weiß, was ich gesehen habe«, sagte Ursel.

Als sie wieder im Ort waren, kehrten sie noch auf einen Absacker in der Spirituosenhandlung *Absturz* ein. Dort gab es nur ein Thema: die Äbtissin.

46

»Hast du diesen reizenden Vikar Underwood nicht eingeladen, meine Liebe?«, fragte Miss Marple beim Tee.
»Mein Gott – weißt du es nicht, Jane! Er ist doch plötzlich verstorben!«
»Ach, wirklich?«, fragte Miss Marple.
Agatha Christie, »Die Fußangel«

So einen maulfaulen und trägen Burschen hatten beide noch nie erlebt. Jennerwein und Ostler saßen wie auf glühenden Kohlen. Draußen war der Kurort in hellem Aufruhr – hier drinnen zählten sie die Minuten, die verrannen, bis sich der Michl dazu aufraffte, zu antworten. Aber sie mussten geduldig sein.

»Warum hast du dir schon gedacht, dass wir kommen?«, fragte Ostler. Der Michl ließ sie zappeln.

»Auf der Wolzmüller-Alm ist was passiert«, sagte der Michl schließlich bedächtig. »Und ich bin ein Wolzmüller. Deswegen seid ihr da.«

»Das ist richtig, Michl. Da droben ist was passiert. Wir wissen natürlich, dass du nichts damit zu tun hast.«

Der Michl blickte auf. Er drehte den Kopf misstrauisch zu Ostler. War das ein Satz zu viel gewesen? Jennerwein schaute ihn scharf an. Wie konnten sie sich sicher sein, dass der Michl sich nicht doch dort oben herumtrieb? Ja, verdammt nochmal: Woher wussten sie eigentlich, dass dieser verschlossene Wolzmüller-Spross nichts mit den Morden zu tun hatte? Er saß dort auf einem Stuhl, phlegmatisch vornübergebeugt, die schlaffen Hände im Schoß, den Blick irgendwohin, aber eher nach unten gerichtet. Das Gesicht war bedeckt von einem mächtigen Vollbart, die Haare hingen ihm wüst in die Stirn. Gar nichts, rein gar nichts konnte man aus diesem Gesicht lesen, die schwarzgrauen Haarbüschel verdeckten alles. Nur die Augen des Michl bewegten sich langsam hin und her, aber sie glotzten trübe, sie wichen jedem prüfenden Blick aus, sie sagten rein gar nichts. Dieser Mensch schien sich von der menschlichen Gesellschaft fernhalten zu wollen, das war offensichtlich. Aber war das Taktik? War er nicht doch ein Verdächtiger? Man musste diese Möglichkeit ins Auge fassen. Man musste auf der Hut sein. Jennerwein blickte zu Ostler hinüber. Der schien das Gleiche zu denken.

»Du musst schon reden, Michl«, sagte Jennerwein. »Wir wollen wissen, wo du die letzten zwei Tage warst. Heute. Gestern. Vorgestern. Kannst du uns das sagen?«

Lange Pause. Der Michl schien nachzudenken. Er griff nach einem Blatt Papier, das auf dem Tisch lag. Er zog es zu sich her und begann, es zu bemalen. Es war eine umständliche Art des Malens. Ostler und Jennerwein warfen einen Blick darauf. Es war weder ein schematischer Zeitplan, den sie erwartet hätten, noch eine erkennbare Ortsskizze. Es waren, zumindest auf den ersten Blick, wilde Kritzeleien, bedeutungsloses Gestrichel, der Zeichnung eines Kindes ähnlich. Er wollte sich vielleicht nur in seine Welt zurückziehen.

»Michl, hast du das verstanden?«

Der Michl zeichnete weiter.

»Freilich habe ichs verstanden. Warum soll ich es nicht verstanden haben?«

»Und?«

»Wo ich war? Weiß ich nicht mehr. Ich merke mir das nicht. Ich habe das gemacht, was ich immer mache. Habe Brotzeit geholt. Beim Metzger Kallinger. Habe Obst geholt. Am Markt.

Eingekauft. Was man halt so braucht. Kannst ja fragen. In den Läden. In den Läden kannst du nachfragen. Da erfährst du, wann ich wo war.«

Das war fast ein Redefluss. Ostler ließ sich für die folgende Frage viel Zeit.

»Warst du in den letzten Tagen droben auf der Wolzmüller-Alm?«

»Wann soll ich droben gewesen sein?«

»Vorgestern.«

»Weiß nicht. Ich glaube nicht.«

»Michl! Das kannst du mir nicht erzählen, dass du das nicht weißt. Man hat mir gesagt, dass du dir jedes Gesicht merken kannst, das du einmal gesehen hast. Bis ins Kleinste. Dass du jemanden zeichnen kannst, den du vor einem Jahr gesehen hast. Und du willst nicht mehr wissen, ob du vorgestern oben warst?«

»Gesichter sind interessant. Darum merke ich sie mir. Alles andere ist uninteressant.«

Jennerwein deutete auf das Gekritzel.

»Was malst du da?«

Keine Antwort.

Es war wohl sinnlos, dem Michl die geplante polizeiliche Aktion zu erklären. Aber die Zeit drängte, sie mussten jetzt ein Ergebnis haben.

»Hast du was dagegen, wenn jemand von uns hierbleibt?«, sagte Jennerwein.

Leichtes Kopfschütteln. Eine positive Bestätigung? Wahrscheinlich. Wenigstens etwas.

»Weißt du, Michl, wir machen es so. Der Johann Ostler bleibt heute und morgen bei dir. Damit hier nicht auch noch was Schlimmes passiert, so etwas wie auf der Alm. Nur heute und morgen. Bist du damit einverstanden?«

»Ich muss aber Brotzeit holen.«

»Wir kaufen schon für dich ein. Du sagst, was du brauchst, wir holen das dann. Einverstanden?«

Jennerwein ging betont langsam hinaus, um den Michl nicht zu verschrecken. Draußen beobachtete er die Fenster der umliegenden Häuser. Er konnte niemanden entdecken. Dann beschleunigte er seine Schritte, er legte einen Spurt ein. Das Auto überließ er Ostler, damit konnte der im Notfall den Michl in Sicherheit bringen. Das Redaktionsgebäude der örtlichen Zeitung war zehn Laufminuten entfernt. Jennerwein wich müßigen Fußgängern aus, sprang über Hundeleinen, überflankte Absperrungen, er lief die Treppen hinauf, zum Redakteur, der schon auf ihn wartete.

»Schreiben Sie, dass wir noch nichts haben«, keuchte er. »Keine Anhaltspunkte, nichts.«

Der Redakteur lächelte genießerisch.

»Die Polizei tappt wieder einmal im Dunkeln?«

»Von mir aus. Und dann bringen Sie die Story mit dem Wolzmüller-Michl, wie ausgemacht. Dass er erzählt hätte, etwas gesehen und gezeichnet zu haben, dass das Bild aber momentan nicht auffindbar sei. Sie tun mir einen großen Gefallen. Sie haben was gut bei mir.«

»Ich werde es mir merken.«

»Servus.«

Fünf Minuten später war die Nachricht online. Der Täter würde sich keine Zeitung kaufen. Das wäre viel zu auffällig. Aber Gelegenheit, ins Netz zu schauen, gab es immer. Jennerwein lief wieder los. Zum Revier waren es fünfzehn oder zwanzig Minuten. Er lief auf Nebenstraßen, er wollte nicht aufgehalten und angeredet werden, was denn der Unsinn mit den Absperrungen solle, was sich die Polizei schon wieder erlaube.

Er lief die Loisachpromenade entlang. Und plötzlich traf es ihn wie ein Schlag. Innerhalb einer Sekunde stand es plötzlich in großer Klarheit vor ihm: Er hatte einen Denkfehler begangen. Wie hatte er das nur übersehen können! Er war von falschen Voraussetzungen ausgegangen. Abrupt blieb er stehen und setzte sich auf eine Bank. Er konzentrierte sich. Er sah dem Fließen des Flusses zu. Dann richtete er sich auf. Noch nie hatte Jennerwein die Lösung eines Falls so blitzartig und unmittelbar gespürt. Er riss sein Mobiltelefon aus der Tasche.

»Hallo, Maria! Ich bins. Schnell, rufen Sie alle zusammen. Sofort. Sie sollen alles stehen- und liegenlassen. Es ist wichtig.«

Johann Ostler saß am Tisch und sah dem Michl geduldig beim Zeichnen zu.

»Was meinst du damit: Du kennst den Jennerwein?«

»Ich habe den Kommissar schon öfters gesehen, dich auch. Ihr geht im Ort herum. Du hast Angst, Ostler. Du fürchtest dich vor was.«

Ostler ließ sich nicht aus der Ruhe bringen.

»Ich habe vielleicht Angst, dass ich meine Arbeit nicht gut genug mache?«

Der Michl schüttelte zweifelnd den Kopf. Er zeichnete weiter.

»Zeichnest du oft Leute aus dem Ort?«, fragte Ostler.

»Freilich. Willst was sehen? Das bist du und der Jennerwein.«

Ohne mit dem Zeichnen aufzuhören, griff der Michl mit der freien Hand in die Tasche und zog das zerknüllte Blatt Papier heraus. Er warf es auf den Tisch. Ostler nahm es und entknüllte es vorsichtig. Da war ein Mann zu sehen, der sich nach allen Seiten umblickte. Es war eher ein abstraktes Strichmännchen, aber es war trotzdem er selbst, Polizeiobermeister Johann Ostler. Sein Diensteifer, seine ruppige, manchmal etwas unbeholfene

Art, die Sachen anzupacken, alles war mit wenigen Strichen angedeutet. Sein Jagdfieber war zu erkennen, und die große Sorge, dass man hier auf der ganzen Linie versagte. Ostler schüttelte sich. Das hatte mit dem Fall nichts zu tun. Darum würde er sich später kümmern. Er musste in diesem Fall weiterkommen. Er zeigte dem Michl die Phantombilder der Seminarteilnehmer. Der Michl schüttelte bei jedem den Kopf. Er war also doch nicht droben gewesen. Oder er tat nur so, als ob er niemanden kennen würde? Ostler dachte, dass es zwecklos war, aber er holte trotzdem eine Kopie des Passfotos der Äbtissin heraus und schob sie dem Michl hin. Der Michl warf einen kurzen Blick darauf.

»Die kenn ich.«

Ostler hätte fast aufgeschrien vor Überraschung. Er konnte seine Erregung kaum verbergen.

»Die kennst du?«

»Freilich.«

»Dann bist du also doch oben gewesen auf der Alm?«

»Nein. Ich habe sie im Ort gesehen.«

»Wann?«

»Gestern.«

Gestern. Ostler seufzte enttäuscht. Der Michl hatte die Äbtissin gestern im Ort gesehen. Aber das konnte nicht sein. Da war sie doch schon tot gewesen.

47

In Weißrussland hingegen ist es bei Beerdigungsfeierlichkeiten der Brauch, Münzen hinter sich in den Kamin zu werfen. Auch hier hat man pro Münze eine Lüge über den Verstorbenen frei.

Das Nudelwasser liegt still da. Es ist das Nudelwasser der Erkenntnis. Der Siedepunkt ist erreicht, im Topf müsste es längst schon brodeln und rumpeln, die Wasseroberfläche ist jedoch glatt wie ein leergefischter Dorfweiher. Nur ein leises Knacken ist zu hören. Dann plötzlich, ohne jede Vorwarnung, platzt eine große Luftblase, sie hebt sich wie ein Torpedo aus der Tiefe, und ein Schwall von Wasser und heißer Luft spritzt durch die ganze Küche. Genauso schlagartig und eruptiv war über Jennerwein die große Klarheit gekommen. Und dann ging alles ganz schnell. Er sprang von seiner Bank an der Loisach auf und spurtete ins Revier.

Er schloss die Tür und setzte sich an den Besprechungstisch. Stengele und Hölleisen waren zurück von ihren Einsätzen an den Ausfallstraßen des Kurorts. Becker und die Gerichtsmedizinerin hatten ihre mikroskopischen Arbeiten unterbrochen. Auch Maria und Nicole saßen gespannt da, begierig auf die Neuigkeiten, die Jennerwein angekündigt hatte.

»Ich will gleich zur Sache kommen«, sagte der Kommissar. »Wir haben etwas übersehen. *Ich* habe etwas übersehen. Ich muss total betriebsblind gewesen sein. Wir nehmen als Polizisten immer automatisch und ganz selbstverständlich an, dass die Täter nach vollbrachter Tat die Spuren aus einem einzigen Grund verwischen: um unsere Ermittlungen in falsche Bahnen zu lenken. Das ist auch in neunundneunzig Prozent aller Fälle so. Hier aber haben wir es mit dem einen Prozent zu tun, und wir sind zunächst darauf hereingefallen. Uns wurde eine Inszenierung aufs Auge gedrückt: Der Inhalt der Handtasche war fast perfekt arrangiert, die Leiche wurde aufsehenerregend präpariert, der Tathergang ist dramatisch und nebulös, wir haben uns viele Gedanken über das verschwundene Tatwerkzeug gemacht. Wir haben angenommen, dass das alles für uns Ermittler inszeniert wurde, um uns auf die falsche Spur zu führen. Nie haben wir daran gedacht, dass diese Inszenierung andere in die Irre führen sollte, und zwar viel gefährlichere Instanzen als uns – die eigenen Killerkollegen, die sich auf der Alm zusammengefunden haben.«

Jennerwein stand auf und pinnte das Passfoto an die Tafel.

»Diese Frau ist nicht identisch mit der Frau unter der Zirbe!«

Jennerwein hatte so viel Druck in die Stimme gelegt, dass alle auf ihren Stühlen erstarrten. Jeder schien die Luft anzuhalten, jeder spürte, dass die entscheidende Wendung des Falls kurz bevorstand.

»In den gerichtsmedizinischen Unterlagen wird die Tote beschrieben als eine Frau mit durchschnittlicher körperlicher Konstitution, durchschnittlicher Fitness, durchschnittlichem gesundheitlichen Gesamtzustand –«

»Das ist richtig«, sagte die Gerichtsmedizinerin. »Ich tippe auf mäßige sportliche Betätigung. Einmal in der Woche Squash, so etwas in der Art.«

»Mäßige sportliche Betätigung – aber was bedeutet das? Trainieren solche Profis nicht ausgesprochen hart, um sich in Form zu halten? Schon aus diesem Grund ist es äußerst unwahrscheinlich, dass die tote Frau die Äbtissin ist.«

»Jetzt, wo Sie es sagen«, murmelte die Frau im Rollstuhl

nachdenklich. »Keine Muskelpartie ist besonders intensiv ausgebildet. Ich habe dem aber keine Bedeutung beigemessen. Denn eine Auftragsmörderin muss ja keine muskelbepackte Kampfmaschine sein. Es gibt heutzutage leicht zu bedienende Schusswaffen.«

»Auch Schützen müssen täglich trainieren«, gab Stengele zu bedenken. »Sie müssen sogar ziemlich hart trainieren, um die nötige Körperspannung jederzeit abrufen zu können.«

»Der nächste Punkt betrifft die Silphen«, sagte Jennerwein. »Am Tatort hat Becker hundertfünfzig dieser Käfer gezählt. Das ist zwar die übliche Größe einer Population, aber ist es nicht ein großer Zufall, dass die genau da auftauchen, wo sie gebraucht werden? Das kann kein Zufall sein.«

»Darüber habe ich mich auch schon gewundert«, warf Becker ein. »Wir haben im Zirbelbaum kein Nest gefunden. Auch in der näheren Umgebung nicht. Nur die Stinkmorchelreste am Boden.«

Jennerwein nahm den Faden wieder auf.

»Die Tiere wurden meiner Ansicht nach mitgebracht und ausgesetzt. Und warum? Um das Gesicht in möglichst kurzer Zeit unkenntlich zu machen und die anderen Seminarteilnehmer gar nicht auf den Gedanken kommen zu lassen, dass diese tote Frau nicht die Frau auf dem Passfoto ist. Da die Seminarteilnehmer die Alm möglichst schnell verlassen mussten, konnten sie nur einen kurzen Blick auf die Leiche werfen. Sie sehen plötzlich eine Frau ohne Gesicht, und sie sehen kurz darauf ein Passfoto mit Gesicht. Sie kommen, genauso wie wir, gar nicht erst auf den Gedanken, dass das nicht die gleiche Frau sein könnte.«

»Richtig, Hubertus. Das Gehirn rechnet sich die Welt stimmig«, sagte Maria. »Auch das Gehirn eines Auftragsmörders.«

»Und warum gibt man eine fremde Leiche als seine eigene aus?«, fuhr Jennerwein fort. »Das macht doch nur jemand, der dauerhaft von der Bildfläche verschwinden will. Der sich viele Feinde gemacht hat, der befürchten muss, selbst liquidiert zu werden. Und genauso geht die Äbtissin vor. Die Äbtissin ist nicht die Leiche, die Äbtissin ist vielmehr die Täterin. Sie lebt, und sie befindet sich noch hier im Ort. Sie ist in der Nähe. Sie weiß nur nicht, dass wir das wissen. Das ist unser Riesenvorsprung.«

»Wie könnte die Tat abgelaufen sein?«, fragte Nicole.

Jennerwein deutete wieder auf das Foto an der Pinnwand.

»Die Äbtissin will aus dem kriminellen Betrieb aussteigen. Das geht natürlich bei Killers nicht so einfach. Sie meldet sich zu diesem Seminar an, sie tötet eine Frau, die sie sich sorgfältig ausgewählt hat und die keiner vermissen wird. Es ist vielleicht eine Touristin, die sie im Ort sieht, und die etwa die gleiche Körpergröße wie sie selbst hat. Sie bringt sie auf die Alm, legt sie unter den Baum, schüttet ihr eine Tüte Silphen ins Gesicht.«

»Wo hat sie die her?«, fragte Stengele. »Die gibts doch nicht im Zoogeschäft.«

»Ich bin mir sicher«, sagte Jennerwein mit liebevollem Spott, »dass das das geringste Problem für eine Berufskillerin ist. Sie lässt also die Tatwaffe verschwinden, sie verhält sich auch sonst absolut professionell. Die Seminarteilnehmer müssen denken, dass der Täter in den eigenen Reihen zu finden ist. Sie verbreiten die Nachricht in der Szene. Es ist eine internationale Truppe, und die Nachricht geht vermutlich gerade um den ganzen Globus.«

»Ich glaube nicht, dass die Tote eine Touristin aus dem Dorf war«, sagte Stengele. »Eher eine Osteuropäerin ohne Aufenthaltsgenehmigung. Oder eine Schwarzarbeiterin. Oder eine der vielen nicht angemeldeten Personen, die es haufenweise gibt. Und über die kaum Statistiken geführt werden. Da gibt es viele Möglichkeiten.«

»Auch ich«, sagte die Gerichtsmedizinerin nachdenklich, »habe einige Anhaltspunkte für die Theorie *Die Tote kann keine Killerin sein* gefunden, aber ich muss zugeben, dass ich sie als unwichtig eingestuft habe. Die Hände der Toten wiesen Druckspuren von insgesamt fünf Ringen auf. Trägt eine Berufsverbrecherin so viele Ringe? Sie muss sich doch am Tatort wahrscheinlich schnell Gummihandschuhe überstreifen. Auch die Hände waren sehr gepflegt, mit langen, lackierten Fingernägeln. Es ist unwahrscheinlich, dass jemand mit solch gepflegten Krallen solch einen schmutzigen Beruf ausgeübt hat.«

»Maria, ich muss zugeben, Sie hatten recht mit der Handtasche«, sagte Nicole. »Es *war* eine Inszenierung. Aber ich wollte eben eine einfache Erklärung.«

Hölleisen runzelte die Stirn.

»Der Tunesier ist also nicht unser Mann?«

»Richtig«, antwortete Jennerwein. »Daran hatte ich ohnehin meine Zweifel. Spätestens seit dem Angriff auf mich in Ganshagels Küche. Der Täter war wendig und klein. Ich habe zwar sehr wenig gesehen, aber der Gesamteindruck passt besser zu einer mittelgroßen Frau als zu einem mittelgroßen Mann.«

»Ostler und ich haben den Tunesier ja gesehen«, fügte Nicole hinzu. »Und zwar näher, als uns lieb war. Er stellt eine relativ markante Erscheinung dar, schon von der Hautfarbe her. Für ihn wäre es äußerst riskant gewesen, sich am helllichten Tag nochmals im Ort blicken zu lassen und in Ganshagels Haus einzusteigen. Unter diesen neuen Voraussetzungen wird klar, dass Chokri Gammoudi nur ein Interesse hatte, nämlich von hier wegzukommen. Für eine unauffällige Frau wäre diese Aktion leichter zu bewerkstelligen. Sie kann sich schminken, sie kann sich eine Perücke aufsetzen. Ich hatte mal Bereitschaftsdienst, als Madonna in der Stadthalle Recklinghausen ein Konzert gab.

Wir mussten sie nach dem Konzert zum Italiener begleiten. Ich hätte sie fast nicht erkannt: Gerade eben auf der Bühne noch eine Granate, als Frau Ciccone eine total unscheinbare Erscheinung.«

»Wir machen jetzt Folgendes«, sagte Jennerwein. »Wir führen unsere geplante Aktion fort. Wir locken den Täter mit Michls angeblichen Bildern an. Statt auf den Tunesier müssen wir uns auf eine Frau konzentrieren. Aber Vorsicht – sie ist hochgefährlich. Sie hat Ganshagel umgebracht, weil er offensichtlich etwas gesehen hat. Wir versuchen, dieser Frau eine Falle zu stellen. Wir lassen sie in dem Glauben, dass ihre Identität noch nicht aufgeflogen ist.« Jennerwein ballte die Faust und schlug damit in die Luft. »Das war ja gerade das Perfide an ihrem Plan! Sie hat uns dazu benützt, die Nachricht von ihrem Tod zu verbreiten. Eine echte Unverschämtheit! Nun gut, lassen wir sie in dem Glauben. Jetzt drehen wir den Spieß um. Wir lassen sie wissen, dass die Identität der Leiche zweifelsfrei feststeht. Das wäre ein Job für Sie, Becker: Konstruieren Sie eine analytische Technik in der forensischen Genetik, bei der man von kleinen Gesichtsknöchelchen auf die Form des Gesichts schließen kann.«

»Das brauchen wir nicht zu erfinden, so was gibt es schon«, sagte Becker. »Genetische Marker in der DNA der Knochenzellen. Damit kann man zum Beispiel die Augenfarbe bestimmen. Oder die Gesichtsform.«

»Hervorragend. Da nützt es ihr gar nichts, dass sie es geschafft hat, ihre DNA nirgends zu hinterlassen. Entwerfen Sie einen entsprechenden Pressetext. Schreiben Sie, dass wir bisher noch kleine Zweifel gehabt hätten, dass wir aber jetzt mit diesem DNA-Zeug wissen, dass die tote Frau die Äbtissin ist.«

»Wird gemacht Chef.«

»Nicole, Sie kommunzieren das nach außen. Es kann ruhig

ein wenig unbeholfen klingen. Deuten Sie an, dass wir in dem Fall nicht weiterkommen. Dass wir ihn, wenn es so weitergeht, vielleicht bald zu den Akten legen müssen.«

»O. k., Chef.«

»Es versteht sich von selbst, dass wir keinem diese neuen Informationen geben, auch nicht dem Chef und nicht der Staatsanwältin. Natürlich auch dem Michl nicht.«

»Und die Aktion Lockvogel?«

»Wird weitergeführt wie geplant. Ostler bleibt bei Michl Wolzmüller. Er passt auf ihn auf. Ich spiele den Lockvogel und schlüpfe in Michls Rolle. Wir bewegen uns dabei nicht im Ort, das wäre zu riskant und auch zu auffällig. Stengele, arbeiten Sie einen Plan aus, wo sich der Michl tatsächlich immer herumschleicht, am Rand des Kurorts und auf den umliegenden Bergen. Ostler soll ihn dazu befragen. Konzentrieren Sie sich auf Plätze, wo er gut angreifbar wäre. Dort positionieren wir uns.«

»Geht klar, Chef.«

»Maria, Nicole und Hölleisen, Sie besorgen sich Touristenklamotten. Wander-Outfit. Sie werden dem falschen Michl unauffällig folgen.«

Ein Piepsen ertönte, Jennerwein klappte sein Mobiltelefon auf.

»Eine SMS von Ostler. Er hat dem Wolzmüller Michl das Passfoto gezeigt. Und der behauptet steif und fest, die Frau gestern im Kurort gesehen zu haben. Lebend. Na also. Auf gehts.«

48

Aus dem Wörterbuch der Comicsprache:
Krckkrck-kackatsch-Krckck-kackatsch-Krckck ...
(Eine außerirdische Kampfmaschine mit zwei verschieden langen Beinen latscht durch den Wald und zermantscht das Unterholz)

Becker und Nicole hatten ganze Arbeit geleistet. In vielen Onlineausgaben großer Zeitungen, aber auch in der *Loisachtaler Allgemeinen* stand, dass die Polizei die allerneuesten forensischen Analysemethoden angewandt hatte, und das mit großem Erfolg, denn man hätte jetzt hundertprozentige Gewissheit, dass es sich bei der toten Frau um die international gesuchte Berufskillerin handelte. Man hatte die Äbtissin identifiziert. Tausendprozentig. Von ›genetischen Markern in der DNA der Knochenzellen‹ war da die Rede, von Knochensplitterchen und vertrockneten Blutspritzerchen, mit denen man den gesamten Menschen bis hin zur Katzenhaarallergie und Laktoseintoleranz rekonstruieren konnte.

Auf der großen Liegewiese des traditionsreichen Naturfreibads herrschte noch reges Gewimmel an diesem goldenen Spätnachmittag, viele Handys, Tablets und Notebooks waren aufgeklappt, und überall im weiten Areal des Kainzenbades las man von den Ruhmestaten der Genetiker und der Unfähigkeit der Polizei, die ohne ihre gerichtsmedizinischen Helfer aufgeschmissen wäre. Auch eine unscheinbare Frau, die ihr Badetuch am Rand der Liegewiese ausgebreitet hatte, betrachtete interessiert die neuen Nachrichten.

Es wirkt wenig chevaleresk, eine Frau als unscheinbar zu bezeichnen, aber diese war es wirklich. Zu allem Überfluss trug sie auch noch einen äußerst unvorteilhaften Badeanzug, die Haare hatte sie so streng nach hinten gekämmt, dass ihre großen blassen Segelohren weit abstanden, die Brille stammte wohl aus dem Kaugummiautomaten. Sie lag auf dem Bauch, die käseweißen Beine zeigten schon einige rote Sonnenflecken, doch sie bemerkte es nicht. Sie starrte regungslos auf das Display. Viele der Badegäste um sie herum erschauderten über das, was sie in den Nachrichten lasen, Details über das zerfressene Gesicht der Frau unter der Zirbe zum Beispiel. Die käsebeinige Unscheinbare las die Nachrichten und lächelte. Eine Woge heißer Genugtuung und eitlen Stolzes überflutete sie. Dazu hatte sie auch allen Grund. Sie war die Äbtissin.

Strenggenommen war die Frau in dem verschlissenen einteiligen Badeanzug eben nicht mehr die Äbtissin. Sie war die Äbtissin gewesen. Die legendäre Äbtissin war mausetot, ausradiert und nach Mafia-Art unkenntlich gemacht von einem russischen oder französischen Konkurrenten, der mit großer Wahrscheinlichkeit längst über alle Berge war. Weil diese Äbtissin so mausetot war, schien es auch laut der Loisachtaler Allgemeinen wenig öffentliches Interesse zu geben, wegen einer internen Auseinandersetzung des organisierten Verbrechens zu ermitteln. Ein Polizeisprecher hatte das gesagt. Die Polizei würde ihre Arbeit bald einstellen. Halleluja! All das war im Netz zu lesen, und wenn es morgen die Papierzeitungen auch so druckten, war sie mit ihrem Projekt auf der Zielgeraden. Die Äbtissin lächelte nochmals ein dünnes, kaltes Lächeln. Jetzt konnte sie getrost aus diesem Nest mit den durchgeknallten Lederhosenträgern verschwinden. Diese Provinzermittler, diese alpenländischen Louis-de-Funès-Verschnitte waren noch unfähiger, als sie angenommen hatte. Das waren einfach keine echten Gegner. Aber die Hauptsache war: Der Plan war perfekt gewesen – fast perfekt, aber nach der kleinen Korrektur mit Ganshagel war der Plan aufgegangen!

Sie stand auf, um sich im Wasser etwas abzukühlen und ein paar Runden zu schwimmen. Sie konnte es sich nicht verkneifen, auf das Dreimeterbrett zu steigen und herunterzuspringen. Sie ersparte sich den zweieinhalbfachen Auerbachsalto mit drei Schrauben gehechtet (Schwierigkeitsgrad 3,9), der einmal ihre Spezialität gewesen war. Sie hielt sich vielmehr die Nase mit Daumen und Zeigefinger zu und sprang mit den Füßen voraus ins Wasser. Sie versuchte, es so ungeschickt wie möglich wirken zu lassen. Sie schwamm entspannt. Sie war einmal eine international erfolgreiche Kunstspringerin gewesen. Dann kamen die vierten Plätze, die siebten und die siebenundzwanzigsten – und irgendwann stand ein Mann im Maßanzug und mit Lederköfferchen vor der Tür, aber es war niemand vom IOC. Er machte ein Angebot, das sie nicht ablehnen konnte. Das war lange her. Bis heute hatte sie einen gefährlichen und aufregenden Beruf ausgeübt. Sie war die Beste ihrer Branche geworden. Aber jetzt wollte sie aussteigen. Der Plan dazu war perfekt – und es hatte noch besser geklappt, als sie gedacht hatte. Pierre, der Franzose, einer der gerissensten Profikiller der Szene, oder Wassili, der Russe, der den zwanzigfach abgeschirmten Oligarchen Nikolai Tischtschenko ausgeschaltet hatte – sie alle verbreiteten die Nachricht jetzt auf der dunklen Seite der Welt. Von der hellen Seite, von der Polizei, hatte sie ohnehin nichts zu befürchten. Die helle Seite war einfach zu schwach. Sie stieg aus dem Wasser. Am Uferrand lungerten ein paar Männer herum, ein paar junge Burschen und ein ergrauter Stenz.

»Volle Arschbombe, Fräulein, oder?«, sagte der Stenz. »Vorher am Dreimeterbrett.«

Alle rundherum lachten. Der Stenz war der Scheuchzer Schorsch, der Dorfgigolo, der für seine gelungenen Anmachsprüche bekannt war.

Die Äbtissin ging zu ihrem Liegeplatz und trocknete sich ab. Sie hatte sich schon öfter in einem Freibad versteckt. Offenbar kam kein Polizist auf die Idee, in einem Freibad zu suchen. Und man konnte sich durch die Badekleidung in einen vollkommen anderen Menschen verwandeln. Das Kainzenbad im Kurort war noch aus anderen Gründen geeignet, sich zurückzuziehen. Es war weitläufig, von allen Seiten zugänglich, und vor allem befand sich das Krankenhaus gleich in unmittelbarer Nähe. Direkt vor dem Kainzenbad befand sich der großflächige Parkplatz des Klinikums. Besser konnte sie es nicht treffen. Jeden Tag starteten vier bis fünf Hubschrauber, und sie hatte den Weg zum Aufenthaltsraum der Hubschrauberpiloten schon ausgekundschaftet. Aber so weit war es noch nicht. Sie wollte den Kurort erst abends verlassen. Das war die beste Zeit. Auch mussten noch ein paar Sachen erledigt werden. Sie hatte vor, das Notebook von allem überflüssigen Material zu säubern. Hinter einem undurchdringlichen Kennwort, so etwas wie 5Ffq1e9kr1691y1 fand sich eine Audiodatei. Es waren erst vier Tage vergangen, seit sie dieses Gespräch aufgezeichnet hatte. Der Äbtissin klangen die Worte noch im Ohr:

»Sie machen es also? Für zwanzigtausend?«
»Sie wollen es kurz und schmerzlos haben?«
»Ja, kurz und schmerzlos. Peter soll nicht leiden. Ich will ihn nur nicht mehr sehen.«

Diesen Dialog brauchte sie nicht mehr in ihrem neuen Leben, mit ihrer neuen Identität. Der Fall Schultheiss war abgeschlossen. Endgültig abgeschlossen. Markieren und doppelklicken. Wollen Sie diese Audiodatei wirklich löschen? Ja, will ich. Und klick – in den Papierkorb. Papierkorb löschen. Wollen Sie das wirklich? Ja. Das musste fürs Erste genügen. Später würde sie die Gelegenheit finden, die Festplatte zu vernichten. Heute war Donnerstag, und erst vergangenen Sonntagabend hatte Marlene vor ihr auf der Massagebank gelegen. Sie hatte sich durchkneten und über ihren Mann ausfragen lassen. Nachdem Marlene das Fitness-Studio verlassen hatte, war sie ihr gefolgt und hatte sich vergewissert, dass Frau Schultheiss mit niemandem Kontakt aufnahm und ohne Umwege ins Hotel ging. Dann hatte sie Peter Schultheiss angerufen.

»Es geht um Ihre Frau.«

»Was ist mit ihr?«

Total desinteressierte Stimme. Typ: Jammerlappen, völlig aufgerieben von dieser Ehe. Erfolglos in allen Lebensbereichen. Genau der Richtige für ihr Vorhaben.

»Ihre Frau hat mir gerade den Auftrag gegeben, Sie zu töten.«

Schweigen in der Leitung. Ein gutes Zeichen. Er hielt es also nicht für ganz unmöglich.

»Ich glaube Ihnen nicht.«

Er hielt es ganz bestimmt für möglich.

»Sie war gerade bei mir. Ich habe einen Bandmitschnitt von dem Gespräch. Wollen Sie ihn hören?«

Langes Schweigen. Atmen. Seufzen. Schließlich:

»Ja.«

Nach dem Anhören des Bandmitschnitts wieder langes Schweigen. Schluchzen. Heulte dieser Typ jetzt etwa? Schließlich sagte er:

»Aber weshalb rufen Sie mich an? Warum warnen Sie mich?«

»Ich mache Ihnen ein Angebot. Wir müssen uns treffen. Jetzt.«

Peter Schultheiss, der Jammerlappen, der Versager, der freiberufliche Unglücksrabe. Alles lief nach Plan. Er war weich wie Butter. Sie hatte keine Mühe, ihn davon zu überzeugen, dass er nun an der Reihe war zurückzuschlagen. Auf diese Gelegenheit hatte die Äbtissin schon lange gewartet. Sie traf Peter Schultheiss eine halbe Stunde später im Massageraum des Fitness-Studios, wo sie vor kurzem auch schon Marlene durchgeknetet hatte.

»Scht!«, hatte die bewährte Flüsterstimme wieder gefaucht, und auch der Zangengriff im Genick war ein probates Mittel, Gespräche in bestimmte Richtungen zu lenken. »Bloß, dass wir uns richtig verstehen. Machen Sie keinen Unsinn, Herr Schultheiss.«

»Ja, schon gut«, sagte er eingeschüchtert. »Kann ich Ihnen vertrauen? Wie kann ich sicher sein, dass Sie meiner Frau nichts sagen? Oder dass Sie nicht von der Polizei sind?«

»Wenn Sie hernach heimkommen, ist Ihre Frau schon verschwunden. Für immer. Das wird die Polizei nicht für Sie machen.«

»Sie werden sie kurz und schmerzlos töten?«

»Ja. Das ist meine Spezialität.«

»Haben Sie sie schon getötet?«

»Nein, ich töte sie nur, wenn Sie das wirklich wollen.«

Auch dieses Gespräch hatte sie mitgeschnitten, und auch diese Audiodatei löschte sie jetzt. Wirklich löschen? Ja, wirklich, idiotischer Blechdepp. Peter Schultheiss konnte ihr nicht mehr gefährlich werden. Den hatte sie so eingeschüchtert, der würde sein Lebtag nie etwas sagen.

»Hallo, Fräulein! Nichts für ungut, gell.«

Der Scheuchzer Schorsch stand neben ihrem Badetuch. Der Scheuchzer Schorsch, der für die besten Anmachsprüche im ganzen Werdenfelser Land bekannt war, warf einen Schatten auf sie.

»Ja, verdammt nochmal«, sagte die Äbtissin schroff und deutete auf ihr Notebook. »Sie sehen doch, dass ich beim Lesen bin.«

Der Scheuchzer Schorsch lachte.

»Gell, seit es die E-Books gibt, weiß man nicht mehr: Schaut sich einer Pornoseiten an, oder liest er Goethe? Man sieht es den Leuten nicht an.«

»Verschwinden Sie«, sagte die Äbtissin.

Sie setzte ihre Sonnenbrille auf und cremte sich ein. Eines war ganz klar: Sie hatte großes Glück gehabt. Es hätte jederzeit passieren können, dass Peter oder auch Marlene Schultheiss kalte Füße bekommen hätten und aus dem Vorhaben ausgestiegen wären. Zu jedem Zeitpunkt. Aber selbst dann hätte das für sie keinerlei Risiko bedeutet. Dann wäre sie eben wieder ins anonyme Nichts verschwunden, hätte das Wochenseminar auf der Wolzmüller-Alm als ganz normale Teilnehmerin besucht, hätte ein bisschen etwas über Optographie, DNA-Spuren und Projektmanagement erfahren – und hätte lediglich ein verwirrtes Ehepaar zurückgelassen, an dessen widersprüchlicher Geschichte die Polizei verzweifelt wäre. Aber es war nicht so gekommen. Sie hatte Glück gehabt. Ohne ein Quäntchen ging es eben nicht. Beide Schultheisse waren wild entschlossen gewesen, den anderen loszuwerden. So hatte sie am nächsten Morgen Marlene eine schriftliche Botschaft ins Hotel geschickt. Es war die Anweisung, sich um 6.41 Uhr in den Zug zu setzen und in diesen alpenländischen Kurort zu fahren. Sie selbst war in einem anderen Waggon gesessen. Dann war sie im Kurort ausgestiegen, hatte Marlene Schultheiss herzlich begrüßt, hatte sich als freundliche Alibi-Beschafferin vorgestellt. Und die Äbtissin hatte gewusst: Wenn eine Ehefrau so weit fährt und den Entschluss, ihren Gatten ermorden zu lassen, noch immer nicht bereut, dann zieht sie es durch. Die Äbtissin hatte sich als Frau Miller vorgestellt.

»Schön, Frau Miller, was machen wir nun hier in diesem Ort?«

»Lassen Sie uns einen Kaffee trinken, Frau Schultheiss. Danach mieten Sie sich einen Jeep. Das untermauert Ihr Alibi. Ich habe ebenfalls noch ein paar Sachen zu besorgen. Dann fahren wir auf eine wunderbare Alm. Ich hoffe, Sie sind gut zu Fuß – das letzte Stück müssen wir nämlich laufen. Ich heiße übrigens Luisa-Maria. Und du?«

»Marlene.«

Der Rest war Tagesgeschäft.

49

Squenz Schnock, Ihr spielt das Gehölz in dem Stück.
Zettel Lasst *mich* das Gehölz auch spielen. Ich will rascheln, dass der Herzog sagen soll: »Noch mal rascheln!«
William Shakespeare, »Ein Sommernachtstraum«

Entwarnung! Blinder Alarm! Alles auf Anfang! Die Gebrauchsanleitung war natürlich sauber und ordentlich mit in die Originalverpackung aus geriffeltem Karton gesteckt worden, der Zettel ist beim Rumhantieren einfach rausgerutscht, ist auf den Boden des Gartenschuppens gefallen – der Miesepeter hat ihn schlicht und einfach übersehen. Und ich dachte schon, mein geschätzter Schatten wäre unprofessionell vorgegangen. Nein, alles war in bester Ordnung, und nach der ersten Schrecksekunde ist mir ein Stein vom Herzen gefallen – wenn man diesen Vergleich bei einem Klappspaten aus doppeltverzinktem Eisen überhaupt gebrauchen kann.

Sonst geht es mir gut. Ich bin gestern mal kurz ausgeliehen worden, an das Nachbarehepaar. Ich habe mir davon einiges an Aufregung erhofft, aber, wie soll ich sagen: Es war tödlich langweilig. Ein bisschen Gartenarbeit, ein bisschen Herumgestochere im trockenen Erdreich, ein paar Rasenstücke versetzen, sonst nichts. Wenn es darum ginge, innerhalb von wenigen Stunden ein Grab auszuheben und wieder zuzuschaufeln, ja dann! Ich wäre sofort mit Begeisterung dabei. Aber schlichte Gartenarbeit ist selbstverständlich nicht die standesgemäße Beschäftigung für ein gesuchtes Tatwerkzeug. Dazu braucht man auch keinen Klappspaten mit verzinktem Blatt und patentierten Teleskopstangen. Warum leiht ihr mich aus, wenn ihr mich dann doch bloß zum Rasenkantenbegradigen braucht! Die Nachbarn sind ein spießiges Beamtenehepaar, beide im öffentlichen Dienst, er sammelt Pilze, sie hat in der VHS einen Kurs für Marionettenbau belegt. Kein Alkohol, keine Drogen, keinerlei Suchtpotential. Gewalt: Pustekuchen! Ganz anders geht es zu bei dem Miesepeter und seiner liederlichen Frau. Hier fliegen jeden Tag die Fetzen, hier ist jeden Tag was los. Ich bin froh, dass ich wieder da bin. Vorwürfe, Geschrei, Unterstellungen, Lügen, Türenschlagen, Schweigen. Das nenne ich eine aufregende Ehe! Da fühle ich mich wohl. Wenn es nicht Einrichtungen wie die Ehe gäbe, wären wir Tatwerkzeuge ohnehin beschäftigungslos. Wer war das nochmals, der gesagt hat, die einzige terroristische Vereinigung, die der Staat nicht mit Gefängnis bestraft, wäre die Ehe? Marx? Kant? Ich will jetzt nicht alle aufzählen, irgendein Philosoph wird es schon gewesen sein. Vielleicht war es auch Beckenbauer.

Ich habe aber dann doch ein interessantes Gespräch dieses konturenlosen Beamtenehepaars belauscht. Es ging um die beiden Morde im Kurort. Zwei Morde innerhalb kürzester Zeit! Der Mann hat sich auf mich gestützt, immer tiefer bin ich ins Erdreich eingesunken, bis über beide Ohren. Die Frau hat dem Mann von dem zweiten Mord an dem Hüttenwirt erzählt, und davon wusste ich ja noch gar nichts! Aber dieser Ganshagel mit seinen blöden Sauren Knödeln, der war mir ohnehin nicht sympathisch. Das hat er nun davon, der Schwätzer. War das ebenfalls das Werk meines Schattens? Vermutlich. Dann ist der Name Äbtissin gefallen. Und ich habe plötzlich begriffen. Wobei ich schon lange so eine Ahnung hatte. Was heißt Ahnung:

Wenn ich es mir recht überlege, habe ich es von Anfang an gewusst: Die Tote oben auf der Alm, das war nicht die Äbtissin! Wenn man zwei und zwei zusammenzählt, dann kommt man schnell drauf. Mein Schatten war niemand anderes als die Äbtissin! Es war von einem kriminellen Supergenie die Rede, und ich – ja, ich! – habe dieses Genie auf Schritt und Tritt begleitet. Ich bin natürlich stolz wie Oskar. Die Äbtissin hat sie alle an der Nase herumgeführt! Und alles, was sie bisher angepackt hat, hat geklappt, unter welchem Namen auch immer. Denn wie sagt der Dichter? *Durch soviel Formen geschritten, durch Ich und Wir und Du* … Mensch, Gottfried! Du und deine treffenden Worte!

Wir haben beide zugeschlagen, am Dienstag, droben auf der Alm, genau fünf vor sieben, beim leisen Anläuten der barocken Kirchenglocken. Nach vollbrachter Tat wurde ich sofort weggepackt. Ich wurde in eine durchsichtige Plastiktüte gesteckt, dadurch hatte ich einen guten Blick auf den Tatort. Ich saß sozusagen in der ersten Reihe. Dann hat der Schatten (wie ich jetzt weiß: die Äbtissin) eine grünschimmernde Box aus dem Rucksack gezogen, so eine Frischhalteschüssel, wie man sie für eine zünftige Bergbrotzeit verwendet. 750 ml, ampelgrün, Patentverschluss, 9,99 Euro. Ich dachte: Das gibts doch gar nicht! Will der Schrecken der Wolzmüller-Alm jetzt ganz gemütlich Brotzeit machen? Mit gekochten Eiern und Schwarzbrot rumbröseln und dabei die DNA pfundweise verschleudern? Aber nein, natürlich nicht. In der Tupperschüssel lauerten keine deftigen Landjäger und geschmierten Stullen, sondern dieses rotschimmernde Krabbelzeugs. Die Äbtissin schüttete die Käfer auf den Boden, und Hunderte von höchst lebendigen und beweglichen Landjägern in purpurroten Wämsen machten sich beherzt an die Arbeit. Sie bedeckten in Kürze das von mir so blutig zerschmetterte Gesicht des Opfers, und das war auch gut so, denn der Anblick der demolierten Nase war schrecklich anzuschauen. Sie hat noch gelebt. Ihr zermanschter Mund versuchte zu schreien, ihre eingedrückte Nase schnappte hilflos nach Luft, ihre zu Brei geschlagenen Augen schienen hilfesuchende Blicke auszuschicken. Selbst für einen stahlharten Typen wie mich war das kaum mit anzusehen, das können Sie mir glauben!

Hier im Gartenschuppen ist alles ruhig. Ich lehne unauffällig an der Wand. Der Miesmachermann ist schon sehr früh zur Arbeit gefahren, die Ehebrecherin telefoniert, wahrscheinlich mit dem Anderen. Die verbeamteten Mittelstandsnachbarn wiederum, die sitzen in ihrem forsythienverpesteten Garten und spielen, ganz klassisch, Mensch ärgere dich nicht. Sie haben den ganzen Nachmittag verspießert. Ich will ja nicht den großen Psychologen raushängen lassen, aber das sind nun einmal genau die Typen, die davon träumen, eine fetzige Pokerpartie nach der anderen runterzureißen, mit viel billigem Whiskey, Zigarettenstummel im Mundwinkel, bis morgens früh um halb sechs, halbnackt, Einsatz nur Hunderter.

Aber ich darf mich nicht ablenken lassen. Ich muss hellwach sein. Ich muss mich sauber und blank halten. Ich spüre, dass ich bald wieder zum Einsatz kommen werde. Die Ehebruchsfrau ist nämlich vorhin runtergekommen ins Gartenhäuschen, sie hat mir zugezwinkert. Ich habe zurückgeblitzt. Das Einverständnis ist da. Ich glaube, da spielt sich bald etwas Großes und Gewalttätiges ab. Aber dann hat sie den Blick über die anderen Gartengeräte schweifen lassen. Ja, die Konkurrenz ist in der Tat groß, gerade hier in diesem Schuppen. Eine rostige Heckenschere. Mehrere Streudosen Rattengift. Eine Megapackung Blaukorn. Eine Rolle Stacheldraht. Ein spitz zugeschnittener

Holzpflock. (Ich kann mich auch täuschen, aber hat die Frau nicht einen rumänischen Akzent?) Ein halber Sack Zement, extra schnell härtend. Ein schwerer Eisenschlägel mit rutschfestem Holzgriff. Ein Eispickel Marke Trotzki. Und und und.

Wenn Ihnen meine Überlegungen pervers und abgeschmackt erscheinen, dann sollten Sie mich trotzdem nicht in Bausch und Bogen verdammen. Denn ich bin mir ganz sicher, dass es da draußen in Ihrer Welt viele gibt, die einen wie mich dringend brauchen. Vielleicht nicht heute oder morgen, aber irgendwann ist der Augenblick, den man sich nicht vorstellen konnte, gekommen. Vor allem, wenn man verheiratet ist. Und dann sollte man vorbereitet sein. Der spontane und gedankenlose Griff zum erstbesten Glas Rattengift ist selten eine gute Wahl. Es ist besser für alle Beteiligten, wenn man auch in dieser heiklen Situation etwas qualitativ Hochwertiges zur Hand hat. Zum Beispiel einen Klappspaten der Marke Gartenfreund.

50

mondlicht ... party ...
und im unterholz kriecht ein durstiger wurm
in eines der weggeworfenen wermutfläschchen
Noch 'n Haiku

Auf der weitläufigen Sportwiese des Kainzenbads versank die goldene Sonne langsam hinter einem straff gespannten Volleyballnetz. Wie spät war es? Die Äbtissin blickte auf die Uhr. In einer halben Stunde wollte sie den Abflug machen, im übertragenen wie im wahren Sinn des Wortes. Sie ging noch einmal Punkt für Punkt ihres Plans durch. Sie hatte vor, sich im nahe gelegenen Klinikum in einen der vielen Wartebereiche der Notaufnahme zu setzen. Es gab eine Warteschlange vor der Röntgenstation, eine vor dem Gipszimmer, eine vor den Infusionsräumen. Sie hatte aufs genaueste recherchiert, gleich am ersten Tag, nachdem sie Marlene auf die Alm gebracht hatte. Sie war sofort nach der Tat zum Jeep gelaufen, den sie auf halber Strecke geparkt hatte. Sie hatte sich dort umgestylt, innerhalb von wenigen Minuten war aus ihr eine kurzhaarige, brünette, braunäugige, pausbäckige Unscheinbarkeit geworden. Dann war sie mit dem Jeep hinunter in den Kurort zur Autovermietung gefahren und hatte den Schlüssel in den Nachtbriefkasten geworfen. Den Rest des Abends verbrachte sie in der weitläufigen Notaufnahme des Krankenhauses. Von der Gipszimmer-Wartebank aus hatte man einen guten Blick in den Aufenthaltsraum der Hubschrauberpiloten, die aus allen Himmelsrichtungen angeflogen kamen und wieder in alle Himmelsrichtungen abhoben, um Spenderherzen zu transportieren oder Unfallopfer zur richtigen Stelle zu bringen. Es war heiß und stickig hier unten, die meisten Türen standen sperrangelweit auf. Es würde ein Leichtes sein, einem der Ärzte etwas ins Getränk zu träufeln, um ihn vorübergehend stillzulegen und sich als Ersatzkollegin auszugeben.

»Dr. Lackner von der Kardiologie. Fliegen Sie mich schnell in die Uniklinik. Schwierigkeiten bei einer Organtransplantation, die brauchen dort eine Kardiologin. In zwanzig Minuten muss ich da sein.«

Ein blütenweißer Arztkittel und ein beschriftetes Namensschildchen ›Dr. Lackner‹ lagen schon in ihrer Tasche bereit. Das Ganze hatte den Vorteil, dass sie keine Leichen zurücklassen musste – solche Dinge beschleunigten das Einsatztempo der Polizei erfahrungsgemäß enorm. Sie konnte spurlos verschwinden, bevor irgendeinem Bürokraten die Sache mit dem unpässlichen Arzt auffiel.

Sie packte ihre Badesachen in die bunte Strandtasche, die auch als Einkaufstasche durchgehen konnte. Ein kleiner, unhörbarer Seufzer entkam ihr. Genau dieses sperrige Ding war schuld daran gewesen, dass sie in der Wettersteinstraße mit Ganshagel zusammengestoßen war. Ihre Taschen und Einkaufstüten hatten sich ineinander verhakt.

»Oh, Entschuldigung, die Damen!«, hatte er gesagt und seine Tüten aufgeklaubt, die ihm bei dem Ausweichmanöver aus der Hand gerutscht waren. *Die Damen.* Er hatte in der Mehrzahl von ihnen geredet, er hatte sie also alle beide gesehen. Das war ein winzig kleiner Haarriss in ihrem perfekten Plan gewesen. Am nächsten Tag erfuhr sie aus der Zeitung, dass der Mann die Wolzmüller-Alm bewirtschaftete. Sie musste handeln, bevor er begriff, was er da gesehen hatte. Sein Foto mit der Unterschrift *Betreiber Ganshagel (39) ratlos* prangte auf der ersten Seite. So brauchte sie nicht einmal zu recherchieren, um ihn zu finden und auszuschalten. Es war furchtbar leicht gewesen. Auch dieser unfähige Kommissar Jennerwein stellte überhaupt kein Problem dar. Eine Taschenlampe hatte genügt, um den Provinztölpel ins Land der Träume zu schicken. Vermeide tote Polizisten. Eine der zehn goldenen Regeln in der Branche. Ein toter Polizist beschleunigt das Ermittlungstempo auf Überlichtgeschwindigkeit.

»Hallo, Fräulein, nichts für ungut, das da als kleine Wiedergutmachung für die Arschbombe.«

Der Scheuchzer Schorsch, seines Zeichens Dorfgigolo mit exquisiten Anmachsprüchen, hatte sich mit zwei Tüten tropfendem Speiseeis angepirscht, nun machte er sogar Anstalten, sich auf ihr Handtuch zu setzen.

»Der Scheuchzer Schorsch mit Stracciatella,
da scheint die Sunn' am Himmel heller.«

Der Schorsch kaufte extra immer Stracciatella-Eis, um dann diesen Reim locker vom Stapel zu lassen. Er war wirklich der mit den allercoolsten Anmachsprüchen im ganzen Kainzenbad. Er hielt ihr eine Waffel mit drei instabil wirkenden Kugeln hin, eine drohte in Kürze auf ihr Handtuch zu ploddern, mit Spuren ohne Ende. Sie lächelte gequält und schüttelte den Kopf.

»Echt nicht, oder?«

In ihrer Badetasche befanden sich so viele Requisiten, um ihn unschädlich zu machen! Ein Klavierdraht, eine Pistole mit Schalldämpfer, ein Springmesser – was man eben im Freibad so braucht. Sie setzte ihren uninteressiertesten Blick auf. Doch der Alpencasanova ließ nicht locker. Er machte auf gespielt jämmerlich.

»Dann muss der Scheuchzer sechs Kugeln ganz alleine essen. Sechs eiskalte Kugeln hat er dann im Bauch, der arme Tropf.«

Diese morbide Zweideutigkeit mit den Kugeln im Bauch entlockte der Äbtissin ein winzig kleines Lächeln. Man hätte es auf ihren dünnen Lippen allerdings schon mit der Lupe suchen müssen.

»Sind Sie denn immer noch sauer wegen der Arschbombe? Oder haben Sie eine Stracciatella-Allergie?«

Sie gab keine Antwort. Stattdessen schraubte sie den Deckel auf ihre Sonnencremeflasche.

»Jetzt essen wir das Eis, und dann zeige ich Ihnen, wie man einen sauberen Hechtsprung vom Dreier macht.«

Einen sauberen Hechtsprung vom Dreier, ganz toll. Sie musste innerlich grinsen. Bei den Olympischen Spielen 1992 in Barcelona hatte sie vom Dreier einen eineinhalbfachen Salto rückwärts mit viereinhalb Schrauben vorgeführt. Höchstwertung.

»Und, wie schaugts aus, Fräulein?«

»Ich muss jetzt los.«

»Wohin?«

»Lassen Sie mich in Ruhe.«

»Na gut, man will sich ja nicht aufdrängen.«

Sie packte ihre Sachen zusammen, dabei warf sie einen letzten Blick auf ihr Notebook: alles im grünen Bereich. Sie fuhr den Rechner herunter, sie stand auf und warf sich das kurze Sommerkleid über. Sie hängte sich die Badetasche über die Schulter und blinzelte in die untergehende Abendsonne. Jetzt hätte sie Marlenes großen Sonnenhut gut gebrauchen können. Sie streifte sich im Gehen ihre Sandalen über. Auf einem herrenlosen Badetuch stand ein altertümliches Kofferradio, aus dem gerade die Nachrichten des Lokalsenders dröhnten. Sie blieb stehen und hörte zu. Alles im grünen Bereich.

51

Küpfelklöck! Oh Küpfelklöck!
Ick tenck opft un döch zarück!
Up dr Olm, da konn monn schmaussen
ont ins Tal dann abwörts saussen.
Wenn wir dorch den Wolt spotzieren,
kann das fröhlich norr passieren.
Mällanckollische Genossen
wörrn ens Onterhulz kestossen!
Matthias Koeppel, »Starckdeutsch«

Im Polizeirevier waren die Vorbereitungen zur großen Lockvogeloffensive so gut wie abgeschlossen. Kommissar Jennerweins Metamorphose zu einem Waldwesen war fast perfekt. Er hatte einen groben Umhang umgeworfen und übte damit den schlurfenden, schildkrötenartig stampfenden Schritt des Wolzmüller Michl. Ein schwarzer, struppiger Vollbart bedeckte die untere Hälfte seines Gesichts fast vollständig, die schmutzig graue, fettige Perücke tat ein Übriges, um aus Jennerwein einen verwegenen Räuber Hotzenplotz zu machen.

»Und jetzt noch einen Zimmermannsbleistift hinters Ohr«, sagte Hölleisen. »Das ist sein Markenzeichen.«

»Und wenn mich jemand anspricht?«, fragte Jennerwein.

»Dann drehen Sie sich einfach abrupt weg. Man hat sich im Ort daran gewöhnt, dass er nicht antwortet. Das fällt nicht weiter auf.«

Stengele reichte ihm eine markierte Umgebungskarte des Kurorts.

»Diese Route habe ich für Sie ausgearbeitet«, sagte er mit einem Anflug von Stolz. »Wir fahren Sie jetzt zum Hausberg, dann gehen Sie hier den ausgetrockneten Bach zum Riessersee hoch, immer in südliche Richtung, und immer knapp oberhalb der ausgewiesenen Wege.«

Stengele ging mit Jennerwein die gesamte Strecke zur Wolzmüller-Alm durch. Maria Schmalfuß schaltete sich ein.

»Ostler hat mir die Marotten von Michl Wolzmüller ausführlich geschildert. Ich tippe auf das Krankheitsbild der sogenannten ›dissozialen Persönlichkeitsstörung‹. Wenn Sie so tun, als ob Sie nach innen horchen, Hubertus, dann können Sie nichts falsch machen. Bleiben sie mit dem Blick am Boden, lachen Sie plötzlich lauthals auf, klatschen Sie in die Hände, dann kommen Sie an den wahren Michl ran. Der Gang darf auf keinen Fall zielgerichtet wirken. Schlagen Sie Haken, bleiben Sie abrupt stehen, seien Sie nicht zu taff, Hubertus. Wenn Sie von der Äbtissin beobachtet werden, könnte ihr das auffallen.«

»Ja, natürlich«, knurrte Stengele. »Die Äbtissin hat sicherlich fünf Semester Psychologie studiert.«

»Er ist ein Soziopath«, fuhr Maria ungerührt fort. »Er geht auf niemanden zu. Wenn ihm jemand zu nahe kommt, dann dreht er sich um und geht weg. Er hat eine soziopathe Inselbegabung, er scheint mir ein typischer *Idiot savant* zu sein. Das Wegdrehen ist typisch für diese psychosozialen Erkrankungen. Er meint, wenn er jemandem den Rücken zukehrt, dann ist der andere verschwunden und nicht mehr bedrohlich.«

»Ich werde auf der Hut sein«, sagte Jennerwein. »Ich werde meinen Kopf unter den Mantel stecken, wenn ich telefonieren oder eine SMS schreiben will.«

»Das würde ebenfalls hervorragend zum Krankheitsbild passen«, sagte Maria bestätigend.

Stengele, Hölleisen, Nicole und Maria schalteten ihre Handys auf stumm. Sie hatten sich bereits mit rotkarierten Hemden und Kniebundhosen bekleidet. Mit ihren prall gefüllten Rucksäcken glichen sie den typischen Wandertouristen. Sie sollten Jennerwein, der momentan wie ein urbayrischer Rasputin aussah, in einigem Abstand folgen.

»Eine Frage hätte ich noch«, sagte Stengele. »Kann man die Jungs von Feuerwehr, THW und Bergwacht anweisen, ab jetzt nach einer Frau zu suchen?«

»Nein, das ist noch zu früh«, sagte Jennerwein. »Das spräche sich herum und gelangt dann vielleicht über irgendwelche komischen Kanäle zu unserer Zielperson.«

»Verstehe, Chef.«

»Sind alle bereit? Ich darf Sie nochmals darauf hinweisen, dass wir es mit einer äußerst gefährlichen Person zu tun haben. Es ist höchste Vorsicht geboten.«

Sie verließen nun das Polizeirevier und gingen zielstrebig auf ein unauffälliges Auto zu, das im Hinterhof des Polizeireviers parkte.

Zur selben Zeit saßen Polizeiobermeister Ostler und der echte Wolzmüller Michl am runden Holztisch von dessen Wohnküche. Sie hatten lange geschwiegen.

»Darf ich einmal einen Blick in deinen Keller werfen, Michl?«, fragte Ostler vorsichtig.

Der Michl Wolzmüller verzog das Gesicht zu einer minimalen, kaum deutbaren Grimasse. War das ein Ja? Ostler würde die Frage später nochmals stellen. Er fühlte sich sicher in Michls Haus. Die Äbtissin würde hier wohl kaum angreifen, das wäre einfach viel zu riskant. Und wenn doch? Er blickte in regelmäßigen Abständen aus dem Fenster, die Auffahrt war übersichtlich und leer. Niemand konnte sich dem Anwesen nähern, ohne von Ostler gesehen zu werden. Trotzdem. Er hatte eine Alarmschnur um das ganze Häuschen verlegt. Wenn jemand sie überschritt, dann leuchtete ein Lämpchen auf, das er immer im Blick hatte. Und schließlich fühlte sich Ostler auch deswegen sicher, weil er einmal zweiter oberbayrischer Meister im Kleinkaliberschießen gewesen war. Er war immer noch ein hervorragender Schütze. Er befühlte seine Dienstpistole. Die Schmach, an einen Mähdrescher gefesselt worden zu sein, saß ihm noch tief in den Knochen. Ein zweites Mal würde er sich nicht übertölpeln lassen.

»Aber sag einmal, Michl, kannst du die Frau, die du im Ort gesehen hast, nicht einmal zeichnen?«

Der Michl stierte mit trüben Augen vor sich hin. Dann griff er ans rechte Ohr, nahm den Zimmermannsbleistift in die Faust und betrachtete ihn seufzend.

»Stumpf«, sagte er.

Ohne den Blick vom Bleistift zu lassen, griff er in das Stichmessertascherl seiner Lederhose und holte ein rostiges Etwas heraus. Er spitzte den Bleistift lange und umständlich.

»Es wird schwer«, sagte er.

»Warum?«

»Ich habe sie nur ganz kurz gesehen.«

»Hast du das Gesicht erkannt?«

»Ja. Für einen Moment.«

»Was hast du noch erkannt?«

»Den Gang. Das *Gstell.* Die Haltung. Ist auch wichtiger.«

»Ich habe immer gedacht, das Gesicht wäre das Wichtigste.«

»Das kann man verändern. Haare, Augen, Backen, Zähne. Alles kann man verändern. Aber wie einer dasteht, wie einer weggeht, das kann man nicht verstellen. Aber zeichnen kann man es.«

Er umfasste den Stift mit der ganzen Faust und ließ ihn auf dem Blatt tanzen. Er machte mehrere Versuche, er kritzelte Blätter voll, zerriss sie wieder und warf sie auf den Boden. Er legte die Arme auf den Tisch und verbarg den Kopf darin. Ostler glaubte schon, er wolle aufgeben. Aber der Michl konzentrierte sich nur. Ruckartig fuhr er wieder hoch. Er knallte ein frisches Blatt auf den Tisch, er spitzte den Stift nochmals an. Und mit ein paar wenigen Schwüngen entwarf er die sensationell lebendige Zeichnung einer Frau, die vom Betrachter wegzulaufen schien und sich dabei umblickt. Es war mehr eine Comicfigur als eine naturalistische Darstellung. Es war eigentlich überhaupt keine Darstellung, die auf Echtheit abzielte. Wenn man genau hinsah, stimmten die Körperproportionen überhaupt nicht. Der Schulterbereich war im Verhältnis zum ganzen Körper größer gezeichnet. Aber man verstand sofort, auf was der Michl hinauswollte. Sie war sportlich, gut durchtrainiert, hatte aber mit dem Sport vielleicht deshalb angefangen, weil sie einen Haltungsfehler hatte. Der Michl hatte die eingezogenen Schultern hingezeichnet, aber auch das Bemühen, sie nach hinten zu drücken. Er hatte sie als Sprungfeder gezeichnet.

»Das ist also die Frau?«, fragte Ostler.

Keine Antwort. Dann: kurzes Nicken.

52

> Item wer ein Moler will werden,
> der muß van Natür dorzu geschick
> sein. Item aus welchem ein großer
> künstreicher Moler soll werden, der
> muß ganz van Jugend auf darbei
> erzogen werden. Doch geh durch
> den Staub zu den Sternen! Item
> bevor der gelahrige Schüller eine
> prechtige Baumkrone molt, muß
> er zuvor dausend struppichte
> Underhölzer gezeichnet haben.
> *Albrecht Dürer* (1471 – 1528)

Hölleisen und der Rest der getarnten Einsatztruppe waren gerade dabei, die Türen des Zivilfahrzeugs zu öffnen, als Ignaz und Ursel Grasegger winkend und schreiend auf den Wagen zueilten. Jennerwein konnte im letzten Augenblick in den Fußraum hinter den Fahrersitz hechten. Das fehlte gerade noch, dass ihn die Graseggers als falschen Waldgeist sahen.

»Wir haben für euch momentan überhaupt keine Zeit«, sagte Hölleisen ruppig. »Ihr seht ja: Wir müssen weg.«

»Das haben wir uns schon gedacht«, sagte Ursel. »Aber sagt einmal: Geht ihr zum Schwammerlsuchen? So, wie ihr angezogen seid! Wir können euch ein paar gute Plätze empfehlen. Kurz vor Griesen wachsen die besten Pfifferlinge.«

»Wir müssen jetzt«, sagte Hölleisen.

»Aber unsere staatsbürgerliche Pflicht! Unser täglicher Sichtvermerk! Wir sind gekommen, um uns zu melden.«

»Heute braucht ihr euch nicht zu melden, das gilt schon so. Jetzt müssen wir fahren.«

»Nein, wir bestehen drauf, wir nehmen die Bewährungsauflagen sehr genau. Ihr könnt uns nicht einfach so abwimmeln!«

»Das können wir schon, wir sind unterwegs zu einem Einsatz. Gefahr im Verzug. Und jetzt –«

»Und außerdem haben wir was für euch«, unterbrach Ignaz. »Wir haben ein Handy gefunden. Unterhalb der Törlspitze, auf der Prattinger-Wiese.«

»Gut, gib her, danke«, sagte Hölleisen ungeduldig. »Jetzt muss ich euch aber schon ganz dringend bitten –«

»Mit dem Handy hat es eine besondere Bewandtnis«, sagte Ignaz. »Wir haben vorgestern Abend SOS-Zeichen auf der Törlspitze beobachtet. Wahrscheinlich war da jemand in Bergnot. Wir haben die Bergwacht angerufen, von denen haben wir aber nichts mehr gehört.«

»Das hat uns keine Ruhe gelassen«, fügte Ursel hinzu. »Darum sind wir gestern Nachmittag zur Prattinger-Wiese gegangen. Die liegt genau unterhalb der Törlspitze. Und da haben wir das Handy gefunden. Es sieht so aus, als ob es von oben heruntergefallen ist.«

Das saß. Das ließ die verkleideten Ermittler in ihren Bewegungen innehalten.

»Die Bergsteiger!«, entfuhr es Nicole Schwattke.

Ursel und Ignaz hatten diesen Dreistufenplan beim Hergehen entwickelt. Das Ablenkungsmanöver, mit dem sie Swoboda in der Pension Üblhör ungestört arbeiten lassen konnten, sollte mindestens eine halbe Stunde dauern. Vielleicht konnte man auch mehr Zeit herausschinden.

»Aber womit können wir den Jennerwein beschäftigen?«, hatte Ignaz gefragt. »Die tägliche Meldepflicht genügt vielleicht nicht.«

»Wie wäre es mit Folgendem: Wir geben zu, dass wir im Besitz eines gestohlenen Goldbarrens sind. Das ist ein richtig fettes Delikt, und er muss es aufnehmen.«

»Du willst das Gold opfern? Und unsere Bewährung? Ich habe eine andere Idee. Wir zeigen ihnen das Handy. Wir erzählen von den Blinkzeichen, und ein paar wilde Geschichten dazu. Von einem Schrei auf der Prattinger-Wiese, von einem Wimmern. Von weiteren Funden. Wir haben ja nichts zu verlieren.«

»Da vorne sind sie eh schon.«

Und so war es gekommen. Alle im und um das Auto herum einschließlich Jennerwein horchten auf. Was war das jetzt wieder für eine Sache! Hatte das etwas mit den beiden Bergsteigern zu tun, die sich gemeldet hatten? Deren Anruf so dringend gewesen war, und dessen fg … rrr … fg … dann schließlich im Funkloch verschwunden war?

»Am besten wäre es, wir sperren die beiden ein, bis der Einsatz vorüber ist«, zischte ein Schwammerlsucher zu seinem leitenden Wurzelgeist ins Auto.

»Aus welchem Grund denn?«, flüsterte der zurück.

»Aber sag einmal, Hölleisen«, legte Ursel nach, »willst du denn das Handy nicht in eine Beweissicherungstüte tun? Wegen der Fingerabdrücke! Ich will mich nicht einmischen, aber es könnte sich doch um ein Verbrechen handeln!«

»Jetzt reicht's aber!«, sagte Nicole Schwattke in scharfem Ton. »Lassen Sie uns bitte unsere Arbeit tun. Sie behindern einen Polizeieinsatz.«

Jennerwein überlegte. Sollte er diesem undurchsichtigen Ehepaar polizeiinterne Informationen preisgeben? Alle im Team schienen auf eine Entscheidung von ihm zu warten. Ihm blieb nichts anderes übrig, als einen Beamten hierzulassen, um die Graseggers festzuhalten. So ein Mist! Eine Sicherungsbeschattung in freier Natur war schon mit vier Leuten schwierig genug. Er winkte Maria zu sich.

»Bleiben Sie bitte hier«, flüsterte er ihr zu. »Befragen Sie die beiden nach dem genauen Fundort, nach der Fundzeit, nach diesen SOS-Zeichen und so weiter. Schicken Sie Becker zur Prattinger-Wiese. Und kommen Sie so schnell wie möglich nach.«

Stengele hatte die Anweisungen Jennerweins mitbekommen. Er wandte sich an das ehemalige Bestattungsunternehmerehepaar. Er schlug seinen coolsten Allgäuer Ton an.

»Frau Schmalfuß wird zu Protokoll nehmen, was Sie zu sagen haben.«

»Die Frau Schmalfuß ist aber keine Polizeibeamtin«, sagte Ursel trotzig. »Wir wollen den Jennerwein sprechen.«

Ludwig Stengele erhob die Stimme.

»Der ist aber nicht da, verdammt nochmal. Sie müssen schon mit Frau Schmalfuß vorliebnehmen. Und jetzt machen Sie Platz, sonst werde ich ungemütlich.«

Alle sprangen ins Auto. Der Motor heulte auf, der Wagen schoss aus dem Parkplatz.

»Das hat man nun davon«, rief Ursel, »wenn man der Polizei helfen will.«

»Kommen Sie bitte mit«, sagte Maria betont freundlich.

Die Graseggers folgten Maria Schmalfuß widerwillig ins Gebäude. Leider hatten sie nicht mehr als fünf Minuten freigeschaufelt. Sie hofften, dass das für Swoboda reichte. Sie sandten eine SMS an den Österreicher.

Zur gleichen Zeit ging ein uralter Mann die Schröttelkopfstraße entlang. Er setzte Schritt vor Schritt, stützte sich auf seinen Rollator und machte alle paar Schritte Rast. Er war alt, sehr alt, vielleicht so dreihundertfünfzig Jahre alt, er hatte die Türken noch vor Wien gesehen – und nur ein guter Schauspiellehrer hätte vielleicht bemerkt, dass der alte Mann es mit dem Geriatrischsein vielleicht doch etwas übertrieb. So alt war kein Alter. Aber für gewöhnliche Passanten genügte es voll und ganz, was Karl Swoboda an Schauspielkunst darbot. Der Österreicher an und für sich chargiert nun einmal gerne, man sieht es täglich im Burgtheater. Swoboda schob einen Rollator mit zwei großen Taschen an der Seite, und den hievte der alte Mann nun mühsam und asthmatisch schnaufend über den Randstein. Gerade hatte er eine SMS empfangen. Die beiden Pompfineberer hatten nur fünf Minuten herausgeschunden. Sakra! Er musste sich beeilen, zur Pension zu kommen.

»Meine Herren, wir haben nicht viel Zeit«, sagte Swoboda wenig später im Zimmer 23.

Swoboda hatte die Graseggers um das Zeitfenster gebeten, nur für den Fall, dass jemand beobachtete, wenn er mit den Indern und dem Tunesier das Haus verließ, und daraufhin die Polizei rief. Nur sicherheitshalber. Swoboda hatte schon ein paar Kleidungsstücke aus der Seitentasche des Rollators gezogen.

»Zieht euch das an«, sagte er. »Ich bin von euren Chefs angewiesen worden, euch aus diesem Kurort zu holen. Wo ist denn der Tunesier?«

»Der macht seine Übungen.«

Pratap Prakash zog den Vorhang zurück. Chokri Gammoudi lag entspannt auf einer Pritsche.

»Was sind denn das wieder für Gschpompanadln?«, fragte Swoboda.

»Gschpompanadln?«, fragte Pratap Prakash. »Ach, du meinst seine Übungen mit dem Tennisball! Es muss irgendetwas Meditatives sein.«

»Seht dort die Arme, wie sie kräftig schwellen!«, schillerte Dilip Advani nach. »Der Edelmann weiß sich zu wehren der Gefahr!«

Der stumme Raj Narajan schrieb etwas auf einen Zettel.

53

Deutschlands Unterholz

Die Äbtissin schlenderte mit ihrer bunten Badetasche über die Liegewiese. Sie verlangsamte ihre Schritte, als sie an der Imbissbude vorbeikam. Einen Hotdog? Ein Eis? Sie entschied sich für eine Flasche Mineralwasser. Im Radio liefen die Lokalnachrichten des örtlichen Senders weiter. Zuerst das Übliche: Kommissar Jennerwein ratlos, die Polizei hilflos. Dann aber das Überraschende: Ein gewisser Michl Wolzmüller, der letzte Spross der Wolzmüller-Dynastie, ein randständiger Dorfdepp und liebenswerter Clochard, hätte auf der Todesalm etwas gesehen, wodurch sich der Mörder identifizieren ließe. Vielleicht hätte er den Mörder sogar gezeichnet. Allerdings wäre der Michl gerade irgendwo in den Bergwäldern des Kurorts verschwunden, und das gerade jetzt, wo man seine Auskunft so dringend bräuchte.

»Hallo, Michl!«, sagte die Sprecherin. »Wenn du diese Nachricht hörst, melde dich! Und wenn jemand von Ihnen, liebe Zuhörer, den ortsbekannten Sonderling sieht, dann soll er sich ebenfalls melden. Sofort.«

Die Äbtissin nahm einen tiefen Schluck aus der Flasche. Sie ließ ihren Blick über die tobenden Kinder schweifen. Unwillkürlich wippte sie auf den Zehen, als ob sie ein Dreimeterbrett in Schwingung bringen wollte. Diesen bärtigen Michl, den hatte sie droben auf der Alm ein- oder zweimal aus dem Busch lugen sehen. Aber was konnte der schon wissen? Der war doch völlig unfähig, sich etwas zu merken! Die paar Minuten, die sie gebraucht hatte, Marlene Schultheiss zu töten, war sie allein auf weiter Flur gewesen. Was hätte er also sehen können? Nein, nein, das konnte nicht sein. Der war doch höchstwahrscheinlich das Ergebnis jahrhundertelanger Inzucht in diesem Talkessel. Oder war er gar nicht so dumm? Das wäre ja die allergrößte Lachnummer: Ihr perfektes Meisterwerk, ihre Abschlussarbeit, die sie in ein zweites Leben katapultierte – zu Fall gebracht durch einen triefäugigen Tölpel!

»Das kann ich mir schon vorstellen«, sagte gerade eine Stimme aus dem Volke im Radio, »dass der Michl sich auf der Alm, wo er aufgewachsen ist, herumgetrieben hat.«

»Ja freilich«, pflichtete eine andere Stimme bei. »Der Michl, der hat sich nur dumm gestellt. Damit er nicht arbeiten muss. So kann man es auch machen.«

Der Schrecken traf sie unerwartet. Dieser Michl war wirklich ein Risiko. Dieser Michl musste weg. Sie brauchte ihren Plan nur ein klein wenig zu modifizieren. Sie wippte auf den Zehen. Sie konnte sich genau daran erinnern, wo der Penner mit dem Zimmermannsbleistift aus dem Busch gelinst hatte. Er trieb sich an ganz bestimmten Stellen herum, dort musste sie hin. Die Hubschrauberaktion konnte sie auch später noch durchführen. Sie würde bei der Suche nach dem Michl mithelfen, und sie war überzeugt davon, dass sie die Erste sein würde, die ihn fand. So einfach war das. Sie hielt mit dem leichten Wippen inne. Sie bereitete sich auf den Sprung vor. Sie stellte die Flasche Mineralwasser auf die Theke und lenkte ihre Schritte zielgerichtet zu einer ganz bestimmten Umkleidekabine des Kainzenbads. Eine feine Sache war das schon, so eine altertümliche Holzumkleidekabine eines öffentlichen Freibades. Sie hatte die geräumige Kammer seit drei Tagen als Basislager und Requisitenfundus genutzt. Sie betrat die Kabine Nummer 99 und sperrte von innen zu. Sie löste ein Brett aus der Verschalung und holte Wanderkleidung aus dem Versteck. Einen Rucksack, festes Schuhwerk, unauffälliges Gewand. Die Badesachen verstaute sie hinter der Holzverkleidung. Nach ein paar Minuten war sie fertig. Sie war hineingegangen als Badegast und trat heraus als eine wohlgelaunte Spaziergängerin. Sie verließ das Schwimmbad. Nach einigen hundert Metern auf dem Weg zur Alm gab es sogar noch ein Zuckerl, eine kleine Aussöhnung mit dem wechselhaften Schicksal. Der Schrottplatz vom alten Heilinger lag einsam und verlassen da. Der Heilinger persönlich saß vor dem Kontor und schlief seinen Rausch aus. Sonst war niemand zu sehen. Sie klapperte die Container ab: Plastikmüll, Sperrmüll, Gartenabfälle. Und endlich fand sie, was sie gesucht hatte. Einen Container mit Elektroschrott. Sie zertrümmerte sicherheitshalber die Festplatte. Sie goss etwas Säure aus einer kaputten Autobatterie darüber. Dann legte sie ihren rauchenden digitalen Begleiter zu den Fernsehern und Computern. Perfekt.

Im Zimmer 23 der Pension Üblhör (zweiter Stock, beste Aussicht auf die Berge) herrschte Hochbetrieb. Hier genügte es nicht, sich eine Wanderjacke überzuwerfen, hier wurde geschminkt, gefärbt und gezupft, hier wurden falsche Ohren angeklebt und Nasen vergrößert. Swoboda setzte Dilip Advani gerade Kontaktlinsen ein. Junge, tatendurstige Gesichter verwandelten sich gerade in greisenhafte, weltabgewandte Antlitze. Swoboda war in seinem Element. Das war der schönste Teil seiner Arbeit als Problemlöser. Die Verwandlung.

»Ich erkläre euch derweil, was ich vorhabe. Um die Ecke steht ein Wagen mit dem Firmenlogo *Seniorenbetreuung Prohaska*, darauf bin ich besonders stolz. Wir sind gebrechliche

Alte, die heute Abend noch im Krankenhaus Bad Tölz erwartet werden.«

»Was ist, wenn jemand von der Polizei dort anruft und nachfragt, ob das stimmt?«, fragte Pratap Prakash, mehr aus Interesse an der Vorgehensweise als aus Besorgnis. Swoboda war in der Szene bekannt. Man konnte sich hundertprozentig auf ihn verlassen.

»Wir haben einen Mann dort sitzen«, sagte der Österreicher.

»Und Raj Narajan soll fahren?«

»Natürlich, wer sonst! Er als ehemaliger Chauffeur des Bürgermeisters von Mumbai sitzt am Steuer, und ich erkläre ihm den Weg raus aus dem Talkessel. Euer stummer Freund gibt einen guten indischen Hilfspfleger ab.«

Alle nickten.

»Chokri, dich setze ich an der österreichischen Grenze ab, du wartest dort, bis ich dich wieder abhole. Und ihr drei müsst nach Köln?«

»Ja, wir haben dort einen schwierigen Auftrag. Eigentlich würden wir aber gerne nochmals hierherkommen.«

»Wie bitte? Spinnt ihr? Das ist viel zu gefährlich!«

Pratap Prakash hob beschwichtigend die Hand.

»Bedenke doch: Niemand kennt uns, niemand sucht uns. Die Polizei weiß nichts von unserer Existenz. Wir wollen zurückkehren, um noch ein paar Tage die Bräuche der Einheimischen zu studieren.«

»Wie ihr meint«, sagte Swoboda. »Was ihr nach eurem Auftrag macht, ist eure Sache. Aber unterschätzt mir bloß den Jennerwein nicht!«

»Dieser glücklose Scherge? Des' Herz so groß und dessen zaghaft Hand so schwach mir scheint?«, hub Dilip Adavani an. »Der bisher nichts, aber auch rein gar nichts erreicht hat? Auch er wird unsere Identität nicht knacken.«

Swoboda wusste, dass sie zumindest in einem Punkt recht hatten: Niemand kannte sie. Nach ihnen wurde nicht gesucht. Sie standen auf keiner Liste. Oder etwa doch?

»Gut, wie ihr meint. Das ist nun wirklich nicht mein Problem.«

»Du bist der Problemlöser, Swoboda. Was der große Beschädiger, der zwanzigarmige Dämon Rakshasa, durcheinanderbringt, das musst du entwirren. Führe uns aus dieser Hölle, Österreicher! Und dann lass uns weiter walten nach unserem Gutdünken.«

»Gut, wenn alle fertig sind, dann gehen wir. Halt, ich muss noch jemanden anrufen!«

Er wählte eine Nummer. Sein Gesprächspartner schien nicht begeistert zu sein.

»Was ist denn jetzt schon wieder? Wir sind nicht mehr im Geschäft, Herrgott nochmal!«

»Eine letzte Bitte noch, Ignaz. Für dich ist es gar kein Risiko.«

»Dann red.«

»Hast du noch ein Schachterl von den Knöcherlputzern?«

»Was willst du denn damit?«

»Brauchst auch gar nicht aus dem Haus zu gehen. Ich hol sie ab. Neue Geschäftsidee.«

Droben in luftiger Höhe, weit, weit droben auf einem Seitenzug des kalkigen Wettersteingebirges wand sich ein verschlungener Hochweg, das sah aus, als wäre ein weißer Teller mit ein paar Linien sirupdickem Balsamico dekoriert worden. Auf dem Hochweg waren drei schweißnasse, erschöpfte Gestalten zu erkennen. Der Zivildienstleistende schritt voran, die beiden medizinischen Bergsteiger trotteten hinterher. Ab und zu blieben sie stehen und hoben das Fernglas, es war immer noch das gute alte Grenzschützer-Ungetüm. Sie suchten den Borreliose-Patienten, von dem war allerdings weit und breit nichts zu sehen.

»Wie wenn er sich in Luft aufgelöst hätte!«, sagte die Internistin zum zehnten Mal.

»Er ist abgestürzt«, sagte der Neurologe zum hundertsten Mal.

»Der stürzt nicht ab«, erwiderte der Zivi geduldig. »Glauben Sie mir. Was einmal eintrainiert ist, das ist eintrainiert. Das müssten Sie als Arzt eigentlich wissen. Es gab Pianisten, die haben bei hochgradiger Demenz noch Konzerte gegeben. Sie wussten nicht, was und wie, sie mussten auf die Bühne geführt und ans Klavier gesetzt werden, aber wie der langsame Satz von Beethovens Klaviersonate Nr. 26 zu spielen ist, das hatten sie noch in den Fingern.«

»Du meinst also, er treibt sich hier irgendwo herum?«

»Das denke ich schon. Er hat es noch drauf, das Bergsteigen. In seinem bisherigen Leben ist er auf jedem Gipfel hier gewesen. Und jetzt durchwandert er nochmals alles.«

Der fliegende Holländer. Hier in den Alpen. Die Bergsteiger schüttelte ein Angstschwall nach dem anderen. Lauerte der Patient irgendwo hinter einem Felsvorsprung?

»Keine Angst«, sagte der Zivi. »Der erkennt niemanden mehr.«

»Zu dumm, dass wir das Handy verloren haben«, sagte die Internistin.

Polizeiobermeister Ostler hatte das Warten langsam satt.

»Du, Michl!«

Keine Antwort. Gestrichel. Kratzen auf Papier.

»Ich will einmal hinunter in deinen Keller gehen. Nur so interessehalber. Ich will sehen, ob da unten alles in Ordnung ist. Du musst aber mitgehen. Allein lasse ich dich nicht heroben.«

»Was soll da unten nicht in Ordnung sein?«

Irgendwann erhob sich der Michl. Beide stiegen eine Treppe hinunter. Der Michl schloss die Kellertüre auf, er schaltete das Funzellicht an. Ostler erschauderte. Vor allen Wänden standen Regale, die mit Papierstößen vollgepfropft waren. Früher hatte der Michl seine Arbeiten noch geordnet, doch Tausende hatte er einfach auf den Boden geworfen. Kniehoch stand man hier in seinem Lebenswerk.

»Das hast alles du gezeichnet?«

Ostler hielt das nächstbeste Blatt hoch und betrachtete es. Für ihn war nicht zu erkennen, was die Zeichnung darstellte.

»Was bedeuten die Kringel, Michl?«

»Das ist lange her.«

»Eine Skizze?«

»Nein, das ist schon fertig. Ein Gefühl ist das. Wut. Kennst du das Gefühl, Ostler? Wenn du dir mit dem Hammer auf den Daumen geschlagen hast? Diese Wut schaut so aus.«

Und tatsächlich, hier war die Wut pur gezeichnet. Der rasante Anstieg der Aggression, das Entstehen eines unentrinnbaren Gefühls aus dem Nichts heraus – alles war da zu sehen. Ostler war fasziniert.

54

Zwischen Berg und Unterg'hölz
liegt meine Heimat Werdenfels.
Gstanzl

Jennerwein setzte sich unter einen kleinen, stämmigen Ahornbaum, um Atem zu schöpfen. Die kugelsichere Weste hatte nicht nur ein ziemliches Gewicht, sie behinderte auch beim Gehen in freiem Gelände. Jennerwein dachte bewundernd an die Jungs von der Zugriffstruppe, denen diese Schutzkleidung zu einer zweiten Haut geworden war. Aber diese Kollegen waren ja auch ein paar Jahre jünger als er. Bevor sich Jennerwein niedersetzte, hatte er einen schnellen prüfenden Blick nach oben in die Krone des Ahorns geworfen. Von dort drohte keine Gefahr. Zwischen den dünnen Zweigen des Baums saßen keine sprungbereiten Kampfmaschinen, um sich auf einen müden Wanderer zu stürzen. Jennerwein streckte die Beine aus und nahm die nähere Umgebung in Augenschein. Im Umkreis von zwanzig, dreißig Metern gab es lediglich leichte Bodenerhebungen, kleinere Felsen und niedriges Strauchwerk, hinter all dem konnte man sich kaum vollständig verbergen. Es war auch unmöglich, sich diskret anzuschleichen, ohne gesehen zu werden. Die einzige Angriffsmöglichkeit war ein direkter Beschuss aus dem dreißig Meter entfernten, blickdichten Bergwald. Er hoffte, dass es dazu nicht kommen würde. Ruhig war es hier oben. Keinerlei Zivilisationsgeräusche drangen an sein Ohr, nur das Summen der Bienen war zu hören. Trotzdem spürte es Jennerwein: Es lag etwas in der Luft. Er blickte um sich. Er musste sich südwestlich von der Wolzmüller-Alm befinden, vielleicht fünfzig Höhenmeter unterhalb und schätzungsweise eine halbe Stunde entfernt. Die halbe Stunde galt allerdings nur, wenn man sich strammen Schrittes und auf dem ausgewiesenen Weg dorthin bewegte. Wenn man jedoch schlendern und stocken musste, wenn man über unebenes Gelände klettern und daneben auch noch weitere Merkmale eines Idiot savant zum Besten zu geben hatte, dann würde es sicher eine gute Stunde dauern, bis er die Alm erreichte. Aber er war ja schließlich als Lockvogel hier. Jennerwein war sich mit dem Rest des Teams darüber einig gewesen, dass ein Angriff in der Nähe der Wolzmüller-Alm ziemlich unwahrscheinlich war. Das Gelände war dort viel zu übersichtlich, und die Äbtissin konnte sich nicht sicher sein, dass dort nicht schon Beamte postiert waren. Wenn der Angriff überhaupt zustande kam, dann war solch eine Stelle wie die jetzige viel geeigneter. Jennerwein versuchte, sich zu konzentrieren. Er fühlte sich äußert unbehaglich. Die Schutzweste schnürte ihn ein, der falsche Vollbart kratzte, und unter dem dicken Lodenmantel kochte die Luft. Wie hielt der Wolzmüller Michl das aus?

»Was für die Kältn hilft, hilft auch für die Hitz'«, hatte der Michl auf die Frage geantwortet, warum er denn den Mantel im Sommer nicht auszog.

Jennerwein sah sich noch einmal genau um, dann erst zog er unter dem Lodenmonstrum das Mobiltelefon aus der Hosentasche. Er wollte seinem Team mitteilen, wo er sich befand. Man hatte vereinbart, nur im allergrößten Notfall zu telefonieren, darum schrieb er eine SMS:

½ h SW von WÖ-Alm

ca. Pos. 16

alles ok

breche jetzt auf

g je

Jennerwein stammte aus einer Generation, die nicht daran gewöhnt war, eine SMS blind abzusetzen. So ging das Touch Typing im Inneren des Lodenmantels nicht so schnell vonstatten, wie Jennerwein sich das vorgestellt hatte. Er war sich auch nicht sicher, ob er sich nicht grade eben verschrieben hatte.

»Was solls«, murmelte er und steckte den Kopf schnell unter den Mantel. Er blickte auf das leuchtende Display, tippte die Nachricht schnell und fehlerfrei, schickte sie ab und steckte den Apparat wieder in die Hosentasche. Als er den Kopf aus dem Dunkel des Mantels ins Taghelle hob, wusste er: Hier stimmt etwas nicht. Aber da war es schon zu spät.

Ein grünes Tarnnetz, wie es vom Militär verwendet wurde, wäre noch besser gewesen, aber es musste auch so gehen. Ein dunkelgrünes T-Shirt, blaugrüne Jeans, jeden Zentimeter nackte Haut beschmiert mit dunklem Matsch vom Ufer des Wildbachs, den Rucksack drapiert mit Tannenzweigen – so hob sich die bewegliche Gestalt kaum vom undefinierbaren Dunkelgrüngraugewirr der Waldvegetation ab. Menschliche Konturen waren nicht mehr erkennbar. Die Äbtissin hatte ihre Camouflage kurz getestet, sie hatte sich vor einen Busch gehockt, die in einigen Metern vorbeimarschierenden und in alle Richtungen deutenden Wanderer hatten sie nicht bemerkt. Da würde sie ein autistischer Psychopath doch erst recht nicht bemerken! Sie war lange um den Grennersteig herumgestreift, der eine halbe Stunde von hier entfernt lag – genau da hatte sie ihn vorgestern noch aus einem Busch glotzen sehen. Dann war sie Richtung Wolzmüller-Alm gegangen, und auf der Lichtung hatte sie ihn wiedergesehen, diesen grobschlächtigen Typen in dem schwarzen Lodenmantel, in dem er sich wahrscheinlich totschwitzte, unsicher hin und her tappend, manchmal scheinbar ohne Grund stehenbleibend. Eine leichte Beute. Trotzdem war sie darauf gedrillt, nie leichtsinnig zu sein. Sie war ihm zehn Minuten gefolgt, es war kein Mensch weit und breit zu sehen gewesen, jetzt hatte er sich unter einen kleinen, freistehenden Ahornbaum gesetzt. Prima. Sie nahm die leichte Uzi-Pistole aus ihrem Rucksack. Sie wollte das Rohr des Schalldämpfers gerade in die Windung schrauben, da steckte sie das gute Stück kurz entschlossen wieder zurück. Goldene Regel: Abgestürzte Berg-Leiche schlägt Leiche mit Schussverletzung. Kein verräterischer Knall – größerer Vorsprung. Sie hatte vorher ganz in der Nähe eine Felswand gesehen, die zwanzig Meter steil nach unten abfiel. Da konnte man schon mal straucheln und ausrutschen. Sie öffnete die Seitentasche ihres Rucksacks und holte die Drahtschlinge heraus. Das eingerollte Seil hatte lediglich eine Länge von acht Metern, aber wenn sie sich hinter seinem Rücken noch ein Stück weiter heranrobbte, würde es völlig ausreichen. Der Typ hatte sich mit ruckartigen Bewegungen umgesehen, jetzt saß er entspannt da. Sie umfasste die Drahtschlinge und schätzte die Entfernung ab. Als wenn er das gespürt hätte, steckte der Typ seinen Kopf unter den Mantel. Das Mantelzelt bewegte sich, wahrscheinlich suchte er nach einer bequemen Schlafposition. Nein, doch nicht, der Kopf tauchte wieder auf. Die Äbtissin erhob sich langsam, schlich im Halbkreis um ihn herum, um sich auf diese Weise von hinten zu nähern. Als der Kopf wieder vollständig aus dem Mantel aufgetaucht war, warf sie die Schlinge. In der gleichen Sekunde bemerkte die Äbtissin etwas, was sie überhaupt nicht erwartet hätte. Der Wolzmüller Michl hielt eine Pistole umklammert! Und er zielte auf sie! Doch er kam nicht mehr dazu, abzudrücken. Sie war um die entscheidende Zehntelsekunde schneller gewesen. Sie war stolz auf sich. Nur so konnte man auf dieser Welt überleben. Man musste eine halbe Umdrehung mehr schaffen. Oder eine Zehntelsekunde früher dran sein. Genau auf dieses Zehntel kam es an.

Jennerweins Sinne waren geschärft, er war hochkonzentriert, und darum hatte er das Sirren gehört, ein Sirren, das überhaupt nicht in die Landschaft passte, es war kein Sirren von Bienen oder Libellen, es war ein metallisches Sirren. Er musste nicht lange nachdenken. Blitzschnell zog er die Waffe und zielte in Richtung dieses Sirrens. Er kam nicht mehr dazu, die undeutliche Gestalt näher ins Auge zu fassen, denn im selben Moment spürte er schon die Schlinge, die sich um seinen Hals zog. Der Schmerz ließ ihn alles andere vergessen. Die Waffe fiel zu Boden. Er griff mit den Händen an den Hals, aber er wusste, dass er die Finger nicht mehr zwischen Draht und Haut brachte. Sein Team! Wo war sein Team? Sie mussten gleich hier sein. Der Schmerz, der sich um seinen Hals legte, und die Drahtschlinge, die ihm die Kehle zuschnürte, rissen ihn aus dem Bewusstsein.

Nicole Schwattke hatte sich gegenüber Ludwig Stengele und Franz Hölleisen durchgesetzt: Sie waren etwas langsamer gegangen, um auf Maria Schmalfuß zu warten.

»Zu dritt schaffen wir das nie, den Chef zu beschatten«, hatte sie gesagt, und die anderen hatten ihr schließlich recht gegeben. Die Taktik der Beschattung war klar: Sie durften ihm nicht zu nahe kommen, die Äbtissin hätte das bemerkt. Sie durften ihn aber auch nicht verlieren. So gingen sie im Abstand von hundert Metern nebeneinanderher, manchmal riss der Sichtkontakt auch ab. Doch sie waren ein eingespieltes Team, das schon einige Beschattungen und Verfolgungen im schroffen Gebirge und hügeligen Vorgebirge hinter sich hatte. Sie kannten das Gelände, die Auftragskillerin nicht. Jennerwein hatte massiv darauf gedrängt, schnell und zügig loszugehen. Die Radionachrichten waren gesendet, das Internet quoll über von Suchaufrufen nach dem falschen Michl, und die Hilfstruppen am Rande des Kurorts taten ihr Übriges, die Geschichte zu verbreiten. Jennerwein war sich sicher: Wenn ein Angriffsversuch auf den Wolzmüller-Erben stattfand, dann in allernächster Zeit. Jede Art von Funkverkehr verbot sich aus naheliegenden Gründen von selbst, darum hatte Nicole Schwattke eine Orientierungs-App auf ihr Handy geladen.

»Ich schicke in regelmäßigen Abständen eine Silent SMS an das Handy des Chefs, damit kann ich seine genaue Position ausmachen«, hatte sie gesagt. Stengele hatte mürrisch zugestimmt.

»Von mir aus.«

Aber jetzt legte der Allgäuer einen Finger an den Mund und deutete nach hinten, in Richtung des Weges, den sie schon zurückgelegt hatten. Alle drehten sich blitzartig um, kauerten sich auf den Boden und zückten ihre Ferngläser. Eine erdfarbene Figur kämpfte sich durchs Gebüsch. Es war eine Frau, das konnte man am Gang erkennen. Es war eine schlanke, hochgewachsene Frau, die da näher kam, ohne sie zu bemerken. Hölleisen, der am nächsten lag, gab Entwarnung. Gott sei Dank, es war nur Maria Schmalfuß, die jetzt eilig näher kam. Sie winkte. Sie war völlig außer Atem.

»Haben Sie Hubertus im Blick?«, fragte sie besorgt. »Haben Sie Tuchfühlung mit ihm?«

»Er hat gerade eine Nachricht geschickt«, sagte Stengele leise und beruhigend. »Er ist o. k. Glauben Sie mir: Es verläuft alles nach Plan.«

»Wollen Sie sich nicht kurz hinsetzen, Frau Schmalfuß?«, fragte Hölleisen.

»Nein, nein, es geht schon. Ich bin nur etwas außer Atem. Ich bin die ganze Strecke gelaufen.«

»Ging denn mit den Graseggers alles glatt?«

»Das schon, aber mir kam es so vor, als ob die einfach nur Zeit schinden wollten. Ich bin mir nicht sicher, ob sie nicht doch mit der Sache hier zu tun haben. Vielleicht wollten sie der Äbtissin den Rücken frei halten.«

»Wir hätte sie doch einsperren sollen«, knurrte Stengele. »Aber wir müssen jetzt weiter. Wir bilden eine Linie. Hundert Meter Abstand. Maria und Nicole, Sie gehen innen, versuchen Sie immer Blickkontakt miteinander zu halten. Hölleisen und ich bilden die Flanken.«

»Oh Mann, da stimmt etwas nicht«, sagte Nicole plötzlich aufgeregt. Sie deutete auf ihr Handy. »Der Chef ist von der Route abgewichen. Es scheint, dass er wieder zurückgegangen ist. Er befindet sich jedenfalls nicht auf der Route, die wir vereinbart haben.«

»Bewegt er sich?«

»Nein, das Signal kommt von einer einzigen Stelle.«

»Wo ist er genau?«

»Nur fünfzehnhundert Meter von hier.« Sie blickte auf das Display und deutete in eine Richtung. »Hier lang.«

Sie verzichteten auf die hundert Meter Abstand, sie rannten los. Als sie näher kamen, zogen sie die Waffen. Sie kamen sehr nah. Sie waren ganz dicht dran.

»Dort liegt es«, flüsterte Hölleisen.

Das Handy lag blitzend und funkelnd mitten auf der Wiese. Weit und breit keine Spur von Jennerwein.

»Jemand hat es hierhergeworfen und uns in die Irre geführt«, sagte Stengele wutschnaubend. »Von wegen Silent Smooth oder so ein Dreck.«

»Vorwürfe helfen jetzt nicht weiter«, beruhigte Maria. »Hier ist Gefahr im Verzug.«

»Was machen wir jetzt?«, fragte Hölleisen unsicher.

»Wir gehen die Wegstrecke ab, die ich ausgearbeitet habe«, sagte Stengele entschlossen und steckte das Handy ein. »Verlassen Sie sich auf mein Gefühl. So was gibts nämlich auch.«

Die Äbtissin war ein wenig enttäuscht. Sie hatte sich einen gleichwertigeren Gegner erwartet. In dem Moment, in dem sich die Schlinge um den Hals dieses bemantelten Waldschrats gezogen hatte, wusste sie, dass das nicht der Wolzmüller Michl war, sondern der leitende Ermittler persönlich! Kriminalhauptkommissar Hubertus Jennerwein. Die Lockvogel-Masche! Ein Bauerntrick, aber wie nachlässig ausgeführt! Er lag bewusstlos zu ihren Füßen. Das wurde ja langsam zu einer Gewohnheit. Innerhalb von wenigen Sekunden fixierte sie ihn mit der guten alten Schweinefessel am dicksten Ast des Ahorns. Dann erkundete sie die Umgebung, um sich einen Eindruck von der Lage zu machen. Hundert Meter von Jennerwein entfernt warf sie das Handy in hohem Bogen talabwärts, den Abhang hinunter. Diese Alpen-Sanchos waren erst einmal eine Zeitlang beschäftigt. Sie lief wieder zurück zu dem reglos daliegenden Kommissar. Sie musste herausbekommen, was er wusste. Michl Wolzmüller interessierte sie nicht mehr. Die Radionachricht war eine Finte gewesen. Dieser arme Irre war völlig ungefährlich – der hatte gar nichts gesehen! Sie näherte sich Jennerwein so, dass er sie nicht sehen konnte. Und er sollte auch ihre Stimme nicht hören. Sie stand jetzt über ihm und wippte auf den Zehenspitzen.

55

charles dickens pickwickt im dickicht
tim verhérget sich im dichten gestruppi
wilhelm busch paintbrusht witwe boltes gebüsch
und unter »holz«? was findest du da im lexikon?
etwa arno?

Ein Beitrag beim Wamberger Poetry Slam (2. Platz)

Der dünne Stahldraht um seinen Hals zog sich ruckartig zusammen. Jennerwein schrie auf vor Schmerzen. Er hatte versucht, den Kopf zu heben, dabei war der empfindliche Ruhezustand der straff gespannten Drähte, mit denen er fixiert war, aus dem Gleichgewicht geraten. Der Druck auf seine Kehle nahm zu. Jennerwein würgte und hustete. Nur mit großer Mühe konnte er Luft holen, denn jede noch so kleine Bewegung steigerte seine Schmerzen ins Unerträgliche. Er lag auf dem Bauch. Direkt vor seinen Augen konnte er moosigen Waldboden erkennen, der mit Wurzelwerk durchsetzt war. Der Boden war leicht abschüssig. Die Erde roch scharf und unverschämt wohltuend nach Bergwald und Pilzen. Die Erinnerung kam langsam zurück. Er war angegriffen worden.

In den ersten Sekunden wusste er nicht, wo er sich befand und wie er hierhergekommen war, doch er begriff sofort, dass er sich in einem Zustand der retrograden Amnesie befand. Sein Gehirn war vernebelt. Er wollte sich aus diesem Gewirr befreien. Nach einigen Bewegungen, die rasende Schmerzen mit sich brachten und ihn wie Peitschenschläge trafen, begriff Jennerwein, dass er vollkommen ruhiggestellt war. Jede Bewegung in jegliche Richtung bereitete höllische Schmerzen. Wie war er bloß in diese Situation geraten? Schon wieder hatte er eine unbedachte Bewegung gemacht. Die Schmerzen fraßen sich fest wie wütende Hunde. Wer hatte ihn in diese Lage gebracht? Und wo waren die anderen Mitglieder seines Polizeiteams? Er drehte die Augen nach rechts, ohne den Kopf zu bewegen. Er blinzelte ungläubig. Einen halben Meter vor ihm bewegte sich etwas. Was war das?

Es war eine Ansammlung von zwei, drei Dutzend Käfern. Entsetzen packte ihn. Es waren Aaskäfer. Und Jennerwein wusste, worauf sie warteten. Es waren exakt dieselben Käfer, die er am Tatort unter der Zirbe gesehen hatte. Anscheinend schnitt der Draht an mehreren Körperstellen so stark ein, dass er schon heftig blutete. Das lockte die Aaskäfer an. Befanden sich schon einige dieser Silphen auf seinem Körper? Er schüttelte sich voller Ekel. Wieder folgte eine Kaskade von peitschenden Schmerzen. War das der Plan der Äbtissin? Ihn hier bei lebendigem Leib auffressen zu lassen? Jennerwein versuchte, sich zu beruhigen. Die Zeit drängte. Er musste etwas unternehmen. Langsam und noch undeutlich begann ein Plan in seinem Kopf zu reifen.

Die Äbtissin streifte ihren Gefangenen mit einem verächtlichen Blick. Das also war der leitende Hauptkommissar Jennerwein, über den sie in der Zeitung so viel gelesen hatte. Die Blätter ließen kein gutes Haar an ihm. Und sie hatten recht: Dieser Mann, der jetzt zu einem hilflosen Bündel zusammengeschnürt war, der taugte wirklich nichts. Wenn dieser Provinzheini wirklich was draufhätte, dann läge er nicht hier. Dann säße er schon längst im Polizeibüro einer Großstadt, als Leiter einer wichtigen Abteilung für Organisiertes Verbrechen oder Ähnliches. Aber dieser Typ hier? Na ja. Als Erstes hatte sie ihm seine Dienstpistole abgenommen. Er hatte es nicht mehr geschafft, sie abzufeuern. Er war eine Zehntelsekunde zu spät dran gewesen. Die Äbtissin betrachtete Jennerweins Heckler & Koch und wischte sie sorgfältig ab. Sie warf sie in hohem Bogen von sich. Eine weitere Goldene Regel: Schleppe keine Dienstpistolen der Polizei mit dir herum. Viel zu riskant. Sie näherte sich ihrem eingeschnürten Gefangenen, und sie achtete darauf, immer hinter ihm zu stehen. Sie ging in die Knie und beugte sich zu seinem Kopf. Sie flüsterte, genauso, wie sie es bei den beiden Schultheissens auf der Massagebank getan hatte.

»Jennerwein?«

Er zuckte erschrocken zusammen.

»Kommissar Jennerwein?«

Er wollte den Kopf drehen und stöhnte vor Schmerz auf.

»Wenn Sie sich ruhig verhalten, tut es weniger weh.«

Die gepresste Flüsterstimme war für Jennerwein nicht zu identifizieren. Sie war weder jung noch alt, weder männlich noch weiblich, weder deutsch noch ausländisch. Er wusste, dass es die Äbtissin war, er wusste aber immer noch nicht, wie ihre Stimme klang und wie sie momentan aussah. Aber es gab vielleicht einen Ausweg aus seiner verzweifelten Lage. Der Plan reifte in einem Areal seines Gehirns, das sich ausschließlich mit solchen Dingen beschäftigte. Es war uralt, dieses Areal, vielleicht dreißigtausend Jahre alt, und der kleine Hirnlappen hatte sich schon bei den Steinzeitmenschen mit der überlebensnotwendigen Frage beschäftigt, wie man nach einer Gefangennahme wieder fliehen konnte. So einfach war das. Jennerwein wusste, was er zu tun hatte. Zunächst musste er diese Frau beschäftigen, um Zeit zu gewinnen. Sie hielt ihn für einen tölpelhaften Provinzpolizisten? Den konnte sie haben. Jennerwein stellte sich sehr, sehr dumm.

»Wer sind Sie?«, fragte er keuchend. »Sind Sie der Tunesier? Chokri Gammoudi? Oder Pierre, der Franzose?«

Die Frau hinter ihm reagierte nicht darauf. Jennerwein pokerte weiter. Er warf ihr einen Brocken nach dem anderen hin, um sie in Sicherheit zu wiegen.

»Wir wissen auf jeden Fall, dass Sie einer der Seminarteilnehmer sind. Wir haben eine vollständige Liste. Wir haben zwar keine Namen und Adressen, aber die brauchen wir auch gar nicht. Wir besitzen Phantomzeichnungen nach Ganshagels Angaben.«

Die Frau hinter ihm schwieg beharrlich weiter.

»Alle anderen Seminarteilnehmer sind vermutlich geflohen. Aber Sie ... sind geblieben ... Ring um den Kurort haben wir ... Sie werden nicht weit kommen.«

Jennerwein hatte große Mühe zu sprechen. Sie lockerte die Schlinge um seinen Hals.

Jennerwein hatte einen einzigen Trumpf: Sie wusste noch nicht, dass die Tote nicht mehr für die Äbtissin gehalten wurde. Jennerwein lauschte. Keine Geräusche, keine weiteren Reaktionen. Kein Verlagern des Gewichts von einem Bein aufs andere, keine Atemgeräusche. Und jetzt begriff er: Diese Frau stand nicht mehr hinter ihm, sie hatte sich lautlos entfernt. Jede noch so kleine Bewegung bereitete Jennerwein schneidende, immer größer werdende Schmerzen. Doch er musste weiterplappern. Er musste Zeit schinden. Er wollte sie in dem Glauben lassen, dass er immer noch dachte, dass sie hinter ihm stünde. Und er musste ihr den Eindruck vermitteln, dass er polizeitaktische Maßnahmen verriet. Er hoffte, dass sein Team jeden Augenblick eintraf. Und zusätzlich reifte noch sein kleiner, fast aussichtsloser, aber immerhin möglicher Fluchtplan.

»Hören Sie gut zu«, sagte er weiter. »Wir werden die einzelnen Bilder der Seminarteilnehmer in sämtlichen Nachrichten bringen. Auch im Ausland. Wir werden dafür sorgen, dass eine internationale Jagd auf Sie beginnt. Und Sie wissen, was das bedeutet? Sie sind nirgends sicher. Weder in den Hochwäldern Brasiliens noch in den weiten Ebenen der russischen Taiga. Wir finden Sie überall –«

Jennerwein redete jetzt schon fast wie ein Mafiaboss. Herrgottnocheinmal, wo blieb denn sein Team? Er hatte doch eine Positionsangabe durchgegeben, und Nicole hing zusätzlich dauernd über ihrem Silent Smooth Operator oder wie das Zeug hieß! Ein grauenvoller Gedanke durchschoss ihn: Hatte diese Frau sein Team ausgeschaltet? Es ging nicht anders: Er musste jetzt seinen Fluchtversuch wagen.

Die Äbtissin atmete durch. Ihre wahre Identität war nicht aufgeflogen. Prima. Aber jetzt musste sie schnellstmöglich von hier verschwinden. Sie musste endlich raus aus diesem blöden Talkessel, zu ihrem gut vorbereiteten Versteck. Konnte es sein, dass dieser unscheinbare Kommissar bluffte? Sie lud ihre Uzi durch.

Jennerwein hörte ein Knacken. Was war das? Er musste es jetzt tun. Jetzt gleich. Er hatte vorher einen kurzen Blick auf die Baumkrone geworfen, die aus lauter schmalen Ästen bestand. Der größte Ast war kinderarmdick. Er hätte keinen Menschen getragen, aber es reichte, um eine Schweinefessel dort zu befestigen. Um das austarierte Prinzip dieser freiheitsberaubenden Fixierung möglichst optimal zu gestalten, war normalerweise eine Rolle nötig, die an eine Holzdecke oder eben an die Unterseite eines Astes geschraubt war. Dort liefen die vier Drähte zusammen, die den Kopf, die gefesselten Handgelenke und die beiden Beine nach oben zogen. Das Opfer lag mit dem Bauch auf dem Boden, und die Konstruktion führte, wie bei einer Marionette oder bei einem Mobile, dazu, dass sich jede kleine Bewegung auf das Gesamtgleichgewicht auswirkte, was eine Kaskade von Schmerzen nach sich zog. Mit einer Rolle war das am leichtesten zu bewerkstelligen. Jennerwein vermutete, dass die Äbtissin keine Zeit gehabt hatte, etwas Derartiges dort oben anzuschrauben. Also hatte sie die Schlaufe mit dem zusammengestückelten Klavierdraht vermutlich über den stärksten Ast geworfen. Den auszureißen, war unmöglich, aber es gab noch die klitzekleine Chance, den Ast zu biegen, die Schlinge über den Ast zu streifen und sie so abrutschen zu lassen. Dafür waren schmerzhafte Schaukelbewegungen über die Längsachse des Körpers nötig. Schnelle, schmerzhafte Schaukelbewegungen, von denen man nicht wusste, ob sie zum Ziel führten. Schon das erste Schwungholen ließ ihn aufstöhnen. Er biss die Zähne fest aufeinander, dass sie knackten, der Schmerz machte ihn rasend, aber er musste mit dem lächerlichen Bauchwippen weitermachen. Endlich spürte er, dass sich der über den Ast geworfene Draht dort oben ein bisschen bewegte. Würde das reichen? Nochmals und nochmals, und endlich konnte er sich auch mit den zusammengebundenen Füßen leicht aufstützen, abstoßen, und die Schaukelbewegung verstärken. Er würde noch ein oder zwei Schwünge schaffen. Wenn der Draht dann nicht über den Zweig rutschte, musste er aufgeben. Er verstärkte seine Anstrengungen. Ein Schwung, noch ein Schwung – die Drahtkonstruktion löste sich. Seine Hände waren immer noch hinter dem Rücken gefesselt, aber er hatte sich befreit. Er rollte auf den Rücken, er löste sich aus den gelockerten Drähten – und dann hörte er einen Schuss. Panisch robbte er hinter den Baum. Erst dann begriff er, dass der Schuss nicht ihm gegolten hatte. Er hustete und keuchte, dann drehte er den Kopf hinüber zu der Stelle, wo er die Äbtissin vermutete. Dort bot sich ihm ein eigenartiges Bild. Sie hatte ihm den Rücken zugewandt. Sie kniete langsam nieder und schoss talabwärts den Abhang hinunter.

Genau aus dieser Richtung musste sein Team anrücken. Jennerwein schnappte nach Luft. Sie lebten also! Und kamen ihm zu Hilfe! Er wollte schreien, um die Äbtissin abzulenken, war aber nicht fähig dazu. Schwer atmend kroch er um den Baum herum und setzte sich auf. Mit gefesselten Händen konnte er seinem Team nicht helfen. Oder vielleicht doch?

Die Äbtissin kniete mit dem Rücken zu ihm, zehn Meter entfernt. Jetzt stand sie auf und ging zwei Schritte zurück, um aus der Schusslinie zu kommen. Acht Meter. Sie zielte und gab einen Schuss aus der Uzi ab. Sie ging noch einen Meter zurück, um einen besseren Stand zu haben. Sieben Meter. Von unten waren undeutliche Rufe und Kommandos zu hören. Erneut legte sie an und zielte den Abhang hinunter. Mit dem letzten Restchen Kraft, das er noch zur Verfügung hatte, spurtete Jennerwein ein paar Schritte in ihre Richtung und hechtete auf sie. Sie war zu überrascht, um ihn abzuwehren. Mit dem Kopf voraus und mit den Armen auf dem Rücken knallte er hart in ihren Rücken. Sie strauchelte und fiel. Von wegen Provinzpolizist.

»Ich habe sie«, schrie Jennerwein nach unten. Aber er hatte sie natürlich nicht, er war viel zu kraftlos. Sie stieß ihn von sich, rappelte sich auf und lief durch das Gestrüpp den Berg hinauf. Und jetzt vernahm Jennerwein Stengeles scharfe Kommandostimme.

»Wir gehen den Hügel hoch! Bleiben Sie trotzdem in Deckung!«

Vier völlig erschöpfte Gestalten tauchten auf und stürzten auf Jennerwein zu.

»Gott sei Dank«, gurgelte der. »Sie sind alle unverletzt?«

»Ja. Sie ebenfalls?«

Jennerwein blutete am Hals und an den Handgelenken.

»Sieht schlimmer aus, als es ist. Nur Schnittwunden.«

Er deutete nach oben.

»Sie ist da lang gelaufen!«

»Jetzt haben wir sie!«, rief Stengele. »Der Weg führt zur Wolzmüller-Alm. Da hat sie keine Chance zu entkommen. Es gibt keinen Ausweg!«

Alle blickten automatisch nach oben. Dann legten sie den Kopf in den Nacken. Am wolkenlosen blauen Abendhimmel war ein Hubschrauber zu sehen. Es war kein Polizeihubschrauber. Auf Nicoles Handy trudelte eine Nachricht von Ostler ein, es war ein pixeliges Bild von einer Zeichnung. Was interessierte jetzt eine Zeichnung! Nicole nahm Jennerwein die Handfesseln ab.

»Den Draht nehme ich mit«, sagte Jennerwein grimmig. »Diesmal muss sie Spuren hinterlassen haben.«

Dann stürmten alle los.

56

Ja, unterstreiche es nur,
automatische Rechtschreibprüfung!
Ich schreibe es trotzdem,
auf gut Bayrisch, so hin:
Untahoiz!
Mich untahoiz jedenfalls.
1. Platz

Natürlich gab es einen Ausweg. Sie war schon durch ganz andere Schlupflöcher geschlüpft. Mit kräftigen Schritten eilte sie bergaufwärts. Sie musste nur zu einer bestimmten Stelle auf dem Wolzmüller-Gelände gelangen. Wenn sie die erreicht hatte, dann konnte sie die Verfolger endgültig abschütteln. Genaue Recherchen lohnten sich immer. Goldene Regel: Wo du auch hinkommst, sieh dir zuerst die Fluchtwege an. Wenn du nicht mindestens drei Fluchtwege gefunden hast, verlasse den Ort schleunigst.

Mitten durch das Gelände der Alm führte eine mit Gräsern und Farnen zugewucherte Holzriese. Die älteren unter den Einheimischen wussten mit diesem Begriff noch etwas anzufangen, mancher Förster oder Jäger war auch schon einmal fluchend über die meterbreite Rinne gestolpert. Die Holzriesen waren einst angelegt worden, um die im Hochwald gefällten Baumstämme nach unten zu transportieren, zu einem See, zu einem Fluss oder gleich zum Sägewerk. So gab es in waldreichen und bergigen Gebieten viele dieser Riesen, Rutschen, Huschen, Laaßen, Ploßen oder Swenden – je nachdem, wo. Auch der nahe gelegene Riessersee hatte seinen Namen daher. Natürlich waren diese Rutschen schon seit langem nicht mehr in Betrieb. Das einstmals sorgfältig gebeizte Schalholz faulte langsam weg, die Gräben waren zugewachsen, man bemerkte sie erst auf den zweiten Blick, hielt sie zunächst für ausgetrocknete Bachläufe. Ganz anders lag der Fall auf der Wolzmüller-Alm. Da hatte es noch bis vor vierzig Jahren einen dichten Zirbel- und Lärchenbestand gegeben, und mancher, der zum Beispiel in diesem Augenblick ein gebundenes Buch in Händen hält, der kann sich nicht sicher sein, ob das chlorfrei gebleichte Papier nicht genau aus diesen Beständen stammt. Er kann so den Niedergang der Wolzmüller-Alm zweifach miterleben, einmal im übertragenen, einmal im wörtlichen Sinne.

Der Äbtissin waren diese hölzernen Kanalisationswege schon am Tag ihrer Ankunft aufgefallen, und sie waren ihr von Anfang an sympathisch gewesen. Sie war spezialisiert auf potentielle Fluchtwege. So hat jeder seine Obsession. Der Bürger sucht Glück, der Philosoph Wahrheit, der Auftragskiller Fluchtwege. Die Äbtissin hatte sich umgesehen im Gelände, sie war auf mehrere solcher Kanäle gestoßen, hatte dann einen uralten, halbblinden und fast tauben Schwammerlsucher danach gefragt. Der Heinzlinger Blasi hatte ihr den Begriff genannt. Sie hatte im Internet nachgeschlagen, und auf der Webseite eines werdenfelserischen Heimatpflegers hatte sie sogar das weitverzweigte Netz von bekannten Holzriesen im Talkessel gefunden. Die meisten führten zur Loisach, einige zum Pflegersee oder in die entgegengesetzte Richtung, hinüber nach Österreich, ins unergründliche Dickicht Tirols.

Die Äbtissin war inzwischen am Hauptgebäude der Alm angekommen. Es wimmelte von rotweißen Polizeiabsperrungen, es befanden sich jedoch offensichtlich keine Spurensicherer mehr auf dem Gelände. Sie sah sich um. Sie wusste, dass ein paar hundert Meter hinter ihr die Polizistenmeute heranstürmte, vielleicht waren es vier, vielleicht auch fünf verschwitzte Helden für die gerechte Sache. Sie musste sich beeilen. Während des Laufens hatte sie einen Plan gefasst. Auch der frei stehende Holzstapel war ihr schon am ersten Tag aufgefallen. Sie löste das Brett, das die Stämme hielt, und sofort polterten die Zirbel- und Lärchenhölzer mit einem dumpfen, archaischen Grunzen auseinander. Manche der Stämme blieben gleich wieder liegen, andere fanden den Weg zum Abhang. Durch das Getöse wussten die Polizisten zwar jetzt, wo sie sich befand, aber was auf sie zukam, das wussten sie nicht.

Jennerwein hatte es sich nicht nehmen lassen, mitzukommen. Das Blut, das aus seinen Schnittwunden tropfte, markierte den Weg. Mit schnellem Schritt ging es voran. Er hielt das Tempo der anderen, die unverletzt waren.

»Gehts Ihnen gut, Hubertus?«, rief ihm Maria zu.

»Fragen Sie mich das bitte erst wieder, wenn wir diese Frau gefasst haben.«

Maria schwieg. Ja, so war er eben, dieser Hubertus Jennerwein: vielleicht ebenfalls so eine Art von Savant. Nicht Idiot, aber Savant sicherlich. Maria schüttelte die Gedanken ab. Auch sie musste sich konzentrieren. Ab und zu hörte man eine Art von Sperrfeuer. Die Äbtissin schoss wahrscheinlich in die Luft, trotzdem gingen alle sicherheitshalber in Deckung.

»Wie viel Munition hat die denn mitgeschleppt?«, schrie Stengele, als er sich wieder zu Boden warf.

»Die Frage ist auch, was sie ausgerechnet da droben auf der Alm will«, keuchte Hölleisen.

»Vielleicht hofft sie, dass noch ein Jeep da steht, mit dem sie flüchten kann«, sagte Nicole.

Plötzlich hörten sie das hohle und dumpfe Gepolter. Es war

das unverkennbare Geräusch eines auseinanderfallenden Holzstoßes, den meisten sattsam bekannt aus Freinächten, von Halloween und altbayrischen Polterabenden. Sekunden später kamen die ersten Holzstämme den Abhang herunter auf sie zugerollt. Es war unmöglich, hinter einem Stein oder in einer Mulde Deckung zu nehmen.

»Stehenbleiben! Stämme fest im Auge behalten!«, schrie Stengele entschlossen. »Die Bewegung des Stamms verfolgen! Dann wegspringen!«

Leichter gesagt als getan. Die Holzprügel, deren Zahl stetig angewachsen war, stellten sich auf und schossen kreuz und quer den Abhang hinunter. Ihre Fall- und Rutschrichtung war überhaupt nicht berechenbar. Ein einzelner Baumstumpf blieb in einer Geländevertiefung liegen, drei andere brachen seitlich aus und waren dadurch zu weit entfernt, um Schaden anzurichten. Einer jedoch kam direkt auf Jennerwein und Maria zu. Instinktiv hatte sich Maria auf den Boden geworfen. Es war der falsche Instinkt.

»Stehen Sie auf!«, schrie Jennerwein. Er riss sie hoch und umfing sie mit seinen Armen. Sie zitterte. Der ungeschälte, rauborkige Lärchenholzstamm hatte sich aufgebäumt, er überschlug sich – er flog direkt auf sie zu. Maria war starr vor Schreck. Jennerwein pflügte sie zur Seite. Der Stamm donnerte mit bösen kratzenden und schleifenden Geräuschen zu Tal.

»Sind alle o. k.?«, schrie Stengele. »Dann weiter! Aber Vorsicht – falls sie wieder schießt.«

Die Äbtissin hatte inzwischen im Geräteschuppen der Alm einen Zapin von der Wand gerissen. Ein Zapin war ein Holzfuhrhaken, ein pickelähnliches Werkzeug zum Ziehen von Holzstämmen – zusammen mit der Hacke war das einst die Grundausstattung der Holzfäller gewesen. Sie schlug den Zapin in einen der Baumstämme. Das Schwierigste an diesem Unterfangen war es, den ein Meter fünfzig langen Stamm zum oberen Ende der Holzriese zu schleppen. Die hinunterrollenden Stämme hielten die Verfolger sicher noch eine Weile auf. Sie hatte entsetzte Schreie gehört, vielleicht hatte sie Glück gehabt, und es hatte wenigstens einen von ihnen erwischt. Jetzt lag der Baumstamm endlich in der Rinne. Sie schob ihn von hinten an, er bewegte sich keinen Zentimeter. Sie versuchte, ihn mit dem Zapin zu ziehen – und plötzlich glitt der Stamm auf dem weichen Gras nach unten, er rauschte los wie ein Viererbob auf den ersten Metern. Die Äbtissin setzte sich rittlings auf das Holz und krallte sich fest. Sie kam in Fahrt. Keine Spur von den Polizisten. Der Stamm glitt schneller und schneller dahin. Wenn er sich wirklich drehen sollte oder zu unruhig wurde, dann konnte sie immer noch abspringen. Aber das Holz drehte sich nicht, und es wurde auch nicht zu unruhig oder zu schnell. Der Stamm rauschte genau in richtigem Tempo talabwärts, dem Ziel entgegen, das sie ausgemacht hatte. Bald hätte sie das Gelände der Wolzmüller-Alm hinter sich gelassen, noch zwei- oder dreihundert Meter Fahrt, dann war sie außer Sichtweite der Polizisten. Achtung! Da vorne war der Zaun, der das Anwesen begrenzte. Es war ein straff gespannter, abweisender Drahtzaun. Ein straff gespannter, abweisender Drahtzaun war in ihrem Plan nicht vorgesehen. Abspringen? Sie schätzte, dass sie genug Geschwindigkeit aufgenommen hatte, den Zaun glatt zu durchfahren. Er war an Holzpflöcken festgemacht, das Ganze sah nicht sehr stabil aus. Sie legte sich mit den Füßen voraus bäuchlings flach auf den Stamm und donnerte dem Zaun entgegen. Doch der Zaun war von Rainer Ganshagel, dem rührigen Hüttenwirt, persönlich gebaut worden. Er hatte ihn superstabil gebaut. Ehrensache. Sie fuhr hinein in die Drähte. Sie rissen jedoch nicht, sie lösten sich auch nicht aus den Pfostenhalterungen. Sie strafften sich vielmehr unter dem Gewicht, ohne nachzugeben. Schließlich hing die Äbtissin mit ihrem Baumstamm wie ein Pfeil in einem gespannten Bogen.

Nicole war die erste, die das Wirtschaftsgebäude auf dem Hügel erreichte. Sie warf einen schnellen Blick auf den zerstörten Holzstapel. Sie blieb in Deckung und sah sich um. Die Äbtissin war nirgends zu sehen. Als sie um einen Mauervorsprung lugte, fiel ihr Blick die Almwiese hinunter.

»Kommen Sie alle schnell hierher!«, rief sie aufgeregt. »Da, sehen Sie mal! Da unten ist sie! Aber sie hat sich selbst ausgetrickst!«

Rucksäcke wurden abgeworfen, Waffen wurden ausgerichtet, und alle rannten die steile Wiese hinunter, auf die Äbtissin zu. Sie saß in der Falle. Das war die Gelegenheit, sie zu stellen. Die Äbtissin war inzwischen noch ein Stück weiter in die Schleuder aus Draht gerutscht.

»Alle in Deckung!«, rief Jennerwein plötzlich. »Nicht weitergehen! Hinwerfen! Wenn sie den Stamm lösen kann, werden die Drähte zurückschnellen! Und zwar direkt auf uns zu.«

Die Äbtissin befand sich zehn Meter entfernt, und sie saß immer noch in der Falle. Doch nicht mehr lange, denn mit einem schmatzenden Geräusch rutschte der Holzstamm unter dem Draht durch, und die gespannte Bogenschnur, die keinen Pfeil mehr hatte, schnellte tatsächlich zurück, direkt auf die Beamten zu. Nur einen Meter von Nicole Schwattke entfernt riss der durch die Belastung brüchig gewordene Draht, und mit einem eigenartigen Schnurfzen und Schnoddern schnellte er wieder zurück. Niemand war getroffen worden.

»Verdammt!«, rief Nicole Schwattke. »Das gibts doch gar nicht. Sie ist uns auf so einer shitty Holzriese entkommen!«

Jennerwein sah furchtbar aus. Sein Hals und seine Arme waren inzwischen blutverkrustet. Doch seine Augen glühten wie Kohlen. Er zitterte und bebte vor Wut.

»Noch nicht ganz!«, rief er. »Sie kann noch nicht weit gekommen sein. Wir fahren ihr nach.«

»Wie bitte?«, sagte Maria Schmalfuß. »Wie sollen wir ihr nachfahren? Etwa auf diesen Baumstämmen?«

»Ja, aber wir verwenden zwei Holzstämme.«

»Hubertus, das ist viel zu gefährlich!«

»Den einen lassen wir vorrutschen, auf den hinteren setzen wir uns. Hölleisen, sind Sie bereit?«

Hölleisen war schon unterwegs nach oben zum Geräteschuppen des Wirtschaftsgebäudes. Dort riss er zwei große Zapine von der Wand, um damit zwei Holzstämme in die Riese zu ziehen.

»Nicole und Maria«, fuhr Jennerwein fort, »Sie beide laufen zu der kleinen Stahlstütze, die Sie dort drüben sehen. Das müsste die Einfüllstation für die Milchleitung sein, mit der die Milch früher ins Tal transportiert wurde. Ganshagel hat sie zu einem Karrenschlepplift umgebaut, versuchen Sie, ihn in Betrieb zu setzen. Soweit ich weiß, hat Becker damit ein paar Geräte aus dem Tal heraufgefahren. Die Lore müsste zwei Personen tragen, fahren Sie damit nach unten und behalten sie das Gelände genau im Auge. Steigen sie aber sofort aus, wenn Gefahr droht. Stengele –«

»Schon verstanden«, sagte der Allgäuer. »Ich laufe zu Fuß runter. Für den Fall, dass dieses Luder irgendwo unterwegs abgestiegen ist.«

Hölleisen und Jennerwein passierten den durchgerissenen Zaun. Der vordere Stamm schoss voraus, an ihm konnten sie sich orientieren, ob sie in eine Kurve oder in eine Bodensenke fuhren. Jeder hielt seinen Zapin fest in der Hand, um notfalls bremsen zu können – falls das überhaupt möglich war. Nachdem sie den Zaun hinter sich hatten, legte sich die Bahn in eine leichte Kurve.

»Sie führt wahrscheinlich in Serpentinen nach unten«, schrie Hölleisen. »Ist ja auch logisch. Sonst wären die Stämme früher nicht zu kontrollieren gewesen.«

Beide spähten in die Tiefe. Die holpernden und krachenden Geräusche der Geschosse, auf denen sie saßen, nahmen zu. Auch ihr Tempo erhöhte sich, es war keine Unterhaltung mehr möglich, die beiden hatten alle Hände voll zu tun, den Lärchenstamm, auf dem sie saßen, mit Hacken, Gewichtsverlagerung und Fußtritten zu kontrollieren. Es war ein atemloser Höllenritt.

Maria und Nicole waren inzwischen an dem kleinen Schuppen angekommen, in dem sich die Bergstation der ehemaligen Milchleitung befand.

»Becker!«, rief Nicole ins Telefon. »Ich bin hier oben auf der Alm. Wie kann ich diese Transportlore entsperren?«

»Was wollen Sie denn damit?«

»Schnell, es eilt.«

Becker erklärte es ihr in wenigen Worten. Haupthebel nach links. Einrasten lassen. Einen Knopf drücken, eine Sicherung überbrücken. Kurz darauf hockten sie auf dem unebenen Boden des kleinen, vergitterten Lorenwagens. Sie kamen ziemlich langsam voran, sie ratterten auf rostigen Schienen bergab, vermutlich parallel zur Holzriese. Das Getöse war enorm. Maria blickte vorsichtig und ängstlich nach unten. Nicole bemerkte es. Litt die Psychologin nicht unter Höhenangst? Hoffentlich kamen sie nicht durch steil abfallendes Gelände. Nicole machte Handzeichen, sich die Seiten, die zu beobachten waren, aufzuteilen: Maria blickte nach links, Nicole nach rechts.

»Das wäre doch gelacht, wenn wir die nicht erwischen«, brüllte Nicole Maria ins Ohr.

»Die kriegen wir. Ich schwörs«, brüllte Maria zurück.

Stengele lief den steilen Abhang hinunter. Dabei schnitt er die Serpentinen ab, die die Äbtissin durchfahren hatte und die Jennerwein und Hölleisen wohl noch durchfahren würden. Stengele überlegte fieberhaft. Durch körperliche Anstrengung kam sein Allgäuer Langlaufhirn erst so richtig in Gang. Sie hatten alle wie selbstverständlich angenommen, dass es nur eine einzige Strecke nach unten gab. Aber stimmte das eigentlich? Konnte es nicht sein, dass sich die Holzriesen verzweigten? Seine Ahnung hatte ihn nicht getrogen. Er kam an eine Stelle, an der das Gras neben der Holzriese auffällig niedergetrampelt worden war. Zumindest fiel das Stengele auf. Was war da los gewesen? War die Äbtissin hier aus der Bahn gekommen? Vorsichtig suchte Stengele die Umgebung ab. Nichts. Keine Fußspuren. Keine Spuren des Baumstamms. Und da bemerkte er, dass sich die Riese hier verzweigte, und zwar gleich doppelt verzweigte. Geradeaus war das Gras nicht plattgedrückt, in der Abzweigung rechts waren Spuren zu finden, die darauf hinwiesen, dass ein Holzbalken hier entlanggeschliddert war. Teufel auch! Die Äbtissin hatte den Stamm gebremst, hatte ihn aus der Bahn gezogen und hatte ihn in die andere Bahn gesetzt, die nach rechts hinüberführte! Und linker Hand? Hier war es feucht. Ein Rinnsal breitete sich aus. Stengele bückte sich und sah, dass das Holz die typischen Bissspuren aufwies: Ein Biber hatte die Riese angenagt, um Material für seinen Bau zu sammeln. Diese Bahn war völlig zerstört. Die Hauptriese jedoch, die geradeaus führte, das sah er jetzt, die steuerte direkt auf einen Steilhang zu, der in einem zwanzig Meter breiten Plateau endete. Dann brach das Plateau ab, und der Baumstamm musste im freien Fall nach unten stürzen. Stengele drehte sich blitzartig um. Er hörte ein Rumpeln. Jennerwein und Hölleisen kamen von dort oben heruntergefahren.

»Achtung!«, schrie Stengele. »Runter von dem Stamm! Schnell!«

57

Vier Personen, dicht gedrängt im Unterholz. Ein Regenguss, sie müssen näher zusammenrücken. Platzangst. Allgemeiner Ekel. Mordgedanken. Paramount anbieten.
Filmentwurf von Alfred Hitchcock

Tisch 4 war schon eingedeckt. Im *Alten Sägewerk*, einem neu renovierten Luxushotel in der weiteren Umgebung des Kurorts saß ein neu renoviertes älteres Ehepaar auf der Terrasse und wartete auf den Ober. Schweigend starrten sie auf den Stürfelsee hinaus.

»Mich würde brennend interessieren«, sagte die Frau mit scharfem Ton, »ob du mit Laura ebenfalls hier warst?«

»Laura?«, fragte der Mann zerstreut. »Wer ist Laura?«

»Du weißt schon, wen ich meine.«

»Ich kenne keine Laura.«

»Laura Schmitz von der Marketingabteilung.«

»Ach, die.«

Der Ober trat an den Tisch.

»Darf ich Ihnen die Speisekarten bringen? – Oh, Herr Cusius! Schön, Sie wieder einmal bei uns begrüßen zu dürfen.«

»Hab ichs doch gewusst«, schrie die Frau, sprang auf und rannte am verdutzten Ober vorbei nach draußen. Herr Cusius lief ihr nach.

»Aber es ist nicht so, wie du denkst!«

Zwei Kilometer weiter nördlich und dreihundert Meter höher rasten Jennerwein und Hölleisen durch den dichten Hochwald. Der Baumstamm bretterte mit dreißig bis vierzig Stundenkilometern durchs Gehölz. Sie schlidderten an imposanten Eichen und an stacheligen Brombeerstauden vorbei, verfingen sich in den Strünken des Gemeinen Wildefeus, sie rasten durch ätzende Brennnesselsträucher und durch mannshohe, pfeifend wegschlagende und wieder zurückfedernde Königsfarne. Bayrischer Urwald. Plötzlich hörten sie Stengeles Ruf. Der vorausfahrende leere Baumstamm bahnte ihnen zwar einen ersten Weg, er rodete das Unterholz, er pflügte das gröbste Gestrüpp beiseite. Trotzdem war der richtige Platz zum Absprung schwer auszumachen, so übermannshoch und wild war das Krautwerk im Lauf der Jahre gewachsen. Sie mussten sofort handeln. Beide hielten Ausschau nach einer geeigneten Absprungstelle.

»Da vorn, bei der kleinen Lichtung!«

Jennerwein und Hölleisen warfen ihre Zapine von sich, hechteten von ihrem Gefährt und stürzten quer durch das schattige Grün. Schnaufend und hustend blieben sie liegen. Stengele kam herbeigeeilt.

»Was ist los?«, fragte Jennerwein atemlos.

»Sehen Sie selbst!«

Sie richten sich wieder auf und verfolgten die weitere Fahrt der unbemannten Baumstämme. Es war durchaus ratsam gewesen, abzusteigen. Unter ihnen gähnte der Abgrund.

Die beiden Holzstämme durchfuhren eine langgeschwungene Serpentinenkurve, die steiler und immer steiler wurde. Am Ende der Serpentinenkurve hatte es die Äbtissin wohl geschafft, die Rinne zu wechseln, um mit ihrem Baumstamm der nach rechts abzweigenden Riese zu folgen. Die beiden Hölzer der Polizisten wiederum ratterten nun geradeaus den Hang hinunter, sie wurden immer schneller. Der ganze Abhang war unregelmäßig mit großen Steinen bepflastert, an diesem Teilstück abzuspringen, wäre lebensgefährlich gewesen. Die beiden Hölzer schossen alleine nach unten, durch das Gelände, das mit seinen spitzen und schroffen Gesteinsbrocken immer gefährlicher wurde. Dann, urplötzlich, ein steiler Felsabriss. Gute fünfzig Meter ging es nach unten – für den Bergler ist das keine große Höhe, fürs Genick durchaus. Für einen Moment schwebten die Baumstämme frei in der Luft, sie glichen eleganten Speeren. Sie schienen sich sogar ein wenig zu drehen, kokett und halb entschält durch das vorherige Rutschen in der zugewachsenen Bahn. Sie flogen!

Jennerwein und Hölleisen zuckten zusammen. Sie konnten schaudernd erahnen, wie es ihnen ergangen wäre, wenn Stengele sie nicht gewarnt hätte. Die Holzriese war aber von den Vorvätern mit Absicht so gebaut worden, die Lärchen- und Zirbenstämme mussten hinunterstürzen in das kleine Tal, mitten hinein in den blauen Stürfelsee, an dessen Ufer das Sägewerk stand. Es war noch bis in die siebziger Jahre in Betrieb gewesen, dann hatte es dem Fremdenverkehr weichen müssen: Ein Luxushotel war daraus entstanden: *Zum Alten Sägewerk*, fünf Sterne, Spezialität Gamsragout auf frisch geholzten Zirbelbrettern, Busse nicht willkommen. Der erste Stamm schlug auf der eleganten Terrasse ein, ohne Vorwarnung zerschmetterte er ein Beistelltischchen im Empire-Stil. Der (bis dahin) gelangweilte Oberkellner konnte sich gerade noch durch einen beherzten Sprung zur Seite retten. Der Stamm schlingerte und schwänzelte auf dem glatten Marmor, er rutschte ausgelassen die Terrasse entlang, zerdepperte das mühsam aufgebaute Porzellan, wandte sich Tisch Nr. 4 zu und drückte diesen, ohne die Stühle zu vergessen, mit brachialer Gewalt an die Mauer. Gottlob war das Ehepaar Cusius ein paar Minuten vorher im Streit auseinandergegangen. Der zweite Stamm richtete noch mehr Schaden an, er schlug auf der Terrasse ein wie ein Torpedo. Er bohrte sich in den frisch renovierten Bodenbelag, er riss ihn auf, dass die Fliesen links und rechts wegspritzten, ehe er schließlich im Wasser des Stürfelsees landete. Verletzt wurde niemand, außer vielleicht einem amerikanischen Kaufmann, der einen reparablen Herzinfarkt erlitt. Das Ehepaar Cusius bekam von alledem nichts mit. Sie stritten in ihrem Zimmer. Frau Cusius schrie mit voller Lautstärke, deshalb hörte sie nichts, Herr Cusius hatte, wie immer bei solchen Gelegenheiten, das Hörgerät ausgeschaltet.

Nicole und Maria befanden sich noch mitten im dichten Hochwald. Sie glitten den Abhang mit mäßiger Geschwindigkeit hinunter. Die Schienen waren hier wohl weniger rostig, die Lore machte nicht mehr solch ein Getöse wie vorher, nur ab und zu vernahmen sie ein mäusekleines Quietschen. Ansonsten war es still im Wald. Von den Ereignissen, die sich einen knappen Kilometer südlich von ihnen abspielten (oder gar von den Ereignissen im *Alten Sägewerk*), hatten sie nichts mitbekommen. Sie spähten angestrengt nach links und rechts, doch nichts Verdächtiges war zu sehen oder zu hören.

»Du liebe Güte!«, flüsterte Maria, »hier gäbe es ja tausend Möglichkeiten, sich zu verstecken! Wenn ich hier irgendwo reinkrieche, dann findet mich doch kein Mensch mehr. Nicht einmal Spürhunde kämen hier durch.«

»Sie mögen recht haben, Maria«, erwiderte Nicole leise. »Aber ich glaube nicht, dass sich die Äbtissin irgendwo in den Wäldern versteckt hat. Ich bin wie Stengele überzeugt davon, dass sie schnell raus will aus dem Kurort.«

Maria zeigte nach oben.

»Da, sehen Sie mal!«

Durch die Baumkronen hindurch konnten beide einen Hubschrauber ausmachen.

»Ist das derselbe wie vorher?«

»Das kann man von hier aus nicht erkennen.«

»Ich habe eine Idee«, sagte Nicole, »Ich rufe Ostler an und frage ihn, wer hier mit Hubschraubern rumfliegen darf. So, wie ich den Ort kenne, gibt es eine Menge von Möglichkeiten. Vielleicht können wir den, den wir dort oben sehen, gleich zuordnen.«

Nicole klappte ihr Handy auf.

»Oh, Ostler hat mir eine Zeichnung geschickt. Eine Karikatur von der Äbtissin. Aber was soll das? Soll das witzig sein? Ein Bild der Äbtissin haben wir ja schon, und ein wesentlich besseres dazu. Sie hat uns doch freundlicherweise ihr Passfoto zur Verfügung gestellt.«

Nicole wählte Ostlers Nummer.

»Psst! Moment mal! Ich höre die Stimme von Stengele«, rief Maria. »Lassen Sie uns aussteigen und sehen, was da los ist!«

Sie stoppten das quietschende Gefährt und sprangen aus dem vergitterten Karren.

»Sie ist uns endgültig entkommen«, sagte Hölleisen wütend. »Wir haben uns übertölpeln lassen. Wir stehen hier im dichten Wald, zurück zur Wolzmüller-Alm dauert es bestimmt eine Stunde, nach unten – ich weiß gar nicht, ob es da einen Weg gibt. Und mit einem Polizeihubschrauber können wir uns hier auch nicht abholen lassen.«

Stengele schüttelte erregt den Kopf.

»Aber Hölleisen, damit ist sie doch noch nicht entkommen! Die Umklammerung des Talkessels, die wir aufgebaut haben, ist noch intakt. Die Frau kann nicht einfach hinausspazieren! Ich bin der Meinung, dass unsere Hetzjagd durchaus etwas gebracht hat. Sie hatte bestimmt einen festen Plan, jetzt muss sie improvisieren, und beim Improvisieren macht man Fehler. Und die

Zeit läuft ihr davon. Wir sind ihr ganz nahe gekommen – noch einmal will sie das sicherlich nicht erleben.«

Winkend und rufend näherten sich Maria und Nicole. Hölleisen erzählte, warum sie hier festsaßen und auf welche Weise ihnen die Äbtissin entkommen war.

»Und wie geht es jetzt weiter?«, fragte Maria.

»Hier sollten wir jedenfalls nicht stehenbleiben«, entschied Jennerwein. »Wir steigen nach unten ab. In einer halben Stunde müssten wir bei diesem Seehotel am Stürfelsee sein. Wie heißt der Schuppen noch mal?«

»*Zum Alten Sägewerk*«, sagte Hölleisen.

Sie stapften los. Die Stimmung war gereizt. Alle waren wütend wegen der misslungenen Aktion.

»Stengele, ich will Ihre Meinung hören«, sagte Jennerwein. »Die Äbtissin kennt sich vermutlich bezüglich der Lage der einzelnen Holzriesen besser aus als wir. Sie hat sich vorbereitet. Was aber könnte ihr Ziel sein?«

»Diese Riesen führen immer ans Wasser, deshalb sind sie ja gebaut worden. Allerdings gibt es Dutzende von Möglichkeiten: die Loisach, die Partnach, einige Seen. Die Äbtissin könnte sogar hinüber nach Österreich gelangt sein. Alle Stellen können wir nicht überprüfen, dazu haben wir zu wenig Leute.«

»Was würden Sie machen, wenn Sie raus aus dem Ort wollten?«

»Ich würde nach wie vor zum Krankenhaus gehen. Sie wissen schon: großes Gewirr, viele verschiedene Leute, Geschrei, Gefühlsausbrüche, Hektik. Hubschrauber landen und fliegen weg, Krankenwagen kommen und fahren –«

»Gut«, sagte Jennerwein. »Die Zeit drängt. Wir haben bloß noch einen Mann im Kurort, das ist Ostler. Rufen Sie ihn an, er soll sofort ins Krankenhaus fahren und alle diese Fluchtmöglichkeiten prüfen, von denen Sie geredet haben. Was hat aber Priorität? Auf was soll er Ihrer Meinung nach besonders achten?«

»Ich tippe auf den Hubschrauber.«

»Gut, dann sagen Sie ihm das. Er hat alle Freiheiten. Er kann den Hubschrauberverkehr notfalls auch einstellen.«

Stengele wählte Ostlers Nummer.

»Die Idee von Ihnen beiden fand ich auch sehr gut«, sagte Jennerwein, zu den Frauen gewandt. »Die Hummel dort oben zum Beispiel gefällt mir ganz und gar nicht.«

Schon wieder war ein Helikopter über ihnen zu sehen.

»Ich habe mir von Ostler eine Liste simsen lassen«, sagte Nicole. »Da steht drauf, wer alles einen Hubschrauber haben darf.«

58

Immer bei Föhnlage ist in den Alpen Hochsaison! Das Niederträchtige daran ist, dass ausgerechnet diejenigen Oberwasser bekommen, die ihr Unterholz für das Grillfest schon gesammelt haben.

Eselsbrücke für die nuklear-relevante chemische Verbindung $F_3HN_3O_2U$
(F: Fluor, H: Wasserstoff, N: Stickstoff, O: Sauerstoff und U: Uran)

Hubschrauber gab es mehr als genug im Kurort. Das Technische Hilfswerk besaß einen, die amerikanische Foreign Ski Patrol, der Bundesgrenzschutz, der Malteser Hilfsdienst, das Bayerische Rote Kreuz – von den Rettungshubschraubern Christoph I – IV ganz abgesehen. Die beiden Ortsteile des Kurorts hatten jeweils eine eigene Feuerwehr – Ehrensache, dass es da auch zwei Helikopter gab. Die Bergwacht hatte insgesamt drei, die amerikanische Artillery-Kaserne hatte fünf, die nahe Mittenwalder Gebirgsjägerbrigade kreiste mit insgesamt sieben Kampfbrummern herum, mit Österreich war ein spezielles Abkommen geschlossen worden, das den Helikoptern des Bundesheeres erlaubte, die Grenze bei Manövern zu überqueren. Man hätte sich nicht gewundert, wenn der örtliche Golfclub zu einer Benefizveranstaltung aufgerufen hätte, um für einen eigenen Hubschraubercaddie zu sammeln.

Die Bewohner des Talkessels hatten sich an den regelmäßigen Helikopterlärm gewöhnt. Irgendwo in der Ferne ratterte und plotterte immer irgendein Ungetüm.

Am späteren Abend war es meistens die motorisierte Bergwacht, die versuchte, unvorsichtige Halbschuhwanderer aus eisigen Felsspalten zu fischen. Am frühen Morgen waren es hingegen eher die Krankentransporte, zum Beispiel in das Traumazentrum Murnau, oder, wenn man mehr auf österreichische Heilkünste setzte, in das von Innsbruck.

Jennerweins Team stieg mit energischen Schritten die Abhänge hinunter, die von der Wolzmüller-Alm in den Talkessel führten. Auf richtige Wanderwege kamen sie nicht, und so war der Marsch reichlich halsbrecherisch. Trotzdem telefonierten sie während des Abstiegs, sie hatten sich die einzelnen Hubschrauberleitstellen untereinander aufgeteilt. Nach einer halben Stunde wurden die Abhänge flacher, der Gewaltmarsch war nicht mehr gar so anstrengend, schließlich konnten sie den dunkelblauen Fleck des Stürfelsees erkennen.

»Da schau hin, da kommen wieder so Business-Gschaftlhuber!«, sagte ein Angler zum anderen, als sie das Ufer des Stürfelsees erreicht hatten. »Keine richtigen Bergklamotten – aber jeder hat ein Handy in der Hand.«

Von ferne mochten die Beamten noch als solche durchgehen, bei näherer Betrachtung sahen sie allerdings nicht aus wie überwichtige Angehörige der Businessclass, Euro-Krise hin oder her. Zerlumpt waren sie, blutend und zerkratzt durch die ungewöhnliche Waldfahrt und den anschließenden Abstieg. Am schlimmsten hatte es Jennerwein getroffen. Sein Hemd war blutdurchtränkt, er sah aus, als hätte er einen roten Brustpanzer angelegt. Doch das schien ihn nicht weiter zu stören. Er klappte sein Handy zu. Er hatte gerade mit einem Tiroler Kommandanten des Bundesheers gesprochen. Nein, Fehlanzeige, seit Tagen hätte kein österreichischer Hubschrauber mehr die Grenze überschritten, woll woll. Jennerwein wandte sich an Stengele.

»Hat Ostler sich schon aus dem Krankenhaus gemeldet?«

»Nein, noch nicht«, antwortete Stengele.

»Ich habe ohnehin meine Zweifel, ob die Äbtissin gerade dort versucht, zu entkommen. Gewirr und Chaos herrscht da, ja, das mag schon sein. Trotzdem kann man nicht einfach reinmarschieren und *Auf gehts!* zu einem Hubschrauberpiloten sagen. Die Flüge werden doch alle über die Leitstelle koordiniert. Da müsste man schon in den Funkverkehr eindringen und dort einen fiktiven Krankentransport erfinden.«

»Technisch ist das möglich.«

»Aber haben Sie gesehen, was sie für einen Rucksack dabeigehabt hat? Passt da ein kompletter Funksender rein?«

»Möglich wäre es.«

»Möglich schon. Aber wie wahrscheinlich ist es, dass sie den immer mit sich schleppt!?«

Ostler fuhr mit dem Auto durch den Kurort. Er verzichtete auf Blaulicht und Sirene, er wollte keine Aufmerksamkeit erregen. Ostler dachte nach. Was hatte die Frau vor? Die eine Möglichkeit wäre, sich in den Funkverkehr einzumischen. Das war möglich, aber technisch hochkompliziert. Es gab aber noch eine andere Möglichkeit, mit dem Hubschrauber zu entkommen. Man müsste den mitfliegenden Arzt ausschalten und statt seiner einsteigen.

»Mein Name ist Dr. Müller.«

»Wo ist Dr. Meier?

»Der hatte einen Hexenschuss, ich bin jetzt der Diensthabende. Beeilen Sie sich!«

So etwas in der Art. Vielleicht kein Hexenschuss, sondern etwas Dramatischeres. Ostler stellte das Auto auf den Parkplatz vor dem Klinikum. Er sprang heraus und eilte zum Hintereingang der Notaufnahme. Ihm war nichts anderes übriggeblieben, als seinen Schützling, den Wolzmüller Michl, beim Bürgermeister im örtlichen Gefängnis zu parken. Da war er am sichersten. Der Michl wollte wissen, für was denn das schon wieder gut sein sollte. Ostler hatte es ihm gesagt. Er hatte ihm die Wahrheit erzählt. Bleich war der Michl geworden, und angstvoll hatten seine Augen aufgeblitzt.

»Polizeieinsatz«, rief Ostler atemlos, als er an der Rezeption der Notaufnahme stand. Er zeigte seinen Ausweis. »Ich brauche eine Aufstellung über alle Hubschrauberflüge, die in der letzten Stunde stattgefunden haben.«

»Es haben überhaupt keine stattgefunden. Ist nichts los heute. Kommen Sie im Winter wieder, da ist was los hier.«

»Wissen Sie, ob in der nächsten Stunde ein Flug geplant ist?«

»Nein, nicht dass ich wüsste. Zwei Piloten sitzen in ihrem Warteraum, fragen Sie die doch.«

Ostler sprach mit den Piloten, Ostler sprach mit den Sanka-Fahrern, er sprach mit den Diensthabenden in den Leitstellen. Nichts. Keinerlei Auffälligkeiten, das Übliche. Er schärfte allen seinen Gesprächspartnern ein, jede noch so kleine Abweichung vom üblichen Trott des Notdienstes sofort zu melden. Alle hatten verstanden und zugestimmt. Ostler hatte die Telefongespräche im menschenleeren Treppenhaus geführt, jetzt ging er zurück in den Warteraum vor der Röntgenstation, um über weitere Schritte nachzudenken. Er zählte zwanzig Patienten, nun wurde er einer von ihnen. Sein Gang geriet unwillkürlich schleppend, sein Gesicht bekam schlagartig etwas angstvoll Leidendes. Da Ostler Zivilkleidung trug, hätte er bei Nachfrage etwas von einem Bandscheibenvorfall erzählt. Er setzte sich neben eine Frau Mitte dreißig mit braunem, kurzem Haar und abstehenden Ohren. Neben ihr auf dem Boden stand ein schmutziger Rucksack. Er versuchte, hineinzulugen, aber der Inhalt war mit einem Pullover bedeckt. Die Patientin hatte seinen neugierigen Blick bemerkt und sah ihn mit hochgezogenen Augenbrauen an. Dann zückte sie ihr Mobiltelefon, sie sprach serbisch, vielleicht auch kroatisch oder slowenisch. Russisch war es jedenfalls nicht. Und plötzlich schoss Ostler eine Idee in den Kopf. Es war eine siedend heiße, eine verdammt zwingende und überwältigend schlüssige Idee. Zur großen Überraschung aller Wartenden sprang er quicklebendig auf und raste quer durch das Zimmer hinaus. Er sprang über zwei, drei Gipsbeine, er stolperte fast über eine Krücke, die scheppernd zu Boden fiel. Er trat auf eine Tasche. Er hörte zornige Rufe. Egal. Er rannte zu seinem Auto.

Jennerwein war mit seinem Team am Haupteingang des Nobelschuppens *Zum Alten Sägewerk* angekommen. Das Personal und einige Gäste liefen in heller Aufregung umher.

»Ach, Herr Kommissar!«, begrüßte ihn der Chef de Cuisine und zog ihn am Arm. »Sie sind doch Kommissar Jennerwein, richtig? Gut, dass Sie so schnell kommen konnten! Gehen Sie rein und sehen Sie sich die Bescherung an. Ein Anschlag der Neidgesellschaft! Ein feiges Attentat der Wutbürger! Ein Angriff auf all die, die hart gearbeitet haben und sich hier bei uns –«

Jennerwein unterbrach den Redestrom des Spitzengastronomen.

»Ist jemand zu Schaden gekommen?«, fragte er scharf. »Ist jemand verletzt?«

»Nein, das nicht, aber –«

»Dann leihen Sie mir jetzt ein Fahrzeug aus Ihrem Fuhrpark. Der Mercedes dort drüben, der mit dem Sägewerks-Logo, der sieht mir geeignet aus.«

»Aber den brauchen wir! Eine Lieferung von frischem Hummer!«

»Nix Hummer: Polizeieinsatz, Gefahr im Verzug. Geben Sie mir den Schlüssel.«

»Der Schlüssel steckt. Aber –«

»Stengele, Sie fahren!«

»Wohin, Chef? Zum Revier?«

»Nein, Stengele, fahren Sie erst mal runter in den Ort. Ich habe eine Idee. Was wir jetzt an Fluchtmöglichkeiten durchgecheckt haben, das hat die Äbtissin ebenfalls durchgecheckt. Aber es gibt noch ein paar weitere Möglichkeiten, auf dem Luftweg zu entkommen. Dazu muss ich aber erst jemanden anrufen. Sie werden es nicht glauben, aber der Bürgermeister könnte uns helfen!«

Er wählte die Nummer des Gemeindeoberhauptes. In Zelle 4 des örtlichen Gefängnisses klingelte ein Handy.

Ostler parkte den Wagen einige hundert Meter entfernt vom Landeplatz. Er ging quer über eine Wiese in Richtung des zubetonierten Areals. Ostler zückte sein Fernglas. Er suchte das Gelände ab. Er richtete es nach oben. Weit und breit war kein Hubschrauber zu sehen. Hoffentlich war er nicht zu spät gekommen. Vielleicht hatte er noch eine klitzekleine Chance. In der Nähe des Landeplatzes stand ein kleines Wartehäuschen mit dem Logo des Reisebüros Hacker. Dort warteten ein paar Leute wohl auf den nächsten Hubschrauber. Hacker hatte früher Busreisen in die Umgebung veranstaltet, jetzt hatte sich der umtriebige Geschäftsmann auf eine andere Attraktion spezialisiert: Hubschrauberrundflüge über die Zugspitze. Viele der Einheimischen verachteten diese Art von Tourismus, doch die Rundflüge waren immer ausgebucht, von Landsleuten, die bei sich zu Hause keine oder keine nennenswerten Berge hatten: Belgier, Holländer, Polen und Engländer. Ostler hatte bei Hacker angerufen, die auskunftsfreudige Dame im Büro hatte es ihm bestätigt: Der Hacker-Hubschrauber nahm acht bis zehn Leute auf, dann erhob er sich mit ihnen in die Lüfte. Ostler ging auf den Landeplatz zu, den ihm die freundliche Dame genannt hatte, und im Näherkommen zählte er zehn Menschen, die dort warteten. Er hoffte nur, dass es lauter auswärtige Touristen waren, die ihn nicht kannten. Aber da hätte er sich keine Sorgen zu machen brauchen: Die Meute schnatterte wild durcheinander, er fing fast nur englische und holländische Sprachfetzen auf, dazu ein paar norddeutsche. Niemand sprach bayrisch. Ostler trat noch näher. Er ließ seinen Blick über die Wartenden schweifen. Ein paar hatten sich eine Kapuze übergezogen, vielleicht wegen des Windes der Rotoren. Ostler biss sich voller Selbstzweifel auf die Lippen. Was hatte das für einen Sinn gehabt, hierherzukommen? Er handelte auf eigene Faust, er hatte momentan überhaupt keine Rückendeckung vom Chef. Er hatte zwei-, dreimal bei ihm angerufen, aber es war jedes Mal besetzt gewesen. Vielleicht hätte er das Krankenhaus gar nicht verlassen dürfen. Vielleicht hatte er dort etwas Wichtiges übersehen. Einige der Zugspitztouristen beäugten ihn neugierig. Oder beäugten sie ihn misstrauisch? Sollte er zu einem hingehen und ihm leise ins Ohr flüstern:

»Polizeiobermeister Ostler, Polizeieinsatz. Geben Sie mir unauffällig ihr Flugticket. Entfernen Sie sich langsam von diesem Areal und lassen Sie mich stattdessen mitfliegen.«

Unsinn. Was war das für eine Schnapsidee. Wie sollte er in diesem Fall weiter verfahren? In der Luft die Personalausweise kontrollieren? Ostler stand jetzt nur noch wenige Meter von den Wartenden entfernt. Einige zeigten hoch in die Luft, denn dort oben war, noch ganz klein, ein Hubschrauber im Anflug zu sehen. Er kam rasch näher. Das Geschnatter wurde lauter. Er musste unbedingt Jennerwein anrufen. Er musste sich von ihm weitere Anweisungen holen. Aber bei dem Lärm? Er versuchte, jeden der Touristen unauffällig zu mustern und einen Blick auf sein Gesicht zu erhaschen. Der Hubschrauber war im Landeanflug, die Passagiere eilten auf das Areal zu.

Und dann erkannte Ostler das *Gstell.* Es war eine Frau, die mit dem Rücken zu ihm stand, sie war bekleidet mit einem leichten Windanorak, und sie wippte fast unmerklich auf den Zehenspitzen. Sie war unauffällig, total unauffällig. Er hatte vorhin im Näherkommen ihr Gesicht gesehen, und es glich überhaupt nicht dem Gesicht der Äbtissin auf dem Foto. Dunkle, kurze Haare, viel zu dicke Wangen. Aber sie war die Äbtissin. Es war genau die Frau, die der Michl gezeichnet hatte. Er hatte nicht das Gesicht oder irgendwelche Details an ihrer Statur gezeichnet, er hatte ihre Eigenschaften mit ein paar wenigen Strichen erfasst, ihr *Gstell.* Und genau das sah Ostler jetzt vor sich: die vorgeschobenen Schultern einer durchtrainierten, kräftigen Frau, und ihre Bemühung, unauffällig zu wirken. Sie glich einer Sprungfeder, die bis zum Äußersten gespannt war. Die Frau ging mit den anderen Touristen los, sie drehte den Kopf leicht, so dass er sie im Profil sah. Er bemerkte ihren gehetzten Blick, den sie mit eiserner Disziplin im Zaum hielt. Sie blieb stehen. Fünf Meter vor Ostler stand, mit dem Rücken zu ihm, die gefürchtete Äbtissin.

Der Hubschrauber des Reisebüros Hacker senkte sich herab. Ostler musste jetzt handeln. Jetzt sofort. Er bekam einen Schweißausbruch, seine Knie zitterten. Er musste sich zusammenreißen. Wenn er sie einsteigen ließ, hatte er keine Chance mehr, sie lebend zu fassen. Dann hatten auch die Insassen keine Chance mehr. Dann hatte sie ein Dutzend Menschen in ihrer Gewalt. Er musste jetzt handeln. Er musste sie hier unten am Boden ausschalten. Aber wie, um Gottes willen? Sie hatte sich in die Mitte der anderen Wartenden gekeilt, es war ausgeschlossen, die Schusswaffe zu benützen. Beim ersten Anruf *Halt! Stehenbleiben!* könnte sie sofort eine Geisel nehmen. Wen würde sie sich greifen: den freundlichen Holländer? Das junge Mädchen mit den Zöpfen? Der Hubschrauber setzte auf dem Boden auf. Alle duckten sich und griffen an den Kopf, so wie sie es in vielen Filmen gesehen hatten. Nur die Frau mit der leichten Windjacke stand aufrecht da. Sie hatte keine Angst vor den Rotoren. Sie war schon mit ganz anderen Hubschraubern geflogen. Der Pilot verließ seinen Sitz, er öffnete die Schiebetür und entließ die Touristen, die die Zugspitze gerade umkreist hatten. Einige von ihnen waren kreidebleich, die meisten lachten. Ostler überlegte fieberhaft. Er durfte diese Frau nicht einsteigen lassen, und er sah nur eine einzige Möglichkeit, sie zu stoppen. Er musste den eigenen Körper als Waffe einsetzen. Die Touristen schritten jetzt einzeln auf die heruntergeklappte Treppe zu, die Äbtissin trat schnell vor, sie war die Erste, die hineinsteigen würde. Hinter ihr standen der freundliche Holländer und das junge Mädchen mit den Zöpfen. Die Frau mit dem Anorak zeigte ihr Ticket. Noch bevor der Pilot ihr die Hand reichen konnte, um ihr auf die Treppe zu helfen, ballte Ostler eine Faust und atmete tief durch. Dann startete er. Er rannte, so schnell er konnte, an der Warteschlange vorbei. Die Touristen waren zu verdutzt, um ihn aufzuhalten. Ostler hörte einzelne empörte oder verwunderte Rufe, doch die Geräusche der Rotoren waren laut genug, um sie zu überdecken. Die Äbtissin hatte nichts bemerkt. Jetzt setzte sie einen Fuß auf die Leiter, sie würde gleich den anderen nachziehen. Momentan war ihr Stand alles andere als stabil. Das musste Ostler ausnützen. Er beschleunigte noch einmal kräftig, dann vollführte er eine Grätsche in der Luft und trat seitlich in die Beine der Frau. Er traf sie unterhalb der Knie, er traf sie voll und saftig, es gab ein hässliches Geräusch, sie verlor das Gleichgewicht und fiel die Treppe hinunter. Auch Ostler stürzte zu Boden. Er bemerkte, dass die Äbtissin im Fallen und Straucheln unter ihre Jacke griff. Mit letzter Kraft holte er aus und versuchte, sie auf die Hand zu schlagen. Diesen Schlag hatte sie kommen sehen. Sie rollte sich auf die Seite, und Ostlers Hieb ging ins Leere. Plötzlich spürte er den Würgegriff um den Hals, er spürte, dass ihm jemand auf die Füße trat, er spürte einen Fausthieb ins Gesicht, der ihm fast den Atem nahm. Er wurde grob weggezogen, jemand drehte seinen rechten Schlagarm auf den Rücken drehte und riss ihn hoch. Wütende Beschimpfungen in allen Sprachen prasselten auf ihn ein. Ein Mann hatte eine Frau angegriffen, deswegen gab es keinen, der abwiegeln oder gar helfen wollte. Ostler blutete aus dem Mund und aus der Nase. Er stotterte nur unzusammenhängende Wortfetzen, niemand achtete darauf. Er war zu benommen, um sich zu erkennen zu geben. Schließlich ließ man von ihm ab. Matt hielt er sich an einer Kufe fest.

»Da vorne steht der Hubschrauber!«, rief Jennerwein. »Geben Sie Gas, Stengele. Und halten Sie dreißig Meter davor.«

Stengele trat alle Pedale gleichzeitig durch, schleuderte durch die Wiese und kam dreißig Meter hinter dem Hubschrauber, im toten Sichtwinkel, zum Stehen. Alle sprangen heraus, warfen sich auf den Boden und versuchten, sich mit den Ferngläsern ein Bild von der Lage zu machen. Jennerwein schrie ins Mobiltelefon.

»Ist dort die Leitstelle? Kommissar Jennerwein hier. Versuchen Sie, den Piloten Ihres Zugspitzfluges zu erreichen. Und schärfen Sie ihm ein, dass er auf keinen Fall starten darf. Auf keinen Fall! Er soll es irgendwie hinauszögern. Wie? Technische Probleme oder so etwas!«

Alle hatten ihre Ferngläser herausgerissen, die sie noch von der Bergaktion im Rucksack hatten. Zunächst hatte sich ihnen ein friedliches Bild geboten. Ein Hubschrauber, der gleich starten würde. Eine Traube von zehn Menschen, die sich um den Einstieg drängte. Ein freundlicher Pilot, der die Hand hilfsbereit ausstreckte. Doch plötzlich war Unruhe in die Gruppe gekommen. Panisch fuhren Arme hoch, und einige drängten sich vor, auf eine schlecht erkennbare Gestalt zu, die angegriffen, hin und her gezogen, schließlich zusammengeschlagen wurde. Dann liefen die meisten davon. Die Gestalt sank zu Boden.

»Das ist sie!«, schrie Nicole. »Nicht die Gestalt, die am Boden liegt. Sondern die Frau, die gerade einsteigt. Ich bin mir sicher, dass sie es ist. Ich werde schießen!«

»Nein, Nicole, lassen Sie das. Wir sind zu weit weg.«

»Geht es Ihnen gut?«, schrie der Pilot der Frau ins Ohr, nachdem er ihr aufgeholfen hatte.

»Ja, es geht mir gut«, schrie diese zurück. »Der Typ hat mich die ganze Zeit schon verfolgt! Helfen Sie mir hoch. Ich möchte in den Hubschrauber steigen.«

Ostler hatte nichts davon gehört, aber er hatte die Szene beobachtet. Er nahm seine letzte Kraft zusammen.

»Nein!«, schrie er. »Steigen Sie auf keinen Fall mit ihr in den Hubschrauber. Sie trägt eine Waffe. Ich bin Poli–«

Doch da hatte die Äbtissin ihre Uzi schon unter dem Anorak hervorgezogen. Entsetzt wichen die Touristen zurück. Einige liefen kreischend davon. Keiner dachte mehr an Ostler, der sich mit letzter Kraft unter den Hubschrauber gerettet hatte.

Im Inneren des Helikopters schienen die Rotorengeräusche noch lauter zu dröhnen. Doch der unsanfte Stoß mit der Uzi in den Rücken sprach eine eigene Sprache. Der Pilot stolperte mit erhobenen Händen auf seinen Sitz zu.

»Machen Sie schnell!«, schrie die Äbtissin. »Los, starten Sie!«
Der Pilot setzte den Kopfhörer auf.
»Starten Sie endlich!«
»Ich muss mich – erst mit der Leitstelle – in Verbindung setzen!«, schrie der Pilot stotternd.
Sie gab ihm einen Stoß mit der Waffe in den Rücken. Er nickte wimmernd. Er drückte eine Reihe von Knöpfen, er legte Schalter um, er drehte an chromblitzenden Rädchen, seine Hände zitterten sichtlich, er keuchte laut, er blickte sich angstvoll um.
»Worauf warten Sie?«, schrie die Äbtissin. »Verdammt nochmal, starten Sie endlich!«
Das hatte ihr gerade noch gefehlt. Sie war darauf geeicht, Gefahren zu erkennen, gegen Titanen zu kämpfen, gefährliche Bedrohungen auszuschalten – mit solch einem devoten Warmduscher hatte sie nicht gerechnet. Dieser Mann da schwitzte und wimmerte, er machte sich wahrscheinlich gerade vor Angst in die Hose. Jetzt drehte sich das Weichei nochmals um und blickte sie flehentlich an.
»Bitte, ich kann nicht einfach losfliegen – die Leitstelle – ich habe eine Familie mit Kindern –«
»Na, ganz toll! Eine Familie mit Kindern. Das hat mir gerade noch gefehlt.«
Sie packte ihn mit einer Hand an den Schultern und riss ihn hoch, sie versuchte, ihn aus dem Sitz zu heben.
»Los, stehen Sie auf. Schnell. Ich werde selbst fliegen.«
Der Mann stolperte ungeschickt aus dem Sitz, er riss sich die Kopfhörer vom Kopf, dann taumelte er ein paar Schritte und sackte zusammen. Weinte der Typ? Sie legte ihre Uzi auf den Boden und packte ihn mit beiden Händen am Kragen, um ihn ganz aus dem Weg zu schaffen. Endlich saß er wimmernd auf einer Werkzeugkiste. Die Äbtissin warf einen kurzen Blick aus

der offenen Tür. In der Ferne waren ein paar der flüchtenden Touristen zu sehen. Sonst weit und breit kein Mensch.

»Stengele, Sie geben mir Deckung, ich schleiche mich im toten Winkel zum Hubschrauber«, sagte Jennerwein. »Nicole, Sie folgen mir in einigem Abstand. Sie kümmern sich um den leblosen Mann unter dem Hubschrauber. Hölleisen, verfolgen Sie weiter den Funkverkehr zwischen Pilot und Leitstelle, vielleicht können wir so die Situation besser einschätzen. Maria, Sie –«

»Ich weiß«, sagte die Psychologin. »Ich kümmere mich um die verschreckten Touristen.«

Alle reckten ihre Daumen in die Luft, um sich gegenseitig Glück zu wünschen. Jennerwein warf einen kurzen Blick zu Maria. Sie wusste, dass sie ihn nicht zurückhalten konnte. Jennerwein lief los.

Sie musste sich beeilen. Als sie kontrolliert hatte, ob sich außer diesem idiotischen Piloten sonst noch jemand im Hubschrauber befand, hatte sie dreißig Meter hinter dem Heck einen Mercedes bemerkt. Was sollte denn das? Sie musste endlich los.

Jennerwein war bis unter die Einstiegsluke gerobbt, nun kauerte er dort und wartete auf eine günstige Gelegenheit zum Zugriff. Er hatte sich gerade noch rechtzeitig weggeducken können, als die Äbtissin sich umgedreht und aus der offenen Luke geschaut hatte. Es wurde vollkommen ruhig um Jennerwein. Er wusste, wenn er diese Aufgabe erledigt hatte, dann hatte er seine Arbeit vollständig und ganz erledigt. Er hörte nichts mehr, keinen Mucks, keinen Laut. Die Hubschrauberrotoren liefen auf Hochtouren, aber er hörte keine Geräusche. Er war nur noch auf seine Hand konzentriert, die eine Pistole hielt, und auf die Äbtissin, die dort im Hubschrauber über einen liegenden Mann gestiegen war, kurz hinausgesehen hatte, dann wieder zu ihrer Uzi gegriffen hatte. Jennerweins Blick blieb an der leblosen Gestalt hängen, die unter dem Hubschrauber lag. Um Gottes willen, das war Ostler! Wie kam Johann Ostler hierher? Er konnte ihm jetzt nicht helfen, Nicole würde gleich da sein und sich um ihn kümmern. Jennerwein hob den Kopf, zog sich über die Kante des Bodenplateaus und wagte einen Blick ins Innere des Hubschraubers. Die Äbtissin saß jetzt auf dem Steuersitz. Die eine Hand hatte sie schon am Steuergriff, in der anderen hielt sie immer noch die Waffe. Sie hatte Jennerwein den Rücken zugewandt. Es war viel zu laut, um sich bemerkbar zu machen. Und ihr ohne Vorwarnung in den Rücken schießen? Nein. Er musste ihre Hand treffen, und das musste beim ersten Schuss klappen. Jennerwein kam vollkommen zur Ruhe. Es war so ruhig, dass er nur noch sein eigenes Atmen hörte. Jennerwein setzte einen Fuß auf die Treppe, stützte sich ab und hob die Waffe. Doch jetzt, verdammt nochmal! Der Pilot hatte sich wieder aufgerappelt und sich zwischen ihn und die Äbtissin mitten in die Schussbahn gesetzt. Jetzt war es unmöglich, eine Kugel abzufeuern. Jennerwein ließ die Waffe sinken und griff in die Tasche. Dort steckte das kurze Ende der Drahtschlinge, mit dem seine Hände gefesselt worden waren.

Plötzlich ging ein Ruck durch den Hubschrauber, der Pilot rutschte zur Seite, er wurde durch die Luft geschleudert und knallte unsanft gegen die Seitenscheibe. Jennerwein hielt sich am Gestänge fest, er strampelte, er fand keinen Boden mehr unter den Füßen. Die Äbtissin hatte den linken Steuerhebel hochgezogen und war mit dem Helikopter gestartet. Die Motoren jaulten auf, er hatte abgehoben, er musste schon ein paar Meter Höhe erreicht haben. Jennerwein durchschoss eine Welle heißer Wut. Jetzt hatte er die Gelegenheit, anzugreifen, endgültig versäumt. Der Hubschrauber drehte und schwenkte, mit einem Riesensatz wurde der Kommissar durch den hinteren Fahrgastraum geschleudert. Er krachte mit den Schultern an eine Eisenstrebe, doch er konnte sich festhalten. Durch die Schwenkbewegung des Hubschraubers war er ins Innere geworfen worden. Er war jetzt nur noch zwei Meter entfernt von der Äbtissin. Plötzlich drehte sie sich um. Ihre Blicke trafen sich. Sofort riss sie ihre Waffe in seine Richtung, doch es war für sie unmöglich, mit einer Hand abzudrücken. Sie musste Höhe gewinnen, um beidhändig schießen zu können. Jennerwein zog sich an der Strebe hoch, er stellte sich breitbeinig hin, um einigermaßen Stand in dem in alle Richtungen trudelnden Gefährt zu haben. Er ließ die Drahtschlinge durch die Hand gleiten und spannte sie. Dann hechtete er auf die Frau zu, er warf ihr die Schlinge über den Kopf, zog sie zu und riss den Draht nach oben. Der taumelnde Hubschrauber verstärkte seine Bemühungen nur. Die Äbtissin war auf alles Mögliche gefasst, aber mit ihrer eigenen Waffe angegriffen zu werden – das hatte sie nicht erwartet. Sie ließ den Steuerbügel los, der Hubschrauber kippte nach einer Seite ab. Jennerwein hielt die Schlinge fest in der Hand. Die Augen der Äbtissin weiteten sich. Ihre Hand, die die Uzi umfasste, zitterte. Die Hand erschlaffte. Die Finger der Hand öffneten sich langsam, sie ließen die Uzi los. Die Waffe fiel zu Boden. Sie rutschte aus dem Hubschrauber und fiel hinunter in die Tiefe. Bewusstlos kippte die Äbtissin vom Pilotensitz. Jennerwein warf einen Blick aus dem Fenster. Der Hubschrauber schien sich in dreißig Meter Höhe zu befinden. Vielleicht waren es auch hundert Meter. Wenn man noch nie im Leben in einem Hubschrauber geflogen ist, kann man das schlecht abschätzen.

*Dieses Buch ist auf chlorfreiem Papier gedruckt.
Das Holz stammt aus den Lärchen- und
Zirbelbeständen der Wolzmüller-Alm.*

Eine schöne Leich'

Unter einer Leich' versteht man im Bayrischen nicht nur den Körper des Verstorbenen, sondern so nennt man auch die anschließende Beerdigung, um die sich viele Sitten, Bräuche und G'spaßettln ranken. Zu einer authentischen oberbayrischen Leich' gehören neun Dinge: eine Rührung, eine Blasmusik, eine Schützensalve der Gebirgsjäger, eine traurige Rede auf den Verstorbenen, eine staade Totenmesse, eine Schlägerei, ein Zirbelholzsarg, ein opulenter Leichenschmaus, schließlich natürlich der Tote selbst. Der Tote selbst – das war in diesem Falle der ehemalige Hüttenwirt Rainer Ganshagel, und er wurde sanft und vorsichtig hinuntergelassen in das Ganshagel'sche Familiengrab. Der Kies knirschte, die Blasmusik spielte ♫ *Ja, mia san mit'm Radl da …* – das war 1972 einer der deutschen Nummer-eins-Hits, und 1972 war das Geburtsjahr Ganshagels. Der Viersternefriedhof, der sich unterhalb des Kramergebirges ausbreitete, füllte sich zusehends mit Trauergästen, denn zum einen kam es nicht alle Tage vor, dass ein leibhaftiges Mordopfer begraben wurde, zum anderen war dieser Verstorbene ein allseits geachteter Ehrenmann gewesen, einer, der die alten Bräuche hochgehalten hatte und der aus der verwahrlosten Alm ein glänzendes Symbol des prosperierenden Fremdenverkehrskurortes gemacht hatte. Wenigstens die ersten zwei Jahre lang.

Die Blasmusik verstummte, nur die Basstuba erlaubte sich noch ein paar Töne extra. Dann sprach der Pfarrer, er hielt seine Rede wirklich weihrauchduftend und salbungsvoll, er erwähnte auch ausdrücklich, dass es ohne solche wie den Ganshagel ganz anders ausschauen würde im Loisachtal. Aber ganz anders. Das Wetter war herrlich, das Gipfelkreuz der Kramerspitze blitzte listig herunter auf die gutgekleidete Trauergemeinde, die vier Sargträger zogen die Seile wieder herauf und wischten sich den Schweiß von der Stirn. Die Blasmusik spielte die zweite Strophe des 1972er Hits.

»Ja, sag einmal: Was ist denn da droben los?«, fragte die Hirnbircher Ludmilla ihre Nachbarin und deutete in die Höhe, gegen die Sonne, hinauf zu einer bestimmten Stelle am massiven Bergsockel des Kramergebirges. »Irgendwas blitzt da, Frau Nachbarin. Ich kann aber ohne Brille nicht sehen, was das ist.«

Die Nachbarin kniff die Augen zusammen und lugte nach oben, sie konnte aber ebenfalls nichts erkennen.

»Du meinst die Stelle zwischen dem Spickenfrieder und der Königsleite?«, fragte sie. »Dahinter liegt doch die Wolzmüller-Alm, oder nicht?«

Man hatte vom Friedhof aus keinen direkten Blick auf die Wolzmüller-Alm, natürlich nicht, deshalb war sie ja ausgewählt worden von den dunklen Mächten zu heimlichen und blickgeschützten Treffen. Aber weiter unten konnte man ein Stück des Wegs sehen, der hinauf zur Alm führte. Und genau an dieser Biegung, da blinkte und blitzte es. Außer der Hirnbircher Ludmilla war das niemandem aufgefallen, die anderen Trauergäste konzentrierten sich auf die Leich', denn heute war viel geboten auf dem Viersternefriedhof. Jetzt zum Beispiel kam ein Programmpunkt, bei dem alle unwillkürlich ein Stück näher traten, hin zum offenen Grab des verblichenen Hüttenwirts. Dort baute sich nämlich der Rösch Sigi auf, der in voller Werdenfelser Tracht gekleidet war. Alles stimmte an ihm, er stand da, als wäre er gerade aus dem Heimatkundebuch herausgesprungen. Er hatte heute nur zusätzlich eine schwarzsamtene Trauerschärpe um, die leicht im Wind flatterte. Der Rösch Sigi trat ans offene Grab, stellte sich in Positur, seine Hände formten einen

Trichter vor dem Mund, und dann legte er los: ♫ *Djäädui-o …* jodelte er hinunter in die Grube, die Trompeten von Jericho waren ein müdes Säuseln dagegen. Der Rösch Sigi pflegte nämlich den alten Brauch des Ins-Grab-Nachjodelns. Der Rösch Sigi war der Einzige, der diesen schönschaurigen Brauch noch pflegte. Dabei wurden ganz besondere, oft extra für den Verstorbenen komponierte, klagende, elegische Jodler gejodelt, die an das Totengeplärr der antiken Klageweiber erinnerten. Die Kunst war auch die, sich möglichst weit vorzubeugen, dabei jedoch nicht hineinzufallen ins frisch Ausgeschaufelte – was leider schon öfters vorgekommen war und als böses Omen für die hinterbliebene Familie gewertet wurde.

»Schön jodelt er wieder, der Rösch Sigi«, sagte die Hirnbircher Ludmilla zu ihrer Nachbarin. Und sie musste weinen.

»Weshalb weinen Sie?«, fragte sie ein hinter ihr stehender Mann. Sie drehte sich um. Ihr Blick fiel auf drei unauffällige ältere Herren in europäischen, bequemen Sommeranzügen. Sie trugen verspiegelte Sonnenbrillen. Einheimische waren das nicht, das konnte man sehen. Man hätte sie für Touristen halten können, zum Beispiel für drei Amerikaner aus Springfield / Illinois, die den bayrischen Sitten und Gebräuchen hobbymäßig auf der Spur waren. Einer hob eine Videokamera und filmte den Rösch Sigi, obwohl doch das Optische am Rösch Sigi das am wenigsten Schmeichelhafte war. Im Zentrum stand seine Jodelei. ♫ *Diöui-haija …* knödelte und jauchzte er, und alle drei führten die Hand zum Ohr, um ihm besser lauschen zu können. Sie stützten sich auf ihre Stöcke.

»Wenn der Rösch Sigi jemandem ins Grab nachjodelt«, sagte die Hirnbircher Ludmilla, »dann muss ich immer weinen.«

»Ins-Grab-Nachjodeln! Von diesem Brauch haben wir noch nie gehört«, sagte Pratap Prakash verwundert.

Die Pensionswirtin Rosalinde Üblhör hatte den (wie sie meinte) amerikanischen Geschäftsleuten bei ihrer Abreise vor ein paar Tagen dringend und mehrmals ans Herz gelegt, unbedingt noch bei einer typisch bayrischen Beerdigung vorbeizuschauen. Ohne eine Leich' könnte man das bayrische Wesen nicht beurteilen. Da hatte es sich doch gut getroffen, dass der arme Ganshagel just heute eingegraben wurde. Der Rösch Sigi schwieg nun, die Blaskapelle schwieg sowieso, der Rabe, der die Trauergemeinde vom Kastanienbaum aus begutachtete, knurzte ein wenig und putzte sich das schwarze Totengefieder. Der Rösch Sigi sandte nun doch noch einen leisen Jodler ins Grab, einen Hauch, es war eher ein Wehklagen als ein Gesang. Er wurde immer leiser, bis schließlich absolute Stille herrschte.

Pratap Prakash beugte sich zu Dilip Advanis Ohr.

»Ein schöner Brauch.«

»Da sagst du etwas ganz und gar Wahres. Der Österreicher hat doch auch von solchen Bräuchen erzählt. Ich habe jedoch nie wirklich Vertrauen zu ihm gefasst.«

»Ich hingegen finde es gut, dass dieser merkwürdige Österreicher aufgetaucht ist. So mussten wir wegen diesem noch merkwürdigeren Tunesier nichts unternehmen.«

»Geduld'ges Warten ist des Weisen Lust«, jambte Dilip Advani.

»Mir gefällt es jedenfalls in diesem Kurort. Gut, dass wir noch einmal zurückgekommen sind. Ich könnte mir sogar vorstellen, mich hier niederzulassen. – Und dann dieses stimmungsvolle Begräbnis!«

»Das ist richtig. In diesem Köln, wo wir waren – da gab es solche Beerdigungsfeierlichkeiten jedenfalls nicht.«

»Ich habe gehört, dort nennt man diese Festivitäten Karneval.«

Der stumme Raj Narajan schrieb etwas auf einen Zettel:

Seht dort. Vier Männer. Zwei Frauen. Polizisten?

Raj Narajan deutete die Richtung mit dem Kopf an. Dann strich er das Fragezeichen hinter dem Wort Polizei durch und machte ein Rufzeichen draus. Nur ein genauer Beobachter hätte bemerkt, dass solch ein uralter Mann nicht eine derart flinke Kopfbewegung machen konnte.

Dass die vier Männer und die zwei Frauen Polizisten waren, hätte hingegen selbst ein flüchtiger Beobachter bemerken müssen. Hubertus Jennerwein, Johann »Joey« Ostler, Franz Hölleisen und Ludwig Stengele, daneben Maria Schmalfuß und Nicole Schwattke, standen eng in einer phalanxähnlichen Formation zusammen, auch sie hatten nicht den riesigen Andrang bei Ganshagels Beerdigung erwartet. Jennerwein war über und über verklebt und verpflastert, ein Arm war eingegipst, er trug eine Augenklappe und eine riesige Halskrawatte. Mit dem gesunden Arm stützte er sich auf einen Stock, aber im Gegensatz zu den drei alten Herren brauchte er wirklich einen. Ostler war in gleicher Weise lädiert. Drei Rippen hatten ihm die wütenden Touristen eingedrückt bei seinem Einsatz vor dem Hubschrauber, sein Gesicht war geschwollen, seine gebrochene Nase hielt nur eine Gipsform gerade, seine Augen waren blutunterlaufen, den rechten Arm trug er in der Schlinge, und einen Fuß zierte ein strahlend weißer Verband. Ansonsten war auch er wohlauf. Kurz darauf, der Rösch Sigi hatte ausjodelt mit einem heiteren ♫ *Guckguckhollaradio …*, humpelten die beiden, gestützt von ihren Kollegen, am offenen Grab des Rainer Ganshagel vorbei, sprachen den traditionellen persönlichen Abschiedsgruß und warfen ein Schäufelchen beste Heimaterde hinein.

Dem Ganshagel hatten sie ja nicht mehr helfen können (der bemitleidenswerten Frau Schultheiss von vornherein und erst recht nicht), aber die Äbtissin war in einer spektakulären Aktion dingfest gemacht worden, und als die Polizisten langsam am Grab vorbeizogen, nickten viele Bürger anerkennend, wenn nicht bewundernd. Sie stießen sich an und deuteten mit den Fingern auf die Beamten. Es wurde freundlich gelacht, mancher Daumen reckte sich nach oben. Es hätte nicht viel gefehlt, und es hätte Applaus gegeben am Grab. Obwohl der Oberbayer barock und voller Überschwang ist, wäre das aber doch etwas zu viel des Guten gewesen.

»Wer richtet die Leich' aus? Der Kohnitzer? Der Ruhe-sanft-Kohnitzer! Dass ich nicht lache!«

»Ich möchte gar nicht wissen, wer die Leich' ausgerichtet hat. Wie die den Sarg hinunterfahren haben lassen! Unglaublich! Keine Pietät, keine Würde, nichts.«

Kohnitzer und Söhne war der Hauptkonkurrent des renommierten Beerdigungsinstitutes Grasegger *(gegr. 1848)* gewesen, eine gewisse Animosität gab es immer noch. Ursel und Ignaz begutachteten alle Handgriffe des Konkurrenten naturgemäß kritisch. Das Arrangement des Blumenschmucks. Die Organisation des Trauerzugs. Die Beratung der Trauernden. Die ganze thanatologische Palette eben. Sie waren natürlich wegen Rainer Ganshagel da, klar. Es tat ihnen von Herzen leid, dass sie ihm nicht mehr hatten helfen können. Aber das Leben geht weiter, und eine Beerdigung setzt auch manchmal einen Neuanfang. Der von Swoboda angeregte Plan mit den kleinen Goldgießereien, die dann kleckerlweise an viele Altgoldhändler verscherbelt werden sollten, war nicht das Richtige für die Graseggers.

Ursel und Ignaz waren keine Kleckerer. Ihr Name war Klotz. Sie hatten schließlich einen Käufer gefunden. Einen einheimischen, weitsichtigen Privatier, der auf Gold setzte. Und der in schönen, nicht fortlaufend nummerierten und gebrauchten kleinen Scheinen zahlte. Ursel stellte ihre Tasche auf die Erde. Die Tasche wurde weggenommen. Und eine andere hingestellt. Kein Mensch achtete darauf, denn die Blasmusik hatte wieder begonnen, diesmal mit einem stimmungsvollen Trauermarsch.

»Jetzt sind wir wieder flüssig«, sagte Ursel leise.

»Vorerst zumindest«, erwiderte Ignaz. »Aber langfristig geht das nicht mehr so weiter. Wir können unseren Beruf nicht mehr ausüben. Jeder würde bei uns beerdigen, aber wir dürfen es halt nicht.«

»Und wenn wir in die Politik gehen –«

»Davon können wir wahrscheinlich nicht leben.«

Ignaz spielte auf die Idee mit der Bürgermeisterkandidatur an. Auch heute wieder waren die beiden von vielen Bürgern zum Kandidieren gedrängt worden. Sie hätten gute Chancen gehabt.

»Und was hältst du von meiner Geschäftsidee mit den Knöcherlputzern?«

»Die Sache, die du mit dem Swoboda ausgeschnapst hast? Ich weiß nicht so recht. Das müsste man noch einmal durchkalkulieren.«

Karl Swoboda befand sich ein paar hundert Kilometer weiter südlich. Ein gottverdammt lauer Abend senkte sich über die italienische Landschaft. Der Mond saß wie ein gelangweilter Silberdachs im Wipfel einer Pinie. Träge und gleichzeitig kraftvoll sprang er vom Ast ab und kletterte die stahlblaue Himmelswand hinauf. Kraniche trompeteten, Zikaden zirpten, Zitronen barsten. Karl Swoboda hatte den schweigsamen Tunesier an seinem Bestimmungsort abgeliefert, ein Gespräch mit ihm war kaum möglich gewesen. Die beiden Länder hatten auch keine große Geschichte miteinander. Swoboda parkte und trat in die stilvolle Villa von Padrone Spalanzani. Der Mafiaboss war ein großer Verehrer von Marlon Brando, er imitierte ihn perfekt. Opernmusik quoll aus den Lautsprechern, und das keineswegs gedämpft. Giuseppe, der Leibwächter, stand im Hintergrund. Padrone Spalanzani fuhr mit einer Gabel in einen Teller dampfender Pasta.

»Du hast gute Arbeit geleistet, Swoboda«, heiserte der Padrone.

»Danke, ich habe nur meinen Job gemacht«, erwiderte der Österreicher gezielt bescheiden. »Eine Frage habe ich aber schon. Warum wurde sie eigentlich *Äbtissin* genannt?«

Der Padrone machte ein listiges Gesicht. Ein Anflug von Stolz schwang in seiner Stimme mit.

»Ich war damals selbst mit dabei, als sie ihren Kampfnamen verpasst bekam. Ich habe ihr den ersten Auftrag gegeben, Treffpunkt war im Kuppelraum der Uffizien von Florenz.«

»Die Bildergalerie?«

»Ein Frauenporträt wird dir dort sofort auffallen. Es ist ein Ölgemälde des Renaissancemalers Matteo Ritornelli, es zeigt die Schwester des elften Herzogs von Poggionativo, die ja bekanntlich ins Kloster gegangen ist und später Äbtissin wurde. Die Ähnlichkeit dieser Duca della Poggionativo mit der ehemaligen Kunstspringerin ist frappierend. Niemand außer ihr hat so dagestanden. Wie eine Sprungfeder.«

»Verstehe. Seit diesem Treffen in den Uffizien hieß sie nur noch die Äbtissin.«

»Und diese bis dahin unbesiegbare Abbadessa ist von einem

Provinzpolizisten ausgetrickst worden«, sagte Padrone Spalanzani. Er sagte es nicht ärgerlich. Er sagte es amüsiert, sogar eine Spur Bewunderung klang mit.

»Ja, da hast du recht, Padrone«, sagte Swoboda. »Man glaubt es kaum. Aber dieser Jennerwein hat mit seinen Leuten das geschafft, was kaum einer von uns geschafft hätte.«

Padrone Spalanzani stach mit der Gabel in ein Nest Strozzapreti.

»So einen wie den Jennerwein bräuchten wir in unseren Reihen«, sagte der Padrone langsam. Er hob das Glas mit bestem Montepulciano in die Höhe, kippte es und schüttete einen Schluck auf den Holzboden.

»Eine Opfergabe«, sagte er. »Für Marlon Brando.«

Die Beerdigung auf dem Viersternefriedhof im Kurort hatte ihren Höhepunkt mit dem Auftritt des Rösch Sigi gehabt. Die Trauernden hatten sich viele inbrünstige und tränenerstickte Reden angehört, einige Schwarzschmatzer ließen es sich auch nicht nehmen, auf die anwesenden Polizisten hinzuweisen, die *unter Einsatz ihres Lebens* (Schützenvereinsvorsitzender Meyer) und *ohne auf ihre Gesundheit zu achten* (Feuerwehrhauptmann Mirgl) *die feige Mörderin des rührigen Hüttenwirts* (Sparkassendirektorin Schmitz-Neumann) *in vorbildlicher Weise* (Hotel- und Gaststättenverbandsvorsitzender Mühle) *den dunklen Seiten der Welt die Stirn geboten hätten* (Kassier des Schafkopfvereins Hallauer) *und als Zierde des gesamten Beamtenstandes* (OStD Dr. Meismayr) *dem Bösen das Handwerk gelegt hatten* (Skiclubpräsident Heppl). Die Menge zerstreute sich.

»Geht ihr noch mit zum Leichenschmaus in die Rote Katz?«,

fragte die Exfrau von Ganshagel, die sozusagen auf einen Schlag zur Exwitwe geworden war.

»Ja, freilich gehen wir mit!«, antwortete Ostler und nickte den anderen aufmunternd zu. »Das sind wir dem Rainer schuldig.«

Jennerwein blickte wenig begeistert unter seinen Verbänden hervor. Aber er musste sich fügen, er war es seinem Team schuldig. Und auch Ganshagel.

»Schön, dass Sie meinen Exmann gerächt haben, Herr Jennerwein«, sagte die Witwe. Schwarz stand ihr gut.

»Ich weiß nicht, ob *rächen* der richtige Ausdruck ist«, sagte Jennerwein müde, und ein kleines Lächeln entkam ihm unter den Verbänden.

»Sie wissen schon, wie ichs meine, Herr Kommissar. Wollen Sie beim Leichenschmaus neben mir sitzen?«

Die Ex berührte Jennerwein leicht an der Schulter.

»Nein, fassen Sie da nicht hin«, fauchte Maria. »Da tuts ihm besonders weh.«

Und so brachen sie auf zur Roten Katz, die praktischerweise direkt am Weg zum Friedhof lag. Maria stützte den humpelnden Jennerwein, der momentan gar nicht wie der wilde Rächer aussah, eher wie der zweite Sieger. Er aber war der erste Sieger geblieben. Er hatte in einem schlingernden und taumelnden Hubschrauber gestanden, er konnte sich gerade eben so auf den Beinen halten, und er versuchte verzweifelt, das Gefährt zu steuern. Die Äbtissin lag würgend und hustend am Boden, Jennerwein riss den linken, den Auf-Ab-Hebel nach oben. Entsetzt bemerkte er, dass sich der Hubschrauber zwar hob, gleichzeitig aber auch auf einen bewaldeten Hang zuflog. Er riss den rechten Hebel hoch, doch er raste immer weiter auf den Bergwald zu. Jennerwein wusste, dass er es allein nie schaffen würde. Er rüttelte den bewusstlosen Piloten, er ohrfeigte ihn, er zog ihn hoch.

»Sie müssen sofort übernehmen!«, schrie er ihn an. Der Pilot schlug die Augen auf. Er begriff die Lage sofort. Er rappelte sich auf, er wurde von Jennerwein zum Sitz gezogen. Ein paar Baumspitzen hatten sie schon gestreift, der Pilot manövrierte fluchend und schreiend, dann setzte er schließlich unsanft auf einer Waldlichtung auf. Die Landung stand so nicht im Lehrbuch, aber sie ging glimpflich aus. Die Äbtissin hatte sich schon wieder halb aus der Schlinge befreit, sie kroch den Boden entlang und streckte ihre Hand nach der Uzi aus. Doch in dem Moment stürmten Stengele und Hölleisen herein. Alle vier Mann waren nötig gewesen, um die Frau zu überwältigen. Drei Tage war das her, aber erholt hatte sich noch niemand im Team von den Strapazen.

Als die Rote Katz schon in Sichtweite war, stieß plötzlich eine dunkle Gestalt zu der Gruppe.

»Grüß dich, Michl!«, sagte Ostler. »Warst du auch auf der Beerdigung?«

Keine Antwort. Aber das war man gewohnt.

»Wir haben dich gar nicht gesehen.«

»Viele Leute.«

»Ja, freilich waren viele Leute da. Der Gansi hat es doch verdient, dass er eine schöne Leich' mit vielen Reden kriegt. Schade, dass die Frau ohne Gesicht, die niemand vermisst, keine solche Beerdigung bekommt.«

Keine Antwort. Der Michl ging neben den Beamten her.

»Dankschön Michl, dass du uns geholfen hast«, sagte Ostler, der sich fast mit ihm angefreundet hatte.

Wieder Schweigen.

»Was ich bei dir im Keller gesehen habe«, fuhr er fort, »das hat mich schon recht beeindruckt! Ich habe selten so schöne Zeichnungen gesehen. Willst du denn weitermalen?«

Ostler warf einen Blick zum Michl hinüber. Er hatte eigentlich überhaupt keine Reaktion von ihm erwartet, doch jetzt sah er ein Glimmen in seinen Augen. Es war nur ein kurzes, helles Glimmen, das sofort wieder erlosch und den üblichen trüben, stumpfsinnigen Blick zurückließ.

»Mich täte es jedenfalls freuen, wenn du weitermalst«, sagte Ostler.

Ein zünftiger Leichenschmaus

Unter dem Begriff *Leichenschmaus* versteht der Bayer nicht etwa den zornigen Aufschrei eines Vegetariers angesichts einer kross gebratenen Ente, vielmehr ist darunter die Festivität nach einer Leich' zu verstehen. Die Hinterbliebenen tischen kräftig auf, und sie zahlen natürlich alles. Rein erbrechtlich gesehen schmilzt dadurch die Erbmasse, und mancher direkte Verwandte hat schon scheel auf die schnapsvertilgenden Kegelbrüder und Betschwestern des Verblichenen geschaut. Doch meistens geht es bei solch einem Leichenschmaus friedlich und fröhlich zu. Gut, es ist kein ausgelassener Mardi Gras, kein Dixieland-Jazz-Begräbnis wie in New Orleans, aber viel fehlt nicht dazu. Man redet über den Verstorbenen, natürlich *nichts außer Gutes*, daran hält man sich, wenigstens beim Leichenschmaus. Nach dem Essen spielt die Musik, dann wird, in Maßen, getanzt. Die kleinen Kinder schlafen unter den Tischen, erste Raufereien heben spielerisch an, Gstanzl über den Verstorbenen werden intoniert, und manch armer Teufel ist nicht nur gestorben, sondern es tritt bei seinem Leichenschmaus auch noch der Rösch Sigi auf und jodelt. Das sind Ausnahmen, aber heute war es so.

Eine Schlägerei war heute jedenfalls kaum zu erwarten, es traute sich wohl niemand wegen der massiven Anwesenheit von bewaffneter Staatsmacht. Obwohl: Konnte man bei einer solch lädierten Polizei überhaupt noch von Staatsmacht reden? Die Beamten hatten Platz genommen, und ganz ohne Dienstliches ging es natürlich nicht ab. Nach dem ersten Begrüßungsschnaps durch den Wirt –

»Das ist ein Schnapps, das sage ich euch, ein Schnapps mit zwei p, wie es nur in der Roten Katz einen gibt! Herzliches Beileid alle miteinander! Die erste Runde geht auf mich, auf den Wirt der Roten Katz, prost!«

– und nach noch einem traditionellen zweiten Schnaps, den die Witwe ausgeben musste, kamen ein paar Hochrufe, ein paar kleinere Reden. Und dann herrschte allgemeines Wirtshausgebrabbel.

Nicole hatte darauf gewartet. Sie beugte sich verschwörerisch vor. Die anderen neigten sich zu ihr.

»Interpol hat gerade angerufen«, sagte sie. »Die platzen vor Neid, dass wir die Äbtissin gefasst haben. Sie war übrigens auch bekannt unter den Namen Der Schakal, Der Hammer, Die Zange, Der Mexikaner – und so weiter. Mehrere echt hochkarätige Fälle können nun auf sie zurückgeführt und vermutlich gelöst werden. Und ausgerechnet hier bei uns –«

»– in diesem Provinznest – das haben Sie doch gemeint, Frau Schwattke?«, sagte Hölleisen schmunzelnd.

»Woinns raffa?«, sagte Nicole mit gespielt aufbrausender Wut.

Alle lachten über den Recklinghäuser Versuch, bayrisch zu reden.

»Nein, ich will keine Rauferei«, entgegnete Hölleisen.

»Die Äbtissin ist der Hauptfang, gewiss«, sagte Stengele, der sich als Einziger ein Weißbier bestellt hatte. »Trotzdem ist es jammerschade, dass uns die anderen Seminarteilnehmer entkommen sind.«

Er nahm einen Schluck. Jennerwein hob den gesunden Arm.

»Warten wirs ab«, sagte der Kommissar. »Becker hat in diesem Punkt vielleicht eine Überraschung für uns.«

»Ein Blatt mit der Teilnehmerliste, das hinter ein Fensterbrett gefallen ist?«, fragte Maria.

»Nein, im Ernst. Becker untersucht gerade Froschaugen mit dem Elektronenmikroskop. Es gibt da ein neues optographisches Verfahren –«

Jetzt aber war kein Gespräch mehr möglich, denn der Wirt der Roten Katz klopfte an eine überdimensionale Pfanne.

»Saure Knödel – hab ich nicht gemacht, das verstehen sicher alle. Die hätten den Vergleich mit den sour dumplings vom Rainer Ganshagel nie und nimmer ausgehalten. Es gibt vielmehr eine Spezialität von mir, eine aufgeschmaltzene Brotsuppe – aber eine mit tz, das sage ich euch.«

Seine Frau, die Wirtin der Roten Katz, trug zwei Servierbretter mit überschwappenden Suppentellern herein. Die Witwe Ganshagel ließ es sich nicht nehmen, Jennerwein einen Teller zu servieren.

»Ich heiße Elsie«, sagte die Witwe, und ihre Wangen waren gerötet vom Kirschgeist.

»Hubertus, Sie können jederzeit mit mir den Platz tauschen, wenn Sie in Ruhe essen wollen«, sagte Psychologin Maria Schmalfuß, und in ihrer Stimme klang jetzt großer Ärger mit.

Die ganze Trauergesellschaft machte sich nun über die aufgeschmal*tz*ene Brotsuppe her, und das tz schmeckte man tatsächlich heraus. Die Gesichter hellten sich nach und nach auf.

»Wo bleiben denn eigentlich die Ursel und der Ignaz?«, fragte der Rösch Sigi und löffelte sich die heiße Brühe als Kehlengold hinein. Die Graseggers suchte man vergeblich. Sie waren zum Leichenschmaus nicht mitgegangen.

»Da ist mir viel zu viel Polizeipräsenz«, sagte Ignaz draußen während des Heimwegs. »Da schmeckts mir nicht, da bekomme ich keinen Bissen runter.«

Sie entschlossen sich, noch ein wenig spazieren zu gehen. Sie lenkten ihre Schritte auf den Ortsrand zu.

»Das mit den SOS-Zeichen auf der Törlspitze, das ist mir nach wie vor unerklärlich«, sagte Ursel.

»Ach so, das habe ich ganz vergessen, dir zu sagen«, erwiderte Ignaz kleinlaut. »Ich habe mit einem Bergwachtler geredet. Der hat mir erzählt, dass die Bergwacht an dem Abend eine Übung abgehalten hat. Daher die Blinkzeichen.«

So viele Ortsteile es im Bindestrich-Kurort gab, genauso viele Feuerwehren, Skiclubs und Bergwachtvereine gab es auch.

»Und ich mache mir die ganze Zeit Gedanken!«, rief Ursel vorwurfsvoll. »Ich habe gleich wieder an ein Verbrechen gedacht!«

Eine schlaksige Frau und ein stämmiger Mann traten in den Eingang der Gaststube. Nicole hatte die beiden noch nie vorher gesehen, aber sie wusste sofort, wer das war. Der stämmige Mann sprach mit dem Wirt, der zeigte zum Tisch der Polizisten.

»Ja, bitte?«

»Entschuldigen Sie, wenn wir Sie beim Essen stören, aber wir wollten uns zurückmelden«, sagte die Frau. »Mit wem von Ihnen haben wir denn telefoniert?«

»Mit mir«, sagte Nicole zu den beiden Bergsteigern. »Wir haben uns große Sorgen um Sie gemacht. Endlich sind Sie da! Es ist schön, Sie heil und gesund zu sehen. Setzen Sie sich zu uns. Greifen Sie zu, es gibt genug.«

Die beiden Mediziner holten Stühle und zwängten sich zwischen die lädierten Vertreter der Bayerischen Polizei.

»Wir haben ja überhaupt nichts gesehen!«, sagte die Internistin. »Wir haben mit dem Fernglas hinübergeguckt zu dieser ominösen Alm, aber eine Gewalttat – nein, so etwas wäre uns aufgefallen.«

»Das glaube ich schon«, sagte Nicole, »aber Sie haben überall herumerzählt, *dass* Sie da rübergeguckt haben. Sie haben auch noch von ihrem Superfernglas gesprochen. Dadurch haben Sie sich in höchste Lebensgefahr gebracht. Heute ist Ganshagel beerdigt worden. Die Täterin, die Äbtissin, dachte, dass er zu viel wusste. Wir vermuten, dass Sie die beiden nächsten Opfer gewesen wären.«

Der Neurologe und die Internistin sahen sich entsetzt an.

»Ach, das sind ja unsere beiden Extremkletterer!«, sagte Stengele. Auch er trug einen Verband. Er hatte mitgeholfen, die Äbtissin zu überwältigen. »Schön, Sie zu sehen. Wir haben Ihr Handy gefunden. Warum haben Sie sich nicht mehr gemeldet?«

»Wir hatten nur das eine dabei«, sagte der Neurologe. »Und dann mussten wir uns in den Bergen um einen dringenden Notfall kümmern.«

»Ein paar Tage lang?«

»Wir haben Urlaub. Und bei dem schönen Wetter übernachten wir gerne im Freien.«

»Das hat Ihnen vielleicht das Leben gerettet.«

Die Bergsteiger sahen jetzt wirklich sehr blass aus. Sie machten Anstalten, sich zu erheben.

»Ach, eines noch«, sagte Nicole. »Sie arbeiten doch beide im Krankenhaus, nicht wahr?«

»Ja, warum?«

»Können Sie mir verraten, was da nachts in der Notaufnahme los ist? Da werden heimlich Päckchen gebracht – da werden Sauerstoffflaschen herumgetragen – da wird auf großer Notfall gemacht – und am Schluss kommt Geld in die Kaffeekasse?! Können Sie mir das erklären? Mal ganz inoffiziell?«

Die beiden Mediziner blickten sich verlegen an.

»Eigentlich ist es ja nichts Illegales«, sagte der Neurologe. »Die Gäste in den Nobelrestaurants wollen den Hummer lebend und frisch sehen, bevor sie ihn verspeisen. Die Viecher kommen aber nach dem Flugzeug- und Bahntransport immer ziemlich matt und träge an. Deshalb gibt es einen Deal mit dem örtlichen Krankenhaus. Glauben Sie mir: Das ist nichts Ungewöhnliches, das wird woanders auch so gemacht. Die Hummer erhalten eine erfrischende, reanimierende Sauerstoffdusche – im Gegenzug kommt Geld in die Kaffeekasse.«

»Igitt«, rief Maria, die das Gespräch verfolgt hatte. »Das ist ja unglaublich! Ich esse nie mehr im Leben Hummer. Und wie heißt die Gaststätte, die so was macht?«

Die Blasmusik polterte einen krachenden Trauermarsch heraus.

»Es ist meistens das Restau … manchmal auch die … fg … rrr … fg …«

Die Antwort der Internistin ging im Blechlärm unter.

Die Bergsteiger verließen den Wirtshaussaal. Während sie wortlos in die Nacht schauten, fragte der Neurologe:

»Wie es wohl meinem Borreliose-Patienten geht? Wo er sich jetzt herumtreiben wird? Er ist jetzt schon mehrere Tage unterwegs. Ob er sich noch an mich, seinen Unglücksboten, erinnern kann?«

»Du hast ihn doch gesehen«, antwortete die Internistin. »Der weiß gar nichts mehr.«

Beide blickten auf die umliegenden Alpenkämme. Sie stellten ihn sich vor, wie er, von einer geheimen Macht getrieben, die Berge durchwanderte und sich bis in alle Ewigkeiten von wilden Beeren und eiskalten Forellen ernährte. Ein Fliegender Holländer der Berge eben.

Auch in Italien brach die Abenddämmerung herein. Hier war es drückend schwül. In einem der apostolischen Paläste, in einem prächtigen frühklassizistischen Raum mit Gemälden von Francobaldi Cesca an der Wand, mit Skulpturen von Leo Battista auf prächtigen Sockeln, aber auch mit einigen modernen Kunstwerken – in seinem Arbeitsraum also saß der Knollennasige. Er war bekleidet mit einer bequemen Mozetta, der Feierabendtracht. Es klopfte an der Eichentür.

»Herein!«, sagte der Knollennasige, und Kardinal d'Alviano schritt über den siebenhundert Jahre alten Marmorboden. Er verneigte sich vor dem Pontifex und legte ihm ein Schriftstück vor. Der Knollennasige las es, seufzte und sprach ein kurzes Gebet.

»Das ist eine traurige Nachricht, die du mir da gebracht hast«, sagte er. »Und die Beerdigung war heute?«

»Ja, Eure Heiligkeit«, sagte d'Alviano.

»Sende eine Nachricht zum Pfarrer dieses Kurortes. Ich bin mit den Gebräuchen dort vertraut: Der Pfarrer sitzt sicher noch beim Leichenschmaus. Der Gruß lautet: Liebe Trauergemeinde, herzliches Beileid zum Tod eures Mitbürgers. Ich durfte ihn selbst kennenlernen, er war ein Mensch, der die alten Werte wirklich noch gepflegt hat. Tragisch, dass er auf bestimmte Fragen keine Antworten mehr hat bekommen können.«

Als d'Alviano gegangen war, erhob sich der Knollennasige und ging zu einem Bild, das er einst gekauft hatte. Es waren lediglich fünf oder sechs verschlungene Bleistiftstriche. Es stellte ein Porträt von ihm selbst dar. Er fand sich außerordentlich gut getroffen. Der Knollennasige wusste nicht, dass er einen echten Wolzmüller im apostolischen Palast hängen hatte.

♫ TA-TA-TAAA! Die Blaskapelle spielte einen Tusch.

»Jetzt kommt aber einer!«, schrie der Huber Anton, und da kam tatsächlich einer, nämlich ein freigelassener Gefangener. Der Bürgermeister höchstpersönlich. Auch er eilte sofort zu dem Tisch, an dem Jennerwein saß.

»Den ganzen Kopf weggefressen«, sagte der Jagenteufel Nikolaus und stürzte noch einen Obstler hinunter. »Spinnst du: den ganzen Kopf weggefressen!«

»War das eigentlich nötig, diese Umklammerung?«, zischelte der Bürgermeister, während er in die Runde lächelte. »Diese totale Absperrung des Kurorts? Ich will ja gar nicht ausrechnen, was uns das wieder gekostet hat.«

»*Sie* müssen ganz still sein«, erwiderte Jennerwein kühl. »So sorglos und fahrlässig, wie Ihr Kämmerer Constantin Rohrmus die Seminare auf der Alm veranstaltet hat! Wenn das bekannt wird, dass ihr bester Freund so ein Schluderer ist, dann können Sie Ihre Wiederwahl vergessen.«

Der Bürgermeister trat eilig in die Mitte der Gaststube.

»Kommen Sie mal alle mit vor das Wirtshaus«, rief er. »Ich habe draußen eine Überraschung vorbereitet. Eine Überraschung, die gerade die engeren Freunde des Verstorbenen außerordentlich erfreuen wird!«

Draußen wies der Bürgermeister hoch zu der Stelle, an der die Hirnbircher Ludmilla am Nachmittag vom Friedhof aus das geheimnisvolle Blitzen gesehen hatte. Dort droben war jetzt so etwas wie ein Schild oder eine Banderole zu sehen.

»Eine indische Filmgesellschaft hat die weitere Finanzierung des Almbetriebs übernommen«, sagte der Bürgermeister. »Ich habe hart mit den Produzenten verhandelt. Sie drehen dort oben ein- oder höchstens zweimal im Jahr so einen Bollywood-Schinken, dafür ist die Alm den Rest des Jahres für die Bevölkerung frei zugänglich. Und damit das jeder Bürger mitbekommt, haben wir richtig Werbung gemacht. Sehen Sie, was auf dem Banner steht!«

Die mit den guten Augen konnten es von hier unten lesen:

RAINER-GANSHAGEL-ALM

Applaus brandete auf.

»Und was steht da drunter?«, fragte einer. »Das ist doch irgendwas Indisches!«

»Das ist Hindi«, sagte der Bürgermeister. »Es heißt, frei übersetzt: Griaß Gott. Haxn abkratzen!«

Das war ein Coup! Der Bürgermeister war hochzufrieden. Die Finte mit den hochzeitswütigen Indern hatte geklappt, jetzt war es ihm gelungen, schon nach dem ersten Besuch der Bollywood-Produzenten von den *Filmalaya-Studios* einen richtigen Vertrag abzuschließen. Die gebirgssüchtigen Inder würden einen Currywestern nach dem anderen drehen, und Aamir Khan würde im Kurort ein und aus gehen. Der Bürgermeister hatte auf jeden Fall wieder ein paar Wählerstimmen gewonnen. Alle drängten lachend wieder hinein in die Wirtsstube.

Die Dunkelheit war hereingebrochen. Gustl, Hias, Blasi und Naaz waren wieder aufgewacht. Das windige Streichquartett umschmeichelte die Wolzmüller-Alm, pardon: Rainer-Ganshagel-Alm, und hüllte sie in spitze Pfiffe und sirrende Sauser. Die weißliche Béchamel-Mondsoße hatte sich über die Matten und Hügel ergossen. Und die Alm schämte sich nicht, sich von der prachtvollsten, aber auch verletzlichsten Seite zu zeigen. Abgesehen von den Winden war es ruhig, wie es in solchen Höhen eben ruhig ist. Vielleicht war es nur draußen im Weltall noch einen Klacks ruhiger. Der Michl ging jedoch nicht hinauf zur Alm. Er warf einen kurzen Blick in die Richtung, er grüßte seinen Vater, der dort begraben lag, dann lenkte er die Schritte zu seinem Haus. Schon von weitem sah er, dass das Ehepaar Grasegger am Zaun wartete.

»Servus Michl«, sagte Ursel. »Können wir reinkommen?«

Keine Antwort.

»Erinnerst du dich noch, wie wir deinen Vater beerdigt haben damals?«, fragte Ignaz am großen Tisch, an dem noch vor kurzem Ostler gesessen hatte. Der Tisch war übersät mit Zeichnungen.

»Du bist doch so ein talentierter Bursche«, sagte Ursel nach einer langen Pause. »Wir hätten da eine Geschäftsidee.«

Nicht ganz so Idyllisches und Versöhnliches ist vom armen Scheuchzer Schorsch zu vermelden. Der Hausmeister des Kainzenbades fand ihn erst nach Tagen, bei einem Kontrollgang durch die Umkleidekabinen. Als der Pedell die Kabine Nummer 99 öffnete, merkte er, dass hier etwas nicht in Ordnung war. Ein paar Bretter der Wandverkleidung waren lose, er riss sie ganz herunter. Der Scheuchzer Schorsch war in den Zwischenraum gepresst worden. Er hatte ein winzig kleines Loch am Hals. Und er hielt immer noch zwei Eiswaffeln in der Hand.

Davon wussten Jennerwein und sein versammeltes Team noch gar nichts, sie waren froh, diesen Fall abgeschlossen zu haben. In der Roten Katz wurde geschna*pp*selt; die Ganshagel-Witwe hatte es kurz einmal geschafft, sich zwischen Maria und Jennerwein zu zwängen; der Rösch Sigi entschuldigte sich vielmals – er müsse noch zu einer anderen Leich' im Nachbarort, da wären noch ein paar Jodler fällig; und der kleine Ägidi musste jetzt ins Bett. Er verabschiedete sich artig vom Herrn Kommissar.

»Du heißt wirklich Hubertus?«, fragte er.

»Ja, wirklich. So wie du Ägidi heißt.«

»Du hast doch versprochen, dass ich mit dem Tatütata fahren darf.«

Jennerwein nickte und erhob sich.

»Ja, klar. Versprochen ist versprochen.«

Erfreue jeden Tag ein Kind, hätte der stumme Raj Narajan auf einen Zettel geschrieben. Aber auch ohne Zettel: Ein langer, anstrengender Tag endete versöhnlich.

Wie: versöhnlich?

Das letzte Wort, das Schlusswort, die Apotheose, der Appendix sollte doch eigentlich immer der kompetentesten, sachkundigsten und nachhaltigsten Figur des Kriminalfalles vorbehalten sein, und das kann eigentlich niemand anderes sein als das Tatwerkzeug selbst. Der Hammer, der Draht, die Spritze, die Kugel – diese kleinen Requisiten wissen immer mehr als alle anderen Figuren zusammen, sie haben auch eine wesentlich größere Rolle gespielt als diese. Sind sie aber einmal in den durchsichtigen Beutel gesteckt worden und in der dunklen Asservatenkammer gelandet, dann werden sie ganz und gar vergessen. Ich selbst allerdings erfreue mich noch der Freiheit, darum erlaube ich mir jetzt, stellvertretend für alle eingebeutelten Freunde, das Wort zu ergreifen. Ich, der doppeltverzinkte und darüber hinaus mit einer verstärkten Schnittkante versehene Klappspaten der Marke Gartenfreund, habe das Schlusswort erhalten. Das allein zeugt doch schon von meiner Wichtigkeit. Kommissar Jennerwein hat wieder einmal *fast* alles aufgeklärt, so steht es jedenfalls in den Gazetten, so twittert es im Netz. Es stimmt schon: Er hat auch *fast* alles herausgefunden, dieser Jennerwein – aber hat er zum Beispiel das Tatwerkzeug gefunden? Mitnichten! Und er wird es auch nicht finden. Ich habe mich in der Öffentlichkeit versteckt, das sind die genialsten Verstecke, die man sich ausdenken kann. Ich stehe hier im Vorgarten eines ganz normalen Hauses, ich werde regelmäßig ausgeliehen. Und ich muss sagen, auch das bürgerliche Ehepaar aus der Nachbarschaft mausert sich. Sie scheinen ruhig und brav, sie spielen Mensch ärgere dich nicht, aber Mordgedanken hegen sie ebenfalls. Alle beide. Das bleibt in einer Ehe nicht aus.

Zurück zu Jennerwein, dem Guten. Wird er die Identität der toten Frau unter der Zirbe knacken? Ich traue ihm das durchaus zu. Er ist so ein Typ, der nicht lockerlässt. Das gefällt mir an ihm. Irgendwann wird er herausbekommen, dass die Tote dort oben Marlene Schultheiss hieß. Er wird herausbekommen, wo sie gewohnt hat. Und in welchem Lokal sie vor der Abreise in den Kurort Grünkohl mit Pinkel gegessen hat. Irgendwann wird er Peter Schultheiss finden. Die Massagebank im Fitnessraum. Die Philomena-Bar in der Kaiserstraße. Den Zimmermannsbleistift in der Brust von Fred Möbius, dem ehemaligen Bibelillustrator – aber das ist ja eine ganz andere Geschichte. Und es ist ja auch ein anderes Tatwerkzeug. Zimmermannsbleistift! Du meine Güte. Kein Vergleich mit einem Klappspaten der Marke Gartenfreund. Und um den geht es doch hier. Der ist wirklich unschlagbar.

Ein nützlicher Anhang

Nachdem jetzt so oft über die Sauren Knödel geredet wurde, und nachdem es inzwischen fast Usus geworden ist, die im Buch genannten Speisen in Rezeptform anzuhängen, verrate ich hier das Originalrezept der original Ganshagel'schen Sauren Knödel (sour dumplings). Viel Spaß beim Nachkochen – und guten Appetit!

Biochemische Analyse			
Saure Knödel	**Menge: 100 g**	**Energie 201,9 (Kcal)**	
Bestandteile:	Menge:	empfohlene Menge täglich:	prozentual:
Energie	201,9 kcal	2199,6 kcal	9 %
Wasser	46,6 g	–	–
Eiweiß	6,6 g	60,4 g	11 %
Fett	6,6 g	70,6 g	9 %
Kohlehydrate	27,1 g	305,4 g	9 %
Ballaststoffe	1,4 g	30,0 g	5 %
Alkohol	1,05 g (!)	–	–
ung. Fettsäure	0,4 g	10,0 g	4 %
Cholesterin	2,8 mg	–	–
Vitamin A	7,8 μg	800,0 μg	1
Carotin	0,0 mg	–	–
Vitamnin E	0,1 mg	–	–
Vitamin B1	0,1 mg	1,0 mg	10 %
Vitamin B2	0,1 mg	1,2 mg	10 %
Vitamin B6	0,1 mg	1,2 mg	12 %
Folsäure	8,6 μg	–	–
Vitamin C	0,2 mg	100,0 mg	0
Natrium	3958,2 mg	2000,0 mg	198 %
Kalium	202,8 mg	3500,0 mg	6 %
Calcium	73,8 mg	1000,0 mg	7 %
Magnesium	33,4 mg	300,0 mg	11 %
Phosphor	195,2 mg	700,0 mg	28 %
Eisen	1,3 mg	15,0 mg	8 %
Zink	0,8 mg	7,0 mg	12 %

Ein herzliches Dank'schee

– an alle, die mir geholfen haben, dieses Buch zu schreiben. Aber ich habe eine Bitte zu erfüllen. Ich für meine Person verabschiede mich an dieser Stelle schon mal und überlasse das Feld den Hauptfiguren meines Kriminalromans, die ihre jeweiligen Lieblingshelfer selbst vorstellen möchten.

Johann Ostler, Polizeiobermeister:
»Mein Lieblingshelfer ist Kriminalhauptkommissar Nicolo Witte aus München. Wieder einmal hat er viele Interna der bayerischen Polizei ans Licht gebracht. Nebenbei gesagt hat KHK Witte auch angeregt, dass es langsam an der Zeit wäre, dass ich, Johann Ostler, die heimliche Hauptfigur des Jennerwein-Universums, nach fünf Romanen endlich einmal befördert werde. Nix für ungut, Herr Autor: Verdient hätt' ich's doch, oder?«

Marlene Schultheiss, Hausfrau:
»Mein Lieblingshelfer ist der bewährte medizinische Berater des Autors, nämlich Herr Dr. Thomas Bachmann aus Bad Reichenhall. Ich selbst hätte ja viel mehr Gemeinheiten über meinen Mann zu sagen gehabt – das ging aber leider nicht! Aber die Leichenszenen machen das wieder wett. Viele der grausligen medizinischen Details gehen auf Dr. Bachmanns Konto. Mehr davon!«

Kriminalhauptkommissar Hubertus Jennerwein, leitender Ermittler der Mordkommission IV:
»Ich darf wie immer ohne Umschweife zur Sache kommen: Meine Lieblingshelferin ist die Lektorin dieses Buches, Frau Dr. Cordelia Borchardt. Denn sie hat mich geprägt wie keine Frau in meinem Leben. Sie hat jedes Wort von mir auf die Gold-

waage gelegt, jede meiner Verhaltensweisen auf Stimmigkeit, Plausibilität und Wahrscheinlichkeit abgeklopft. Klar, der Autor sollte nicht unerwähnt bleiben. Aber Autoren haben oft nur irgendwelche kruden Einfälle, dann aber kümmern sie sich oft nicht mehr darum, was daraus wird. Wir Figuren müssen es dann ausbaden. Deswegen Dank der weitsichtigen Lektorin.«

Dr. Maria Schmalfuß, Polizeipsychologin:
»Rein psychologisch betrachtet sind wir Romanfiguren auf die Zuneigung der Menschen angewiesen. Wir schielen auf den Erfolg. Meine Lieblingshelfer sind deshalb folgerichtig die Mitarbeiter des S. Fischer Verlags, die unermüdlichen Buchhändler und natürlich Sie, liebe, hochgeschätzte Leserschaft. Sie alle sorgen multiplikativ dafür, dass der Name Schmalfuß in Kiel genauso ein Begriff ist wie in Lindau, Saarbrücken oder Rostock. Vielleicht darf ich nach all dem Lob eine bescheidene Bitte äußern. Gibt es jemanden unter Ihnen, der den Autor dazu bringen könnte, das nächste Mal eine klitzekleine Liebesszene für mich und den Kommissar zu schreiben? Ein kleiner Kuss am Eibseestrand, eine innige Umarmung im Auto? Da verlange ich doch nicht zu viel, oder?«

Ursel und Ignaz Grasegger, ehemalige Bestattungsunternehmer:
»Hmpf … Wie? Ein Lieblingshelfer? Hm … mhmmpf …«

»Entschuldigung, wir haben den Mund gerade voll, wir wollen das Rezept der Sauren Knödel von Rainer Ganshagel knacken. Geht nur mit Probieren.«

»Mhmpf … mm … Also, ganz kurz. Wir nennen nur einen Namen: Hannes Krätz. Wir danken ihm. Er ist eine wichtige politische Persönlichkeit des Kurorts, er hat dem Autor für diese Geschichte Tipps gegeben. Insidertipps.«

»Wenn wir uns in nicht allzu ferner Zukunft um das Amt des Bürgermeisters des Kurorts bewerben –«

»– und das haben wir vor!«

»– dann kann er uns vielleicht noch ein paar weiterreichende Tipps geben.«

»Informationen, die den Kurort zum Wackeln bringen.«

»Jetzt müssen wir uns aber entschuldigen, wir sind der Geheimzutat der Sauren Knödeln auf der Spur.«

Name und weitere Personalien unbekannt:
»Helfer? Dass ich nicht lache. Der Einzige, der *mir* geholfen hat, ist der Autor. Barcelona, 1992, Olympische Sommerspiele, Kunstspringen Frauen. Dass ich da einen zweieinhalbfachen Auerbachsalto vom Dreier gesprungen bin – wer weiß das schon noch? Das hat der Autor wieder ans Tageslicht gebacht. War aber ohnehin nur der vierte Platz. Vor mir: die Chinesen!«

Klappspaten, Marke Gartenfreund:
»Mein Lieblingshelfer? Keine Frage: Marion Schreiber. Ich kenne sie persönlich, eine sympathische Person, sie hat mich ausgeliehen, hat sich hinaufgeschlichen in das Arbeitszimmer des Autors, hat ausgeholt – und in dem Moment dreht er sich um. Geistesgegenwärtig sagt sie: ›Da schau her! Das wäre doch mal eine Idee für einen neuen Roman!‹ Und so hat Marion Schreiber den Autor auf die Idee gebracht. Ihr, der Spezialistin für gefährliche Nachforschungen, habe ich vieles zu verdanken. Sie ist berühmt für ihre genauen Recherchen. Was sie nicht alles schon gemacht hat! Auf die Skischanze ist sie geklettert, die Höllentalklamm ist sie probehalber runtergeschwommen – und jetzt hat sie auch mich schließlich für geeignet befunden. Danke, Marion!«

Das komplette Team Unterholz
Garmisch-Partenkirchen – im Spätsommer 2012